꼬마해커의
작업실, 수프

엔트리,
피지컬
컴퓨팅을 만나다

지은이 **최현종** blueland@seowon.ac.kr

한국교원대학교 대학원에서 컴퓨터교육 석·박사 학위를 취득하였다. 서원대학교 컴퓨터교육과 교수로 재직 중이며, 한국컴퓨터교육학회 이사로 우리나라의 컴퓨터 교육을 위해 다양한 활동에 참여하고 있다. 저서로는 『예비교사를 위한 컴퓨터 입문』(그린출판사, 2008), 『중학교 정보』(두산동아, 2013), 『고등학교 정보』(형설출판사, 2014), 『Computational Thinking & 창의적 문제 해결 방법론』(이한출판사, 2014), 『정보교과교육론』(한빛아카데미, 2015) 등이 있다.

지은이 **이상열** lsy7312@naver.com

한국교원대학교 대학원에서 컴퓨터교육 석사 학위를 취득하였다. 충남 아산시의 금성초등학교에 재직하고 있으며 2015년도부터 교육부 소프트웨어 선도교원으로 교재 집필, 원격연수 개발, 학생·학부모·교원 대상 SW교육 연수 활동을 하고 있다. 저서로는 『예비교사를 위한 컴퓨터 입문』(그린출판사, 2008), 『정보 과학 세상』(교학사, 2008), 『엔트리 : 창의력과 문제해결능력 향상을 위한 첫걸음』(한빛미디어, 2016) 등이 있다.

지은이 **이현아** lovelyee824@naver.com

성균관대학교 컴퓨터교육과를 졸업하고, 현재 정보영재 전공으로 대학원 석사 과정에 있다. 세종시 도담중학교 정보컴퓨터 교사로 재직하며 아이들과 함께하는 교사로 하루하루를 알차게 보내고 있다. 2015 SEF(SoftwareEduFest)에서 특별상을 수상하였으며, 저서로는 『소프트웨어와 함께 하는 창의력여행–중학교』(교육부, 2016), 『진짜! 코딩 교과서』(동아출판, 2018) 등이 있다.

엔트리, 피지컬 컴퓨팅을 만나다 :

엔트리와 센서보드로 시작하는 창의력과 문제해결능력 향상을 위한 첫걸음

초판발행 2018년 8월 3일

지은이 최현종, 이상열, 이현아 / **펴낸이** 김태헌
펴낸곳 한빛미디어(주) / **주소** 서울시 서대문구 연희로2길 62 한빛미디어(주) IT출판사업부
전화 02-325-5544 / **팩스** 02-336-7124
등록 1999년 6월 24일 제25100-2017-000058호
ISBN 979-11-6224-099-1 13000

총괄 전태호 / **책임편집** 송성근 / **기획** 조희진 / **편집** 조경숙
디자인 표지&내지 최연희, 표지 일러스트 아트케이, 조판 이경숙
영업 김형진, 김진불, 조유미 / **마케팅** 송경석, 변지영 / **제작** 박성우, 김정우

이 책에 대한 의견이나 오탈자 및 잘못된 내용에 대한 수정 정보는 한빛미디어(주)의 홈페이지나 아래 이메일로
알려주십시오. 잘못된 책은 구입하신 서점에서 교환해 드립니다. 책값은 뒤표지에 표시되어 있습니다.
한빛미디어 홈페이지 www.hanbit.co.kr / **이메일** ask@hanbit.co.kr

지금 하지 않으면 할 수 없는 일이 있습니다.
책으로 펴내고 싶은 아이디어나 원고를 메일(**writer@hanbit.co.kr**)로 보내주세요.
한빛미디어(주)는 여러분의 소중한 경험과 지식을 기다리고 있습니다.

사용연령 8세 이상 / **제조국** 대한민국
사용상 주의사항 책종이가 날카로우니 베이지 않도록 주의하세요.

엔트리와 센서보드로 시작하는
창의력과 문제해결능력 향상을 위한 첫걸음

꼬마해커의
작업실, 수프

엔트리,
피지컬
컴퓨팅을 만나다

최현종, 이상열, 이현아 지음

E·SENSOR BOARD II

HANBIT

MEDIA

ENTRY

한빛미디어
Hanbit Media, Inc.

지은이의 말

인공지능, 정보통신기술 등의 발달로 우리 생활은 더욱 더 편리해지고 사회의 변화 속도 역시 점점 더 빨라지고 있습니다. 또한 새로운 4차 산업혁명의 모습에서 알 수 있듯이, 앞으로의 미래 사회에서 특히 소프트웨어가 차지하는 비중은 점점 더 커질 것입니다. 우리 생활에서 소프트웨어가 사용되는 영역은 점점 더 확대될 것이며 소프트웨어 관련 직업들도 더 늘어날 것입니다. 따라서 소프트웨어 역량을 지금부터 길러 나간다면 미래 사회의 적응이나 관련 직업을 선택하는 데 큰 도움이 될 거라 생각합니다.

피지컬 컴퓨팅(Physical Computing)은 자동문처럼 특정한 조건을 감지하고, 그에 따라 반응할 수 있도록 하드웨어와 소프트웨어로 시스템을 구현하는 것을 말합니다. 자동으로 켜지는 전등, 사용자가 설정한 온도에 따라 자동으로 온도가 조절되는 냉난방 시스템 등과 같은 피지컬 컴퓨팅은 우리의 생활을 더욱 편리하게 만들고 있습니다. 이런 피지컬 컴퓨팅을 잘하기 위해서는 하드웨어와 소프트웨어를 모두 다룰 수 있어야 합니다.

이 책은 하드웨어와 소프트웨어를 모두 다루고 있습니다. 소프트웨어인 엔트리를 이용하여 하드웨어인 E-센서보드, 햄스터 로봇을 제어하거나 E-센서보드, 햄스터 로봇을 동작시켜 결괏값을 엔트리에 전달할 수도 있습니다. 책의 내용은 대부분 따라하기 방식으로 구성되어 있어 차례대로 공부를 하다 보면 어느새 쉽게 프로그램을 완성할 수 있을 겁니다. 그리고 배운 내용을 심화할 수 있는 다양한 도전과제를 제시하여 흥미롭게 공부할 수 있도록 구성하였습니다.

> **1부** 피지컬 컴퓨팅에 대한 개념 및 E-센서보드의 기본 동작 방법을 익힙니다.
>
> **2부** 피지컬 컴퓨팅의 첫걸음으로 엔트리와 E-센서보드를 이용하여 각종 센서의 기본적인 이용 방법을 배웁니다.
>
> **3부** 우리 생활을 편리하게 해주는 프로그램을 엔트리와 E-센서보드를 이용하여 만들어봅니다.
>
> **4부** 햄스터 로봇의 기본 동작 방법을 익히고 다양하게 움직이는 방법을 배웁니다.

이 책을 통해 여러분들이 피지컬 컴퓨팅의 개념을 익히고 기본적인 프로그램을 설계하는 방법을 배우고 응용할 수 있는 능력을 키우길 바랍니다. 또 생활 속에서 응용할 수 있기를 기대해봅니다.

마지막으로 이 책이 나오기까지 애써 주신 한빛미디어 관계자분들께 감사드립니다.

2018년 7월 저자 일동

학습에 필요한 사이트

+ 엔트리 : https://www.playentry.org/
+ E−센서보드 : https://www.neweducation.co.kr/
+ 햄스터 로봇 : http://hamster.school/ko/
+ 연습문제 해답지 PDF 제공 : http://hanbit.co.kr/src/10099

엔트리를 좀 더 자세히 배우고 싶다면

+ 『꼬마해커의 작업실, 수프 엔트리: 창의력과 문제해결능력 향상을 위한 첫걸음』을 읽어보세요.

일러두기

+ 이 책은 소프트웨어(엔트리)와 하드웨어(피지컬 컴퓨팅)를 동시에 학습하는 도서입니다.
+ 1~3부를 학습하려면 E−센서보드가 필요합니다.
+ 4부를 학습하려면 햄스터 로봇이 필요합니다.

목차

지은이의 말

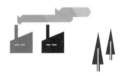

3부 생활 속 피지컬 컴퓨팅

4부 피지컬 컴퓨팅 확장하기

1

피지컬 컴퓨팅의 이해

1장. 피지컬 컴퓨팅 알아보기

✍ 이런 것을 배워요

✦ 우리 주변에서 스스로 움직이는 장치를 찾아봅시다.

✦ 스스로 움직이는 장치는 어떻게 움직이는지 살펴봅시다.

✦ 피지컬 컴퓨팅의 개념을 이해하고 그 예를 제시해봅시다.

✍ 도움이 필요해요

소하는 어머니와 함께 빵을 사러 제과점에 갔습니다. 제과점에 도착해 버튼을 눌러 문을 열려고 하자 문이 자동으로 열렸습니다. 버튼을 누르지도 않았는데 말이죠! 생각해보니 이처럼 버튼을 누르지 않아도 자동으로 문이 열리는 가게들을 주변에서 많이 봤습니다.

문은 어떻게 자동으로 열릴까요? 또 이처럼 우리 주변에 자동으로 움직이는 장치는 어떤 것들이 있을까요?

🏅 미리 생각해봐요

소하처럼 자동으로 움직이는 장치를 본 적이 있나요? 우리 주변에서 이런 경험이 있다면 친구들과 이야기해봅시다. 자신의 경험을 그림 혹은 글로 표현해봅시다.

✦ **자동문: 문 앞에 서면 문이 자동으로 열립니다.**

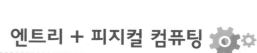

⚙ 스스로 움직이는 장치 찾아보기

소하의 고민을 해결하기 위해 우리 주변에서 스스로 움직이는 장치를 찾아보고 그 작동 원리를 알아봅시다.

Check 1 ▨ **자동으로 움직이는 장치가 또 있나요?**

앞에서 소하가 경험한 자동문처럼 주변 환경에 따라 자동으로 움직이는 장치는 또 어떤 것이 있을까요? 자동으로 움직이는 장치를 찾아 다음 그림에 써봅시다.

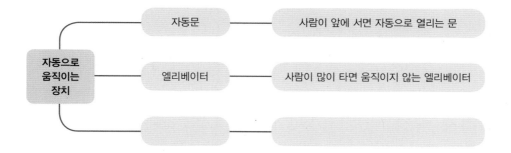

소하의 아버지가 일하시는 회사는 저녁이 되면 사무실에 사람이 있을 때만 불이 켜진다고 합니다. 또 온도조절기가 있어 설정한 온도에 맞춰 자동으로 에어컨과 히터가 켜지며, 지하 주차장은 자동으로 주차 가능한 차량의 수를 표시해준다고 합니다. 이렇게 우리 주변에는 빛, 온도, 소리 등의 환경에 따라 자동으로 작동하는 장치가 많이 있습니다. 이 외에도 어떤 장치가 있는지 찾아 다음 그림에 써봅시다.

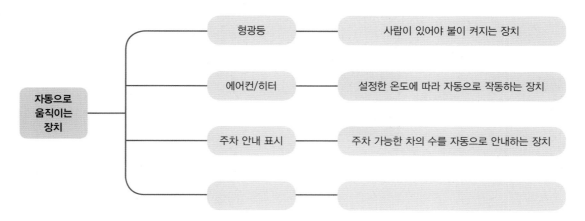

다음 사진은 소하가 찾아간 박물관의 자동문입니다. 문 위의 검은색 센서가 보이시나요? 이 센서가 사람이 문에 다가가면 자동으로 인식하고 문을 열어줍니다.

이처럼 자동문은 대부분 센서가 있어 사람이 다가오면 자동으로 인식하여 문을 엽니다. 그런데 센서가 단독으로 이런 것을 처리하는 건 아닙니다. 센서에서 사람이 다가오고 있다는 값을 주면 이를 처리하여 문을 열라는 명령을 내리는 처리 장치가 있고, 이 명령을 실행하여 문을 여는 구동 장치가 있습니다.

이와 같이 센서에 의해 움직이는 특정 장치는 동작을 인식하는 센서와 이를 처리하는 처리 장치 그리고 움직이게 하는 구동 장치 등 세 부분으로 구성됩니다. 센서, 처리 장치, 구동 장치는 자동문뿐만 아니라 센서에 따라 특정한 장치를 움직이는 시스템에는 모두 가지고 있는 공통적인 구성 요소입니다.

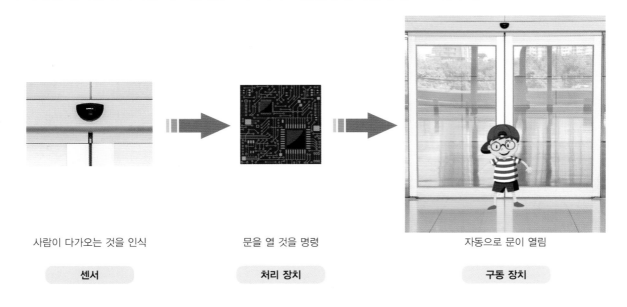

사람이 다가오는 것을 인식	문을 열 것을 명령	자동으로 문이 열림
센서	처리 장치	구동 장치

⚙️ 피지컬 컴퓨팅을 이해해요

Step 1 🐭 **피지컬 컴퓨팅의 개념 알아보기**

우리가 사용하는 컴퓨팅 기기는 일반적으로 입력, 처리, 출력의 과정을 거쳐 일을 처리합니다. 다음 그림은 컴퓨터의 계산기를 사용하여 덧셈하는 과정을 입력, 처리, 출력의 과정으로 표현한 것입니다.

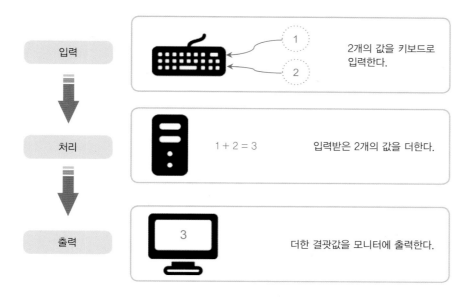

위의 덧셈 과정은 흔히 접할 수 있는 PC를 예로 들어 표현한 것으로 최근 기술이 발달하면서 키보드와 모니터 말고도 다양한 센서 장치와 구동 장치가 입력과 출력에 사용되기도 합니다.

일상생활에서 자동문처럼 특정한 조건을 감지하고, 그에 따라 반응할 수 있도록 하드웨어와 소프트웨어로 시스템을 구현하는 것을 피지컬 컴퓨팅(physical computing)이라고 합니다. 자동으로 켜지는 형광등, 자동으로 온도 조절이 되는 냉난방 시스템 등이 모두 피지컬 컴퓨팅의 예라고 할 수 있습니다.

피지컬 컴퓨팅을 구현하려면 컴퓨팅 시스템의 입력, 처리, 출력 장치의 단계별 설계가 필요합니다. 다시 자동문을 예로 들어 볼까요? 자동문에서 입력은 사람의 움직임을 감지하는 센서 장치, 처리는 처리하는 프로그램이 내장된 장치, 출력은 문 여는 장치입니다. 특히 피지컬 컴퓨팅의 입력은 다양한 센서를 사용하는데 이런 센서는 빛, 소리, 온도 등의 변화를 감지하는 역할을 합니다.

대부분의 피지컬 컴퓨팅 시스템은 다음 그림과 같은 구조로 구성되어 있습니다.

피지컬 컴퓨팅 시스템에서 입력 장치와 출력 장치는 특정 기능을 수행하기 위한 목적으로 별도로 구성해서 사용합니다.

Step 2 🚌 피지컬 컴퓨팅 시스템 구성하기

피지컬 컴퓨팅 시스템은 앞서 이야기한 것처럼 입력 장치, 처리 장치, 출력 장치로 구성할 수 있습니다. 다음은 자동차 엔지니어인 소하의 삼촌이 실생활 문제를 해결하기 위해 설계한 피지컬 컴퓨팅 시스템의 예입니다.

소하의 삼촌처럼 우리 주변에서 불편하게 생각되었던 문제를 찾아보고 이를 해결할 수 있는 피지컬 컴퓨팅 시스템을 구성해봅시다.

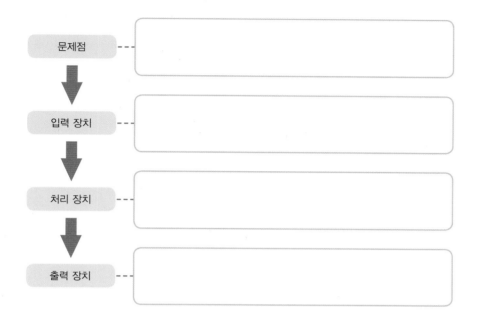

문제점	
입력 장치	
처리 장치	
출력 장치	

꼭 기억해요

지금까지 배운 내용을 정리해봅시다. 요점 정리를 읽고 이해가 되지 않는 내용이 있다면 1장의 내용을 다시 한번 살펴봅시다.

Point 1 **피지컬 컴퓨팅은 무엇인가요?**

✦ 특정한 조건을 감지하고 그에 따라 반응할 수 있도록 하드웨어와 소프트웨어로 만든 시스템을 구현하는 것입니다.

Point 2 **피지컬 컴퓨팅 시스템은 어떻게 구성되나요?**

✦ 피지컬 컴퓨팅 시스템은 입력 장치, 처리 장치, 출력 장치로 구분될 수 있습니다.

✦ 피지컬 컴퓨팅 시스템의 입력 장치에는 다양한 센서가 사용되며 출력 장치는 사람들에게 다양한 정보를 주거나 기기를 움직이도록 합니다.

2장. E-센서보드 연결하기

🖎 이런 것을 배워요

- ✦ 피지컬 컴퓨팅 장치를 개발하는 데 필요한 도구와 방법을 알아봅시다.
- ✦ 피지컬 컴퓨팅을 위한 다양한 하드웨어 보드를 살펴봅시다.
- ✦ 엔트리에 E-센서보드를 연결해봅시다.

🖎 도움이 필요해요

소하의 꿈은 사람의 생활을 편리하게 만드는 과학자가 되는 것입니다. 수업 시간에 친구들과 우리 주변에서 자동으로 움직이는 것에 대해 얘기하던 소하는 자동문 외에도 자동으로 움직이는 장치가 많다는 것에 호기심이 생겨 실제로 이런 장치를 만들어보기로 했습니다.

어떻게 하면 이런 장치를 만들 수 있을까요? 또 어떤 장비가 필요하고 어떻게 만들어야 할까요?

🏵 미리 생각해봐요

우리 주변에는 생활을 편리하게 하는 장치가 많이 있습니다. 앞으로 개발하고 싶은 장치를 생각해보고 친구들과 이야기해봅시다. 자신의 생각을 그림 혹은 글로 표현해봅시다.

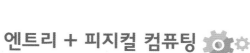

⚙️ 피지컬 컴퓨팅 장치의 개발을 위한 준비하기

소하의 고민을 해결하기 위해 피지컬 컴퓨팅 장치를 개발하는 데 필요한 방법을 알아보고 다양한 하드웨어를 살펴봅시다.

Check 1 🏴 **피지컬 컴퓨팅 장치를 개발하는 데 필요한 도구와 방법을 알아봅시다.**

1장에서 살펴본 바와 같이, 피지컬 컴퓨팅은 입력, 처리, 출력의 과정으로 일을 처리합니다.^{13쪽} 이때 입력을 받고 출력하는 데는 다양한 센서와 구동 장치 등을 사용합니다. 피지컬 컴퓨팅 장치를 사용하여 입력과 출력을 할 때는 목적에 맞게 센서, LED, 구동 장치 등의 입력과 출력 장치를 직접 설계하고 구성해야 합니다.

개인이 목적에 맞는 센서를 직접 구성하는 일은 어려운 일입니다. 따라서 학습에 필요한 센서가 장착된 피지컬 컴퓨팅 도구를 사용하려 합니다. 이런 도구를 사용하면 엔트리와 같은 블록형 프로그래밍 언어로 다양한 센서와 LED, 스피커 등의 장치를 쉽게 제어할 수 있습니다.

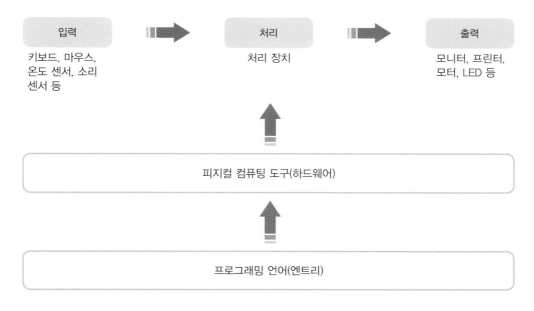

PC를 사용해봤으니 키보드, 마우스, 모니터를 통한 입출력을 경험해보았을 겁니다. 피지컬 컴퓨팅 장치를 컴퓨터에 연결한 다음 프로그래밍 언어로 프로그래밍을 하면 다양한 입출력 방식을 경험할 수 있습니다.

피지컬 컴퓨팅에 사용하는 하드웨어는 다양한 제품이 있는데 크게 보드형, 모듈형, 로봇형의 3가지로 구분할 수 있습니다. 다음은 국내에서 많이 쓰이는 하드웨어입니다.

구분	설명	주요 제품	
보드형	마이크로 컨트롤러가 포함된 전자기판을 기본으로 다양한 전자 부품(센서 등)을 연결하여 사용할 수 있습니다.	E-센서보드 https://www.neweducation.co.kr	아두이노 https://www.arduino.cc/
모듈형	다양한 센서와 모터들이 모듈로 되어 있으며, 이 모듈을 연결하여 사용할 수 있습니다.	비트브릭 http://bitbrick.cc/	
로봇형	완제품 형태로 비교적 쉽게 사용할 수 있습니다.	햄스터 로봇 http://hamster.school/ko/	알버트 http://albert.school/

이렇게 다양한 하드웨어 중에서 제품을 선택할 때에는 쉽게 조작 가능한지와 내가 사용 가능한 프로그램 언어를 지원하는지 그리고 가격 등을 고려해 선택하면 됩니다.

엔트리를 사용해 프로그래밍할 수 있는 하드웨어 제품은 50여 가지 이상 있지만 이 책에서는 가장 쉽게 사용할 수 있고 가격도 저렴한 E-센서보드를 기반으로 설명합니다. 또한 부록으로 완제품 형태인 햄스터 로봇을 활용한 피지컬 컴퓨팅 활동도 제공합니다.

⚙ 엔트리에 E-센서보드를 연결해요

Step 1 🚗 포장을 뜯어 부품 살피기

E-센서보드는 다음과 같이 아두이노 보드와 센서보드 그리고 컴퓨터에 연결할 수 있는 USB 케이블로 구성되어 있습니다.

| E-센서보드 | 아두이노 보드 | USB 케이블 | 점퍼 케이블 |

| 온도 센서 | 거리 센서 | 벨크로 |

🎓 잠·깐·만

DC모터, RC모터, 블루투스는 추가 부품이 필요하므로 이 책에서 다루지 않습니다.

Step 2 🐛 피지컬 컴퓨팅 시스템 설계하기

센서보드에는 오른쪽과 같이 다양한 센서가
보드에 이미 연결되어 있습니다.

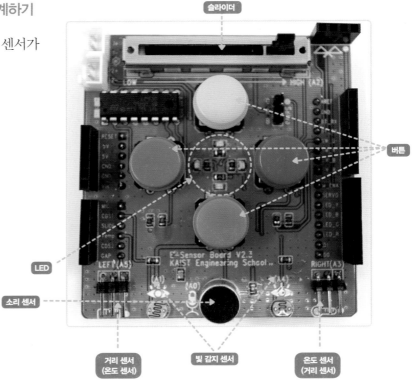

스라이더

버튼

LED

소리 센서

거리 센서
(온도 센서)

빛 감지 센서

온도 센서
(거리 센서)

Step 3 🐛 컴퓨터에 연결하기

E-센서보드를 컴퓨터에 연결하기 전에 센서보드와 아두이노 보드를 결합해야 합니다. 센서보드와 아두이노
보드의 핀의 위치를 확인하고 다음의 왼쪽 그림과 같이 아두이노 보드가 아래에 오도록 핀의 위치에 맞게 끼
워줍니다. 이때 아두이노 보드의 가장 안쪽 2개의 핀은 연결되지 않으므로 주의해야 합니다.

센서보드와 아두이노 보드를 결합하였으면 다음 오른쪽 그림과 같이 USB 케이블을 아두이노 보드에 끼우고,
USB 케이블의 반대쪽을 컴퓨터에 꽂아 컴퓨터와 E-센서보드를 연결합니다.

E-센서보드

아두이노 보드

Step 4 🚌 엔트리와 연결하기

❶ 인터넷 주소창에 playentry.org를 입력하여 엔트리 사이트에 접속합니다.

❷ 사이트 상단 메뉴의 ❶[만들기]를 선택한 다음 ❷[작품 만들기]를 클릭합니다.

❸ ❸'블록' 탭에서 ❹[하드웨어]를 선택한 뒤, ❺[연결 프로그램 다운로드]를 클릭합니다.

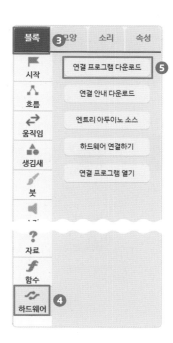

❹ 다운로드한 파일을 실행하여 다음과 같이 순서대로(❻~❿) 프로그램을 설치합니다.

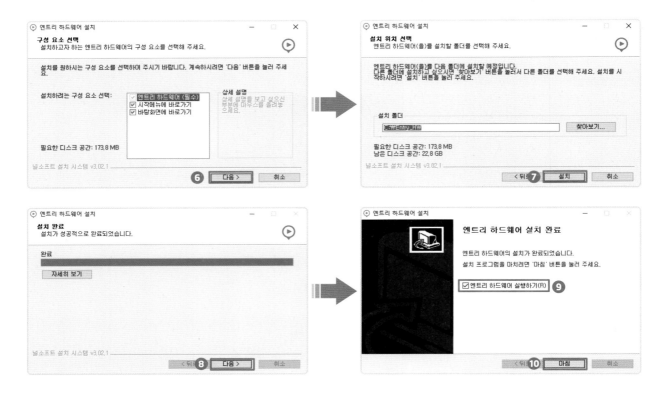

❺ 엔트리 하드웨어가 실행되면 ⓫[E-센서보드(유선연결)]을 선택합니다.

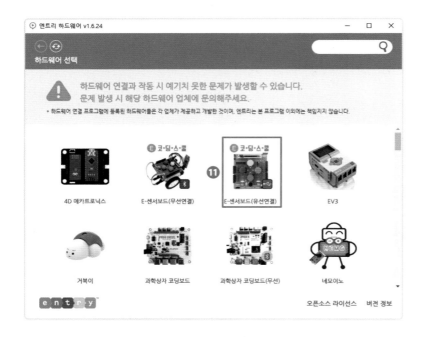

❻ 다음과 같이 E-센서보드에 연결된 USB 케이블을 자신의 컴퓨터 USB 포트에 연결합니다.

❼ ⓬[아두이노 호환보드 드라이버] 선택하여 드라이버를 설치합니다. ⓭[INSTALL]을 클릭하여 설치한 다음 ⓮'Driver install success!'라는 메시지가 나오면 확인을 클릭합니다. 그리고 DriverSetup 창을 닫습니다.

❽ ⓯[센서/확장보드 유선 펌웨어]를 선택하여 펌웨어를 설치합니다.

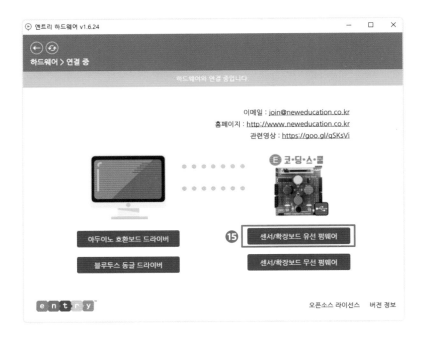

❾ 설치가 완료되면 ⓰[연결 성공]이라는 메시지를 볼 수 있습니다. E−센서보드를 연결하고 있을 때는 이 연결 프로그램을 종료하지 않아야 합니다.

⑩ ❶에서 접속한 엔트리 창을 띄운 후 [하드웨어] 블록 꾸러미의 ⑰[하드웨어 연결하기]를 클릭하면 엔트리와 E–센서보드가 연결되고 아래의 오른쪽 그림처럼 E–센서보드를 사용할 수 있는 다양한 명령어 블록을 확인할 수 있습니다.

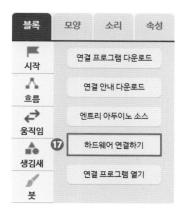

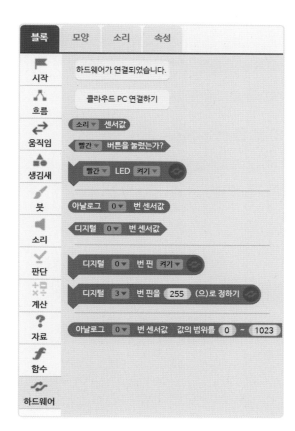

꼭 기억해요

지금까지 배운 내용을 정리해봅시다. 요점 정리를 읽고 이해가 되지 않는 내용이 있다면 2장의 내용을 다시 한번 살펴봅시다.

Point 1 피지컬 컴퓨팅에 필요한 도구들은 무엇인가요?

✦ 피지컬 컴퓨팅을 경험하기 위해서는 하드웨어와 프로그래밍 언어가 필요합니다.

Point 2 엔트리에 E−센서보드를 연결했나요?

✦ E−센서보드를 개인용 컴퓨터에 USB로 처음 연결할 때 드라이버와 펌웨어를 한 번 설치해야 합니다.

✦ [하드웨어] 블록 꾸러미를 살펴보면 피지컬 컴퓨팅을 하기 위한 다양한 명령어 블록을 확인할 수 있습니다.

도전해봅시다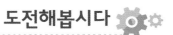

E−센서보드에 연결되어 있는 센서들을 확인해봅시다.

핀 번호	센서 종류	동작
아날로그 0	소리	0 기준: 소리 크기가 클수록 증가(0~1023)
아날로그 1	빛 감지(좌)	100 기준: 어두워지면 증가(0~1023)
아날로그 2	슬라이더	왼쪽은 0, 오른쪽은 1023
아날로그 3	온도(우) / 거리(우)	160 기준: 따뜻해지면 증가(0~1023), 멀어지면 증가(0~1023)
아날로그 4	빛 감지(우)	100 기준: 어두워지면 증가(0~1023)
아날로그 5	온도(좌) / 거리(좌)	160 기준: 따뜻해지면 증가(0~1023), 멀어지면 증가(0~1023)
디지털 2	LED(빨간)	출력: 꺼짐(0), 켜짐(1)
디지털 3	LED(초록)	출력: 꺼짐(0), 켜짐(255)
디지털 4	LED(파란)	출력: 꺼짐(0), 켜짐(1)
디지털 5	LED(노랑)	출력: 꺼짐(0), 켜짐(1)

E-센서보드2의 구성

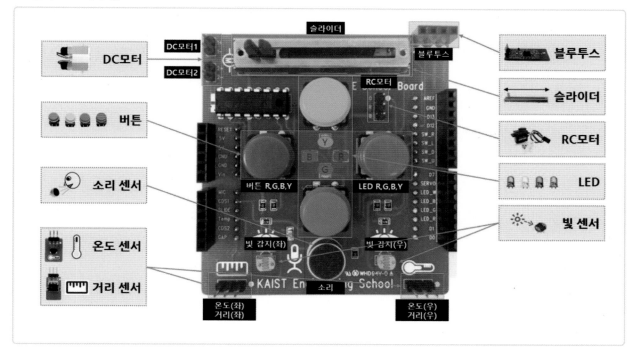

DC모터 DC모터1 DC모터2
슬라이더
블루투스
슬라이더
RC모터
LED
버튼
소리 센서
온도 센서
거리 센서
버튼 R,G,B,Y
LED R,G,B,Y
빛 감지(좌)
빛 감지(우)
빛 센서
온도(좌) 거리(좌)
온도(우) 거리(우)

2

피지컬 컴퓨팅
첫걸음

3장. [소리 센서] 소리로 오브젝트를 움직여요

📖 이런 것을 배워요

+ 소리 센서의 연결 방법을 알아봅시다.
+ 소리 센서와 엔트리를 이용하여 소리에 따라 오브젝트가 움직이는 프로그램을 만들어봅시다.
+ 소리 센서를 이용한 다양한 응용 프로그램을 만들어봅시다.

📖 도움이 필요해요

프로그래밍을 좋아하는 소하는 요즘 게임에 푹 빠져있습니다. 게임 중에서 특히 친구들과 함께 하는 소리로 캐릭터를 움직이는 게임은 정말 재미있습니다. 소하는 문득 노래 부르기를 좋아하시는 할머니께도 소리를 내어 할 수 있는 게임을 만들어드리고 싶어졌습니다. 그러면 자판이 익숙하지 않은 할머니도 쉽게 게임을 하실 수 있을 거라 생각했습니다. 소리의 크기를 감지해 캐릭터가 움직이는 누구나 쉽게 즐길 수 있는 게임을 만들려면 어떻게 해야 할까요?

🎖 미리 생각해봐요

소하가 고민하는 프로그램을 만들려면 소리 센서가 어떤 동작을 해야 할까요? 또 엔트리에서 사용될 명령어 블록은 무엇일까요? 자신의 생각을 그림 혹은 글로 표현해봅시다.

⚙ 피지컬 컴퓨팅 프로그래밍 기본

소하의 고민을 해결하기 위해서는 소리 센서를 다룰 수 있어야 합니다. 다음의 내용을 살펴보며 소리 센서의 작동 원리를 하나하나 배워봅시다.

Check 1 **소리 센서는 어떻게 사용하나요?**

Check 2 **이동 방향으로 10만큼 움직이기? 어디로 얼마큼 움직이는 건가요?**

Check 3 **특정 명령어를 여러 번 실행하는 방법은 무엇인가요?**

Check 1 ▌ **소리 센서는 어떻게 사용하나요?**

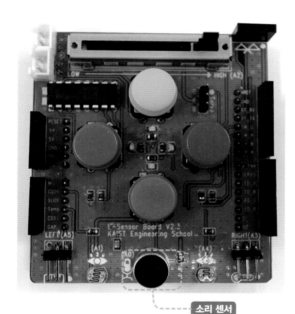

소리 센서

E-센서보드에서 마이크 모양의 아이콘이 보이시나요? 마이크 모양의 아이콘 옆에 있는 동그라미 부분이 소리의 세기를 감지하는 소리 센서입니다.

E-센서보드를 연결하면 엔트리의 [하드웨어] 블록 꾸러미에 사용 가능한 명령어 블록이 보입니다. [하드웨어]의 명령어 블록은 다른 블록과 마찬가지로 마우스로 명령어 블록을 블록 조립소로 드래그하여 사용할 수 있습니다. 소리 센서를 사용하기 위해서는 '소리' 센서값 블록을 사용하면 됩니다. 소리 센서에서 인식한 값만큼 오브젝트가 이동하게 하려면 명령어 블록을 어떻게 조립하면 될까요?

🎓 잠·깐·만

오브젝트가 뭔가요?

엔트리에서 **오브젝트**는 장면에 나타날 수 있는 요소라고 할 수 있습니다. 우선 엔트리에서 '오브젝트 추가하기'를 클릭해봅시다. 배경이나 그림, 글상자 등을 선택하여 장면에 추가할 수 있습니다. 이때 배경이나 그림, 글상자 등 프로그래밍을 위해 장면에 추가할 수 있는 모든 것들을 오브젝트라 합니다. 오브젝트는 명령어 블록을 통해 동작을 제어할 수 있습니다.

먼저 [시작] 블록 꾸러미의  블록을 사용하여 프로그램을 만들어봅시다. [움직임] 블록 꾸러미의 이동 방향으로 '10'만큼 움직이기 블록에 '10'이라는 숫자 대신 '소리' 센서값 블록을 가져와 넣어줍니다. 이렇게 명령어 블록을 설정한 다음 소리 센서값만큼 오브젝트가 잘 움직이는지 확인해봅시다. 확인할 때는 '시작하기'를 클릭함과 동시에 소리 센서가 소리의 크기를 인식하므로 소리를 내며 '시작하기'를 클릭합니다.

🎓 **잠·깐·만**

소리 센서에서 인식하는 값을 알고 싶어요!

소리 센서에서 인식하는 값을 확인하는 방법은 다양합니다.

그중에서 가장 간단한 방법은 '소리' 센서값 블록과 [생김새] 블록 꾸러미의 '안녕!'을(를) 말하기 블록을 연결하는 것입니다. '안녕!'을(를) 말하기 블록의 '안녕!' 자리에 '소리' 센서값 블록을 넣어준 다음 실행해봅시다.

Check 2 ▮◀ **이동 방향으로 10만큼 움직이기? 어디로 얼마만큼 움직이는 건가요?**

 엔트리를 실행하면 '장면 1'에 나타나는 엔트리봇 위에는 갈색 점과 화살표가 있습니다. 여기서 갈색 점은 오브젝트의 이동 중심을 의미하고, 화살표가 가리키는 방향이 오브젝트의 현재 이동 방향을 의미합니다.

 엔트리봇의 블록 조립소를 보면 왼쪽과 같이 3개의 명령어 블록이 조립된 것을 볼 수 있습니다. 이 중에서 이동 방향으로 '10'만큼 움직이기 블록을 볼 수 있는데 이때의 '이동 방향'은 이 화살표가 가리키는 방향이라는 것이죠. 그렇다면 '10'은 무엇을 의미하는 걸까요?

여기서 말하는 10은 장면 상의 좌푯값을 의미합니다. 이동 방향이 오른쪽일 때, 이동 방향으로 '10'만큼 움직이기 블록을 실행하면 오브젝트의 x 좌표 위치가 '10'만큼 변하는 것을 확인할 수 있습니다.

 잠·깐·만

좌푯값은 무엇인가요?

평면이나 공간 안의 임의의 점의 위치를 나타내는 수(혹은 수의 짝)를 좌표라고 부릅니다. 화면 위에 있는 ⊞ 메뉴를 클릭하면 격자가 나타나며 정확한 x 좌표와 y 좌표의 값을 알 수 있는데, 이것을 좌푯값이라 부릅니다.

x 좌표는 x축에서의 값을 의미하고, y 좌표는 y축에서의 값을 의미합니다. x축은 좌우 방향으로의 이동, y축은 위아래 방향으로의 이동과 관련이 있습니다.

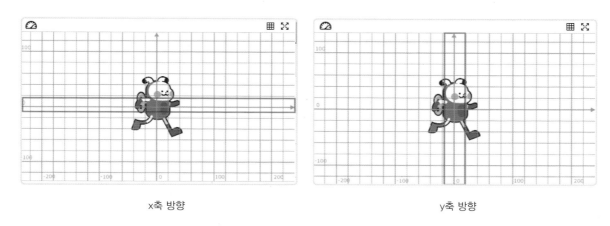

x축 방향   y축 방향

x축과 y축이 만나는 가운데 지점을 중심으로 좌푯값이 정해집니다. 마우스 포인터를 장면에 갖다 대면 해당 위치의 좌푯값이 화면 위쪽에 표시됩니다.

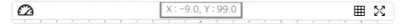

Check 3 ▌ **특정 명령어를 여러 번 실행하는 방법은 무엇인가요?**

만약 여러분이 엔트리 프로그래밍을 처음 한다고 생각해봅시다. 내가 불러온 오브젝트를 이동 방향으로 10만큼 움직이는 것을 5번 할 때 어떻게 명령을 내릴 수 있을까요?

아마 왼쪽과 같이 명령어 블록을 여러 개 연결할 수 있을 겁니다. 하지만 똑같은 명령어를 여러 번 실행할 때마다 이런 방법으로 조립을 한다면 무척 힘들 겁니다.

다음은 엔트리에서 특정 명령어를 여러 번 반복하여 실행하는 명령어 블록입니다.

명령어 블록	설명
`10 번 반복하기`	설정한 횟수만큼 감싸고 있는 블록들을 반복 실행합니다.
`계속 반복하기`	감싸고 있는 블록들을 계속해서 반복 실행합니다.
`참 이 될 때까지 반복하기`	판단이 참이 될 때까지 감싸고 있는 블록들을 반복 실행합니다.
`참 인 동안 반복하기`	판단이 참인 동안 감싸고 있는 블록들을 반복 실행합니다.

여러분이 만들고자 하는 프로그램의 동작 순서를 잘 생각해본 후 반복하기 명령어 블록을 적절히 사용하면 적은 수의 블록으로 원하는 동작을 만들 수 있습니다.

잠·깐·만

꼭 반복하기 명령어 블록을 사용해야 하나요?

모든 프로그램에 반복하기 명령어 블록을 사용해야만 하는 것은 아닙니다. 프로그램을 만드는 사람이 자기가 생각한 프로그램의 동작 순서에 맞게 정확히 동작하는 프로그램을 만드는 것이 가장 중요합니다. 같은 명령어 블록을 여러 개 연결하는 것을 순차 구조라 하고 반복하기 명령어 블록을 사용하는 것을 반복 구조라고 합니다. 이러한 순차 구조, 반복 구조를 알고리즘의 기본 구조라고 하며 알고리즘의 기본 구조는 순차 구조, 선택 구조, 반복 구조로 나눌 수 있습니다.

구조	설명	실생활 예
순차 구조	동시에 중복되는 일 없이 시간 순서대로 동작이 차례대로 발생하는 것을 말합니다.	밥을 먹다. 양치한다.
선택 구조	조건을 만족하는지에 따라 수행하는 명령어의 내용이 달라지는 것을 말합니다.	배가 고픈가? **배가 고프면** 밥을 먹는다. **배가 고프지 않으면** 물을 마신다.
반복 구조	프로그램이 작동할 때 일정한 횟수나 주어진 조건을 만족할 때까지 프로그램 일부를 반복적으로 수행하는 것을 말합니다.	밥을 먹는다. 양치를 시작한다. 양치를 시작한 후, **3분이 될 때까지** 칫솔질을 반복한다.

핵심 블록 알아보기

블록	설명
참 이 될 때까지▼ 반복하기	판단이 참이 될 때까지 감싸고 있는 블록들을 반복 실행합니다.
이동 방향으로 10 만큼 움직이기	설정한 값만큼 오브젝트의 이동방향 화살표가 가리키는 방향으로 움직입니다.
소리▼ 센서값	센서보드로부터 감지된 값(소리, 빛, 거리 등)을 의미합니다.
▶ 시작하기 버튼을 클릭했을 때	시작하기 버튼을 클릭하면 아래에 연결된 블록들을 실행합니다.
q 키를 눌렀을 때	지정된 키를 누르면 아래에 연결된 블록들을 실행합니다.

⚙ 피지컬 컴퓨팅 실전

소리 센서와 엔트리 프로그래밍으로 소하가 해결해야 할 문제를 함께 풀어봅시다.

먼저 우리가 만들 결과물은 36쪽의 화면과 같습니다. 소리 센서값에 따라 오브젝트가 움직이고, 목표물에 도착하면 도착했음을 알려줍니다.

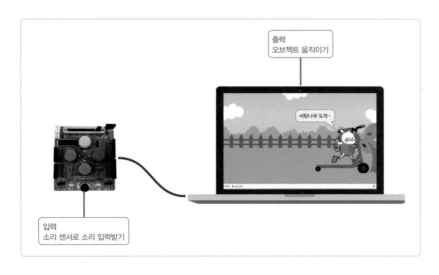

실행 전	실행 화면

소리 센서값에 따라 오브젝트가 움직이는 프로그램의 작동 과정은 다음과 같습니다.

실행 방법	실행 화면
1 ▶ **시작하기** 를 누릅니다.	
2 스페이스 바를 누르면 소리 센서값에 따라 오브젝트가 움직입니다.	
3 엔트리봇과 사탕나무 오브젝트가 만나면 도착했음을 알립니다.	

이제 우리가 만들 프로그램의 제작 순서를 살펴보겠습니다. 다음 순서를 보고 프로그램을 직접 만들어보면 더욱 좋습니다.

엔트리봇이 킥보드를 타고 사탕나무에 도착하면 도착했음을 알려주는 프로그램

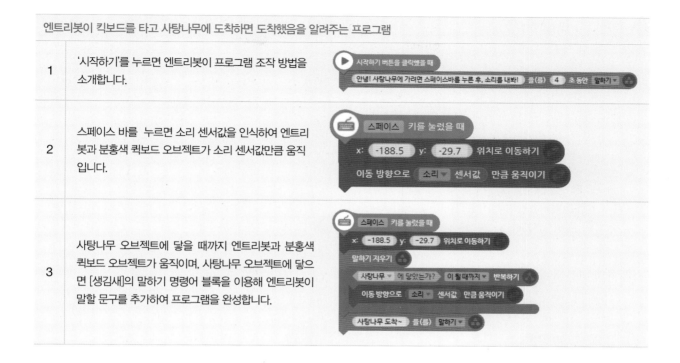

1	'시작하기'를 누르면 엔트리봇이 프로그램 조작 방법을 소개합니다.	
2	스페이스 바를 누르면 소리 센서값을 인식하여 엔트리봇과 분홍색 퀵보드 오브젝트가 소리 센서값만큼 움직입니다.	
3	사탕나무 오브젝트에 닿을 때까지 엔트리봇과 분홍색 퀵보드 오브젝트가 움직이며, 사탕나무 오브젝트에 닿으면 [생김새]의 말하기 명령어 블록을 이용해 엔트리봇이 말할 문구를 추가하여 프로그램을 완성합니다.	

Step 1 🐭 조작 방법을 소개하는 엔트리봇

❶ '오브젝트 추가하기'를 클릭하여 '엔트리봇 친구들'의 '(1)엔트리봇', '탈것'–'땅'의 '분홍색 퀵보드', '식물'–'나무'의 '사탕나무', '배경'–'실외'의 '울타리'를 선택한 후 '적용하기'를 클릭합니다.

❷ (1)엔트리봇을 클릭한 후 `시작하기 버튼을 클릭했을 때` 블록과 [생김새]의 `'안녕!'을(를) '4'초 동안 '말하기'` 블록을 블록 조립소로 가져와 조립합니다. '안녕!' 자리에 다음과 같이 프로그램의 조작을 안내하는 문구를 입력합니다. 안내 문구의 길이에 따라 말하기 시간을 조절할 수 있습니다.

❸ 스페이스 바를 눌렀을 때, (1)엔트리봇과 분홍색 퀵보드 오브젝트가 특정한 위치로 이동하게 만들어봅시다.

먼저 (1)엔트리봇의 블록 조립소에 [시작]의 ['q' 키를 눌렀을 때] 블록을 가져 옵니다. 그리고 'q' 부분을 클릭한 후 키보드의 스페이스 바를 누르면 ['스페이스' 키를 눌렀을 때] 로 변하는 것을 볼 수 있습니다.

스페이스 바를 누르면 처음 지정했던 자리로 이동하도록 [움직임]의 [x: '0' y: '0' 위치로 이동하기] 블록을 가져옵니다. (1)엔트리봇과 분홍색 퀵보드 오브젝트의 현재 위치 좌푯값을 확인하여 각각 입력해줍니다.

(1)엔트리봇 명령어 블록   분홍색 퀵보드 오브젝트 명령어 블록

Step 2 🛴 목표물에 닿을 때까지 전진하기!

스페이스 바를 누르면 (1)엔트리봇과 분홍색 퀵보드 오브젝트가 소리 센서값만큼 이동하도록 만들어봅시다. 이때 목표물에 닿을 때까지 전진하고 목표물에 닿으면 도착했음을 알려줘야 합니다.

❶ (1)엔트리봇과 분홍색 퀵보드 오브젝트가 목표물에 닿을 때까지 전진하도록 만듭니다. ['소리' 센서값] 블록과 [이동 방향으로 '10'만큼 움직이기] 블록을 가져와 '10'의 자리에 ['소리' 센서값] 블록을 넣어줍니다.

[이동 방향으로 소리▾ 센서값 만큼 움직이기]

❷ (1)엔트리봇과 분홍색 퀵보드 오브젝트가 목표물인 사탕나무 오브젝트에 닿을 때까지 움직일 수 있도록 [흐름] 블록 꾸러미의  블록을 가져와 함께 조립합니다.

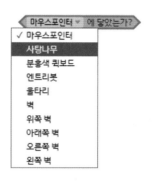

이때 '참' 자리에 들어갈 조건이 필요합니다. '참' 자리는 육각형입니다. 육각형 모양의 명령어 블록만 조립할 수 있습니다. 육각형 모양의 블록은 [판단] 블록 꾸러미에서 확인할 수 있습니다. `'마우스포인터'에 닿았는가?` 블록을 가져와 '마우스포인터'를 클릭하면 다양한 선택이 가능합니다. 이 중에서 목표물인 '사탕나무'를 선택합니다.

❸ `'사탕나무'에 닿았는가?` 블록을 `'참'이 될 때까지 반복하기` 블록의 '참'의 자리에 넣어 줍니다. 그리고 다음과 같이 `이동 방향으로 '소리' 센서값 만큼 움직이기` 블록과 조립합니다.

❹ ❸에서 조립한 명령어 블록을 각 오브젝트에 다음과 같이 연결해줍니다.

(1)엔트리봇 명령어 블록　　　　　분홍색 퀵보드 오브젝트 명령어 블록

잠·간·만

[하드웨어]에 명령어 블록이 보이지 않아요.

책에서 설명하는 [하드웨어]의 명령어 블록이 보이지 않고 위의 왼쪽과 같은 그림이 보인다면 제일 밑의 ❶'연결 프로그램 열기'를 클릭하세요. 그러면 오른쪽과 같이 'Entry_HW을 여시겠습니까?'라는 질문이 뜨는데 이때 ❷'Entry_HW 열기'를 클릭하세요. 이후는 2장의 **Step 4**²²쪽와 같이 하드웨어 종류를 선택하는 창이 나타나고 이 창에서 'E-센서보드(유선연결)'을 선택하면 [하드웨어]의 명령어 블록이 보일 겁니다.

Step 3 🖱️ 목표물에 닿으면 알리기

(1)엔트리봇이 목표물에 닿으면 도착했음을 알리는 문구를 출력하도록 합시다.

❶ **'안녕!'을(를) 말하기** 블록을 가져온 후 '안녕!' 자리에 도착했음을 알리는 문구를 입력합니다. 이 블록을 **Step 2**에서 완성한 명령어 블록의 맨 마지막에 연결합니다.

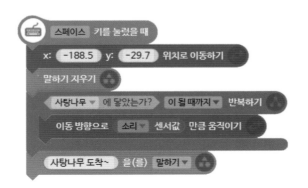

❷ 이때 스페이스 바를 누를 때마다 (1)엔트리봇과 분홍색 퀵보드 오브젝트는 지정한 위치로 이동하기 때문에 목표물에 도착했음을 알리는 문구를 다시 지워줘야 합니다. [생김새]의 **말하기 지우기** 블록을 적절한 위치에 조립하여 스페이스 바를 누를 때마다 프로그램을 새롭게 시작하는 것처럼 설정할 수 있습니다.

 잠·깐·만

말하기 지우기 블록의 조립 위치는 정해져 있나요?

엔트리에서는 블록이 연결된 순서대로 명령어가 실행됩니다. 따라서 프로그램이 동작하는 순서에 맞게 명령어 블록을 연결해주면 됩니다. 엔트리봇이 목표물에 도착했음을 알리는 문구는 스페이스 바를 누를 때마다 사라지고 목표물에 도착한 이후에만 보여야 합니다. 따라서 `'사탕나무'에 닿았는가?` '이 될 때까지' 반복하기 블록 이전에만 위치한다면 프로그램의 동작 결과에는 큰 영향을 주지 않습니다.

꼭 기억해요

지금까지 배운 내용을 정리해봅시다. 요점 정리를 읽고 이해가 되지 않는 내용이 있다면 3장을 다시 한번 살펴봅시다.

Point 1 이동 방향과 좌푯값

+ 이동 방향은 오브젝트 위의 화살표가 가리키는 방향입니다.
+ 좌푯값은 장면에 마우스 커서를 올려 확인할 수 있습니다.
+ 오브젝트의 좌푯값은 오브젝트 목록에서 오브젝트를 클릭하여 확인할 수 있습니다.

Point 2 효율적인 프로그램 실행을 위해 반복 구조 사용하기

+ 특정한 명령어를 여러 번 수행한다면 반복되는 부분을 찾아 보다 적은 수의 명령어 블록을 조립하여 동일한 동작 결과를 얻을 수 있습니다.
+ 엔트리에서 사용할 수 있는 반복하기 명령어 블록은 [흐름] 블록 꾸러미의 `'10'번 반복하기` 블록과 `계속 반복하기` 블록 그리고 `'참' 이 될 때까지/인 동안 반복하기` 블록이 있습니다.

Point 3 특정한 키를 사용하여 명령어 실행 시점 설정하기

+ [시작] 블록 꾸러미의 `'q' 키를 눌렀을때` 블록을 사용하여 특정한 키를 눌렀을 때 명령어가 실행되도록 프로그래밍할 수 있습니다.
+ 엔트리에서 사용할 수 있는 키보드의 키는 숫자키 0~9, 방향키, 스페이스 바, 엔터 키, 알파벳 키보드 a~z입니다.

지금까지 배운 내용을 잘 이해했나요? 이제 배운 내용을 참고하여 도전과제를 해결해봅시다. '도전해봅시다'의 문제 풀이는 PDF로 제공됩니다. 한빛미디어(http://www.hanbit.co.kr)에 접속한 다음 상단의 검색 아이콘을 눌러서 '엔트리, 피지컬 컴퓨팅을 만나다'를 입력해서 검색해주세요. 검색해 나온 책 모양을 클릭한 다음 도서 표지 하단의 [부록/예제소스]를 클릭하면 파일을 받으실 수 있습니다.

도전과제 1 엔트리봇이 사탕나무에 닿으면 사탕나무 오브젝트가 축하 문구를 출력하는 프로그램 만들기 (난이도 ★)

엔트리봇이 사탕나무에 닿으면 사탕나무 오브젝트가 축하 문구를 출력하는 프로그램을 만들어봅시다.

1 '오브젝트 추가하기'를 클릭하여 '식물'–'나무'의 '사탕나무'를 선택합니다.

2 엔트리봇이 사탕나무 오브젝트에 닿았는지 확인합니다.

> **Hint** 엔트리봇과 사탕나무 오브젝트가 닿았는지 확인하는 것은 프로그램이 시작되고 나서 계속 이루어져야 합니다.

3 엔트리봇과 사탕나무 오브젝트가 닿으면 축하 문구를 말합니다. 원하는 축하 문구를 입력해봅시다.

4 자신이 만든 프로그램을 엔트리 홈페이지에 업로드 해보고 친구들과 서로 평가해봅시다.

도전과제 2 소리 센서값에 따라 타오르는 불꽃 프로그램 만들기 (난이도 ★★)

소리 센서값에 따라 불꽃이 타오르는 프로그램을 만들어봅시다. 만들 프로그램의 완성 화면은 다음과 같습니다.

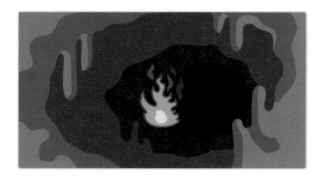

1 '오브젝트 추가하기'를 클릭하여 '배경'–'자연'의 '동굴 속', '환경'–'자연'의 '불(2)'를 선택한 다음 '적용하기'를 클릭합니다.

2 불(2) 오브젝트의 모양을 확인합니다.

> **Hint** 불(2) 오브젝트를 클릭한 후 '모양' 탭을 누르면 불(2) 오브젝트의 모양을 확인할 수 있습니다.

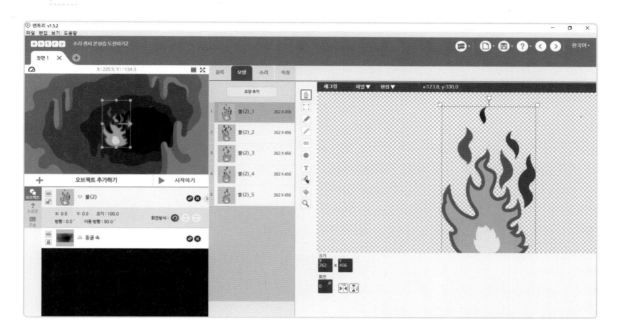

3 소리 센서값이 일정 값보다 커지면 다음 모양으로 바뀌도록 설정합니다.

> **Hint** 소리 센서값을 확인하여 적절한 값을 찾아봅니다.

4 모양이 빠르게 변화할 경우, 변화가 없는 것처럼 보일 수 있으므로 다음 모양으로 바뀌고 나서 0.1초를 기다리도록 설정합니다.

5 소리 센서값이 일정 값보다 커지는지 계속 확인하도록 설정합니다.

> **Hint** [흐름]의 명령어 블록을 사용할 수 있습니다.

6 자신이 만든 프로그램을 엔트리 홈페이지에 업로드 해보고 친구들과 서로 평가해봅시다.

도전과제 3 소리 센서를 이용한 나만의 작품 제작하기 (난이도 ★★★)

1 소리 센서를 이용하여 나만의 작품을 제작해봅시다. 내가 만들 프로그램의 기능 및 특징을 글과 그림으로 표현해봅시다.

2 자신이 만든 프로그램을 엔트리 홈페이지에 업로드 해보고 친구들과 서로 평가해봅시다.

4장. [빛 센서] 빛으로 꽃을 피워보아요

🦜 이런 것을 배워요

+ 빛 센서의 연결 방법을 알아봅시다.
+ 빛 센서와 엔트리를 이용하여 빛의 밝기에 따라 오브젝트의 모양이 바뀌는 프로그램을 만들어봅시다.
+ 빛 센서를 이용한 다양한 응용 프로그램을 만들어봅시다.

🦜 도움이 필요해요

꽃을 좋아하는 소하의 어머니는 집 안 곳곳에 꽃 화분을 놓아두셨습니다. 어느 날 소하는 창가에 놓인 보랏빛의 나팔꽃 화분을 보며 문득 궁금해졌습니다.

'혹시 나팔꽃에 센서가 달린 건 아닐까?'

나팔꽃은 밤이 되면 봉오리 상태였다가 아침이 밝아오면 점점 꽃을 피우기 때문이었죠. 프로그래밍을 좋아하는 소하는 직접 빛 센서를 사용하여 여러 송이의 나팔꽃을 피워보고 싶어졌습니다. 나팔꽃처럼 빛의 밝기를 감지하여 주변이 밝아지면 꽃이 활짝 피는 프로그램은 어떻게 만들까요?

🏅 미리 생각해봐요

소하가 고민하는 프로그램을 만들려면 빛 센서가 어떤 동작을 해야 할까요? 또 엔트리에서 사용될 명령어 블록은 무엇일까요? 자신의 생각을 그림 혹은 글로 표현해봅시다.

🔧 피지컬 컴퓨팅 프로그래밍 기본

소하의 고민을 해결하기 위해서는 빛 센서를 다룰 수 있어야 합니다. 다음의 내용을 살펴보며 빛 센서의 작동 원리를 하나하나 배워봅시다.

Check 1 **빛 센서는 어떻게 사용하나요?**

Check 2 **조건에 따라 다른 명령어를 실행하고 싶어요!**

Check 3 **애니메이션처럼 모양을 바꾸고 싶어요!**

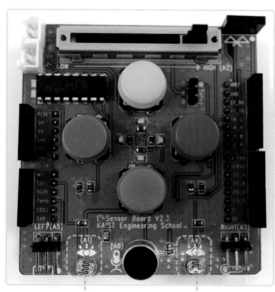

빛 센서
(아날로그 1번)

빛 센서
(아날로그 4번)

Check 1 📢 **빛 센서는 어떻게 사용하나요?**

E-센서보드에서 눈 모양의 아이콘이 보이시나요? 눈 모양의 아이콘 아래에 있는 빨간 물결 모양의 동그라미 부분이 빛의 밝기를 감지하는 빛 센서입니다.

E-센서보드를 연결하고 나면 엔트리의 [하드웨어]에 사용 가능한 명령어 블록이 보입니다. [하드웨어]의 명령어 블록은 다른 블록과 마찬가지로 마우스로 명령어 블록을 드래그하여 사용할 수 있습니다. 빛 센서를 사용하기 위해서는 `'빛 감지' 센서값` 블록을 사용하면 됩니다. 빛 감지 센서값은 주변이 어두워질수록 큰 값을 가집니다.

🎓 잠·깐·만

빛 감지 센서값 블록은 하나인데 빛 센서는 2개?

E-센서보드2의 경우 빛 센서가 2개입니다. 블록코딩 모드에서 사용하게 되는 `'빛 감지' 센서값` 은 소리 센서의 왼쪽에 있는 빛 센서의 값을 인식합니다. 만일 소리 센서의 오른쪽에 있는 빛 센서의 값을 사용하기 위해서는 [하드웨어]의 `아날로그 '0'번 센서값` 블록을 사용하면 됩니다. 왼쪽의 빛 센서는 아날로그 1번을 사용하고, 오른쪽의 빛 센서는 아날로그 4번을 사용합니다.

`아날로그 1▼ 번 센서값`
왼쪽 빛 센서

`아날로그 4▼ 번 센서값`
오른쪽 빛 센서

Check 2 ▶ 조건에 따라 다른 명령어를 실행하고 싶어요!

우리는 일상생활 속에서 선택을 해야 하는 다양한 상황을 만납니다. 예를 들어, 음료수나 과자가 들어 있는 자판기를 생각해봅시다. 사려는 물건이 700원이라면 700원보다 큰 금액을 기계에 넣어야 살 수 있습니다. 만약 700원보다 적은 금액을 기계에 넣으면 700원짜리 물건을 살 수 없겠죠.

이때 700원은 물건을 살 수 있는 조건이 됩니다.

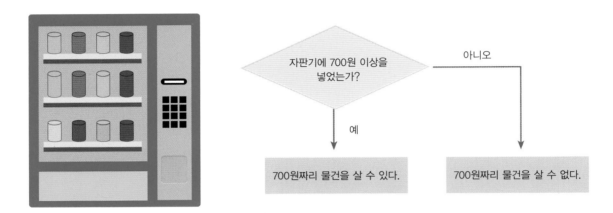

이렇게 조건에 따라 다른 명령어를 실행하는 구조를 선택 구조라고 합니다. 선택 구조는 조건을 확인하는 조건문을 사용해 프로그래밍할 수 있습니다. 조건문에 해당하는 명령어 블록은 다음과 같습니다.

명령어 블록	설명
만일 참 이라면	만일 판단이 참이면, 감싸고 있는 블록들을 실행합니다.
만일 참 이라면 아니면	만일 판단이 참이면, 첫 번째 감싸고 있는 블록들을 실행하고, 거짓이면 두 번째 감싸고 있는 블록들을 실행합니다.

육각형 모양의 '참'에는 어떤 명령어 블록이 들어갈 수 있나요?

육각형 모양의 자리에는 육각형 모양의 명령어 블록만 조립할 수 있습니다. [판단]의 명령어 블록은 모두 육각형 모양이기 때문에 조립이 가능합니다. 또 E-센서보드를 연결하였을 때, [하드웨어]의 '빨간' 버튼을 눌렀는가? 블록과 디지털 '0'번 센서값 블록도 육각형 모양이기 때문에 조립이 가능합니다.

명령어 블록	참	거짓
빨간▼ 버튼을 눌렀는가?	해당 버튼이 눌린 경우	해당 버튼이 눌리지 않은 경우
디지털 0▼ 번 센서값	해당 센서에 전기 신호가 흐르는 경우	해당 센서에 전기 신호가 흐르지 않는 경우

Check 3 **애니메이션처럼 모양을 바꾸고 싶어요!**

우리가 TV 애니메이션에서 보는 캐릭터는 마치 살아있는 생물처럼 자연스럽게 움직입니다. 화면 속의 캐릭터도 평면 속의 그림일 뿐인데 어떻게 움직이는 것처럼 보일까요?

위의 그림은 고양이의 움직임을 연속으로 그린 그림입니다. 이렇게 연속적인 움직임을 짧은 시간 간격으로 그려 빠르게 넘겨보면 어떻게 보일까요? 마치 고양이가 움직이는 것처럼 보일 겁니다. 이런 현상을 '잔상효과'라고 합니다. 일상생활 속에서 자주 볼 수 있는 동영상도 같은 원리입니다.

엔트리에서도 오브젝트의 모양을 바꿀 수 있습니다. '모양' 탭의 '모양 추가'로 새로운 모양을 추가할 수도 있습니다. 47쪽 그림의 엔트리봇처럼 이미 모양이 여러 개로 만들어진 오브젝트도 있습니다. 이렇게 모양이 여러 개인 오브젝트에 [생김새]의 모양을 바꿔주는 명령어 블록을 사용하여 다른 모양으로 바꿀 수 있습니다.

핵심 블록 알아보기

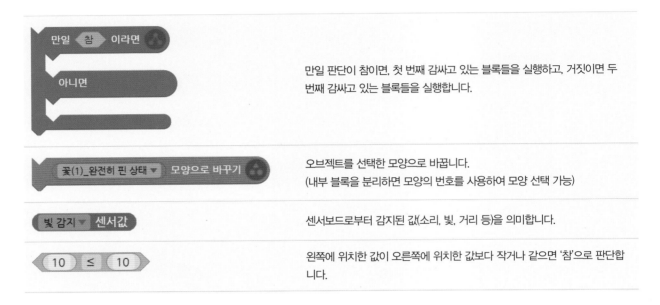

만일 참 이라면 / 아니면	만일 판단이 참이면, 첫 번째 감싸고 있는 블록들을 실행하고, 거짓이면 두 번째 감싸고 있는 블록들을 실행합니다.
꽃(1)_완전히 핀 상태 ▼ 모양으로 바꾸기	오브젝트를 선택한 모양으로 바꿉니다. (내부 블록을 분리하면 모양의 번호를 사용하여 모양 선택 가능)
빛 감지 ▼ 센서값	센서보드로부터 감지된 값(소리, 빛, 거리 등)을 의미합니다.
10 ≤ 10	왼쪽에 위치한 값이 오른쪽에 위치한 값보다 작거나 같으면 '참'으로 판단합니다.

⚙ 피지컬 컴퓨팅 실전

빛 센서와 엔트리 프로그래밍으로 소하가 해결해야 할 문제를 함께 풀어봅시다. 먼저 우리가 만들 결과물은 49쪽 화면과 같습니다. 빛 센서값에 따라 오브젝트의 모양이 바뀝니다.

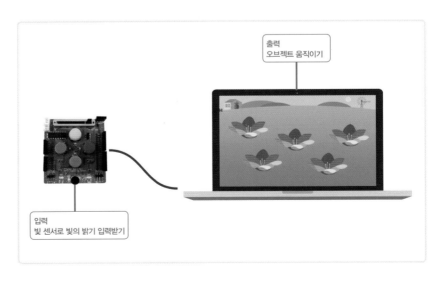

출력
오브젝트 움직이기

입력
빛 센서로 빛의 밝기 입력받기

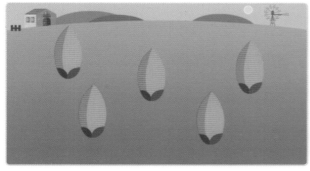
실행 전

실행 화면

빛 센서값에 따라 오브젝트가 움직이는 프로그램의 작동 과정은 다음과 같습니다.

실행 방법	실행 화면
1 ▶ 시작하기 를 누릅니다.	
2 빛 센서값에 따라 오브젝트의 모양이 단계적으로 바뀝니다.	

이제 우리가 만들 프로그램의 제작 순서를 살펴보겠습니다. 다음 순서를 보고 프로그램을 직접 만들어보면 더욱 좋습니다.

주변이 밝아지면 꽃이 점점 피는 꽃(1) 오브젝트의 모양이 바뀌는 프로그램

1	'시작하기'를 누르면 꽃(1) 오브젝트의 모양이 '봉오리 상태' 모양이 되도록 초기화합니다.	
2	빛 센서값의 범위에 따라 꽃(1) 오브젝트의 모양이 달라지도록 합니다.	
3	프로그램이 동작하는 동안 계속해서 빛 센서값을 인식하여 조건을 판단하도록 명령어를 계속 반복 실행합니다.	

Step 1 오브젝트의 모양 초기화하기

❶ '오브젝트 추가하기'를 클릭하여 '배경'-'자연'의 '들판(4)', '식물'-'꽃'의 '꽃(1)'을 선택한 후 '적용하기'를 클릭합니다.

❷ 프로그램을 시작했을 때 제일 처음 보이는 모양을 정하는 명령어 블록을 만듭니다. 꽃(1) 오브젝트를 클릭하여 [시작]의 <kbd>시작하기 버튼을 클릭했을 때</kbd> 블록과 [생김새]의 <kbd>'꽃(1)_완전히 핀 상태' 모양으로 바꾸기</kbd> 블록을 블록 조립소로 가져와 연결합니다. 그리고 제일 처음 보이는 첫 모양을 정하는 것이므로 '꽃(1)_봉오리 상태'로 변경합니다.

Step 2 ➡ 조건에 따라 경우 나누기

빛 센서값의 범위에 따라 어떤 모양으로 바꿀지 생각해야 합니다. '모양' 탭을 누르면 꽃(1) 오브젝트의 모양이 봉오리 상태, 조금 핀 상태, 많이 핀 상태, 완전히 핀 상태의 4개의 모양이 있는 것을 볼 수 있습니다.

빛 센서값의 범위는 0부터 1023까지이므로 4개의 범위로 나눌 기준값을 정합니다.

꽃 오브젝트 모양	빛 센서값
봉오리 상태	600 이상
조금 핀 상태	400 이상 600 미만
많이 핀 상태	200 이상 400 미만
완전히 핀 상태	200 미만

🎓 잠·깐·만

꽃 오브젝트 모양에 따른 빛 센서값은 만드는 사람에 따라 달라질 수 있습니다.

❶ 빛 센서값이 '600 이상'인 경우와 그렇지 않은 경우를 나누어야 합니다. [흐름]의 `만일 '참'이라면 ~ 아니면 ~`
블록과 [판단]의 `'10' ≤ '10'` 블록을 가져와 조립합니다. `'10' ≤ '10'` 블록의 부등호 왼쪽에는 '600'을, 오른쪽
에는 `'빛 감지' 센서값` 블록을 조립합니다.

> 만일 (600 ≤ 빛 감지 ▾ 센서값) 이라면 ⟁
>
> 아니면

❷ 빛 센서값이 '600 이상'이면 꽃(1) 오브젝트의 모양이 '봉오리 상태'이므로 `꽃(1)_완전히 핀 상태' 모양으로 바꾸기`
블록을 가져와 '꽃(1)_완전히 핀 상태'를 클릭하여 '꽃(1)_봉오리 상태'로 바꿔 다음과 같이 연결해줍니다.

> 만일 (600 ≤ 빛 감지 ▾ 센서값) 이라면 ⟁
>
> 꽃(1)_봉오리 상태 ▾ 모양으로 바꾸기
>
> 아니면

❸ 빛 센서값이 '600 미만'이면 '400 이상'인지 확인해야 합니다. 즉, '600 이상'이 아니면 또 다른 조건을 확
인해야 합니다. 이를 그림으로 표현하면 다음과 같습니다.

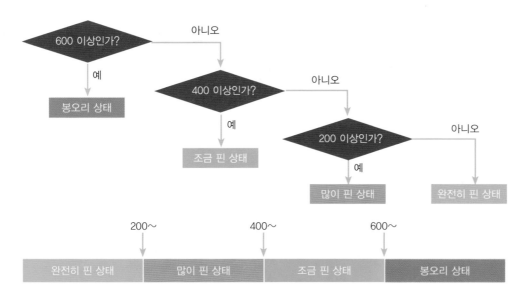

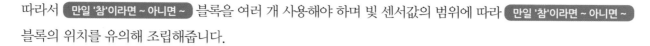

따라서 [만일 '참'이라면 ~ 아니면 ~] 블록을 여러 개 사용해야 하며 빛 센서값의 범위에 따라 [만일 '참'이라면 ~ 아니면 ~]
블록의 위치를 유의해 조립해줍니다.

❹ 프로그램이 시작되면 빛 센서값을 계속해서 입력받아 판단할 수 있도록 [흐름]의 [계속 반복하기] 블록을 사
용합니다.

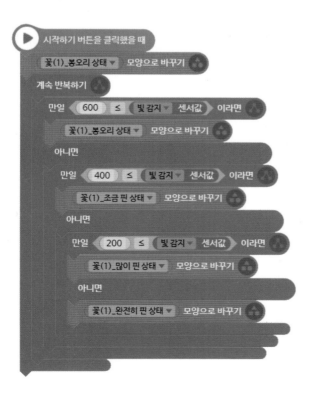

Step 3 💭 오브젝트 복제하기

❶ 프로그래밍을 완료한 오브젝트를 복제하면 명령어 블록도 함께 복사됩니다. 오브젝트를 복제하는 방법은 오브젝트 목록에서 복제하려는 오브젝트에 마우스 오른쪽을 클릭하여 '복제'를 클릭하면 됩니다.

❷ 복제된 오브젝트는 오브젝트 주변의 네모를 선택하여 마우스로 드래그하여 위치와 크기를 변경합니다.

꼭 기억해요 ⚙️

지금까지 배운 내용을 정리해봅시다. 요점 정리를 읽고 이해가 되지 않는 내용이 있다면 4장을 다시 한번 살펴봅시다.

Point 1 조건에 따라 다른 명령어를 실행하는 선택 구조 프로그래밍하기

✦ 조건에 따라 다른 명령어를 실행하는 구조를 선택 구조라고 합니다.

✦ 선택 구조를 프로그래밍하기 위해 조건문을 사용할 수 있습니다.

✦ 엔트리에서 사용할 수 있는 조건문 명령어 블록은 [흐름] 블록 꾸러미의 `만일 '참' 이라면` 블록과 `만일 '참'이라면 ~ 아니면 ~` 블록이 있습니다.

Point 2 오브젝트 모양 바꾸기

✦ 하나의 오브젝트에 여러 개의 모양을 추가할 수 있습니다.

✦ 오브젝트의 '모양' 탭에서 '모양 추가'를 클릭하여 오브젝트에 모양을 추가할 수 있습니다.

✦ 오브젝트의 모양을 바꿀 수 있는 명령어 블록은 [생김새] 블록 꾸러미의 모양으로 바꾸기 명령어 블록이 있습니다.

Point 3 오브젝트 복제하기

✦ 오브젝트 목록에서 복제하고 싶은 오브젝트에 마우스 오른쪽을 클릭하여 '복제'를 클릭하면 오브젝트가 복제됩니다.

✦ 오브젝트를 복제하면 오브젝트에 작성된 명령어 블록도 함께 복제됩니다.

도전해봅시다 ⚙

지금까지 배운 내용을 잘 이해했나요? 이제 배운 내용을 참고하여 도전과제를 해결해봅시다. '도전해봅시다'의 문제 풀이는 PDF로 제공됩니다. 한빛미디어(http://www.hanbit.co.kr)에 접속한 다음 상단의 검색 아이콘을 눌러서 '엔트리, 피지컬 컴퓨팅을 만나다'를 입력해서 검색해주세요. 검색해 나온 책 모양을 클릭한 다음 도서 표지 하단의 [부록/예제소스]를 클릭하면 파일을 받으실 수 있습니다.

도전과제 1 주변이 밝아지면 배경 오브젝트의 밝기도 밝아지는 프로그램 만들기 (난이도 ★)

주변이 밝아지면 배경 오브젝트의 밝기도 밝아지는 프로그램을 만들어봅시다.

1 '오브젝트 추가하기'를 클릭하여 '배경'–'자연'의 '들판(4)'를 선택합니다.

2 '시작하기'를 클릭하면 빛 센서값만큼 밝기 효과 값이 계속 바뀌도록 합니다.

> **Hint** 밝기 효과 값을 계속 바뀌게 하려면 [흐름]의 `계속 반복하기` 블록과 [생김새]의 `밝기 효과를 '10'으로 정하기` 블록을 사용할 수 있습니다.

3 빛 센서값의 변화가 눈에 보이는 밝기 효과 값의 변화로 나타날 수 있도록 설정합니다.

> **Hint** 밝기 효과 값의 범위는 0~255이며, 빛 센서값의 범위는 0~1023이므로 적절한 수식을 만들어 변화를 확인할 수 있습니다.

4 자신이 만든 프로그램을 엔트리 홈페이지에 업로드 해보고 친구들과 서로 평가해봅시다.

도전과제 2 점프하는 스케이터 프로그램 만들기 (난이도 ★★)

빛 센서 입력값에 따라 스케이트 엔트리봇이 점프하는 프로그램을 만들어봅시다. 만들 프로그램의 완성 화면은 다음과 같습니다.

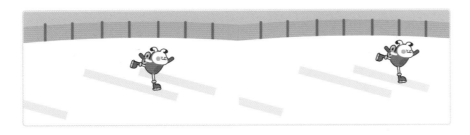

1 '오브젝트 추가하기'를 클릭하여 '배경'–'실외'의 '스케이트장'과 '엔트리봇 친구들'의 '스케이트 엔트리봇'을 선택한 후 '적용하기'를 클릭합니다.

2 스케이트 엔트리봇이 좌우로 움직이는 것을 계속 반복하도록 합니다.

> **Hint** [움직임]의 `화면 끝에 닿으면 튕기기` 블록을 사용하여 좌우로 움직이게 만들 수 있습니다.

> **Hint** 오브젝트의 회전 방식을 다음과 같이 설정하면 화면 끝에 닿았을 때 좌우 반전이 이루어집니다.
>

3 빛 센서값이 일정 값보다 커지면 스케이트 엔트리봇이 위로 점프할 수 있도록 y 좌푯값을 설정합니다.

> **Hint** 빛 센서값을 확인하여 적절한 값을 찾아봅니다.

4 모양이 빠르게 변화할 경우, 변화가 없는 것처럼 보일 수 있으므로 다음 모양으로 바뀌고 나서 0.3초를 기다리도록 설정합니다.

5 빛 센서값이 일정 값보다 커지는지 계속 확인하도록 설정합니다.

6 자신이 만든 프로그램을 엔트리 홈페이지에 업로드 해보고 친구들과 서로 평가해봅시다.

도전과제 3 빛 센서를 이용한 나만의 작품 제작하기 (난이도 ★★★)

1 빛 센서를 이용하여 나만의 작품을 제작해봅시다. 내가 만들 프로그램의 기능 및 특징을 글과 그림으로 표현해봅시다.

2 자신이 만든 프로그램을 엔트리 홈페이지에 업로드 해보고 친구들과 서로 평가해봅시다.

5장. [거리 센서]
전등의 밝기를 다르게 만들어보아요

📖 이런 것을 배워요

✦ 거리 센서의 연결 방법을 알아봅시다.

✦ 거리 센서와 엔트리를 이용하여 거리에 따라 동작하는 전등 프로그램을 만들어봅시다.

✦ 거리 센서를 이용한 다양한 응용 프로그램을 만들어봅시다.

📖 도움이 필요해요

소하는 새로 이사한 아파트가 무척 마음에 듭니다. 방도 넓고 거실도 화려하지만 무엇보다도 놀이터가 매우 마음에 듭니다. 특히 밤에 놀이터 근처에 가면 전등이 자동으로 켜져 밤에도 안전하게 놀 수 있다는 점이 말이죠. 어느 날 아버지와 함께 놀이터에서 놀던 소하는 놀이터에 켜진 전등의 작동 원리가 궁금해 아버지에게 물어보니 거리를 측정하는 센서가 있다고 합니다. 소하는 학교에서 배운 엔트리와 E-센서보드로 가까이 다가가면 불이 자동으로 켜지는 전등을 만들어보기로 했습니다.

🏅 미리 생각해봐요

소하가 고민하는 프로그램을 만들려면 거리 센서가 어떤 동작을 해야 할까요? 또 엔트리에서 어떤 명령어 블록을 사용하면 좋을까요? 자신의 생각을 그림 혹은 글로 표현해봅시다.

⚙ 피지컬 컴퓨팅 프로그래밍 기본

소하의 고민을 해결하려면 거리 센서에 대해 알아야 합니다. 다음의 내용을 살펴보며 거리 센서의 작동 원리를 하나하나 배워봅시다.

Check 1 E-센서보드와 거리 센서의 연결은 어떻게 하나요?

Check 2 거리 센서를 이용하여 출력값을 화면에 표시하려면 어떻게 해야 하나요?

Check 3 거리 센서의 출력값을 변경하려면 어떻게 해야 하나요?

Check 1 📗 **E-센서보드와 거리 센서의 연결은 어떻게 하나요?**

❶ 먼저 점퍼케이블(F/F)의 한쪽 끝과 거리 센서를 다음과 같이 연결합니다.

> 🎓 잠·깐·만
>
> F는 Female의 첫 글자를 딴 것으로 철심이 없으며, M은 Male의 첫 글자를 딴 것으로 철심이 있는 것을 지칭합니다. F/F 는 양 끝이 모두 철심이 없는 형태의 점퍼케이블입니다.

❷ 남은 점퍼케이블(F/F)을 E-센서보드 아래에 있는 확장포트에 연결합니다(왼쪽이나 오른쪽 어느 쪽을 연결해도 상관없습니다). 이때 E-센서보드의 확장포트에 있는 흰색 점과 거리 센서에 있는 흰색 점이 같은 방향을 향하도록 연결합니다. 책에서는 왼쪽에 연결했습니다. **센서보드에서 거리 센서를 왼쪽에 연결하면 '아날로그 5번' 값이 출력되고, 오른쪽에 연결하면 '아날로그 3번' 값이 출력됩니다.**

> 🎓 잠·깐·만
>
> **거리 센서는 어떤 특징이 있나요?**
> 거리 센서는 아날로그 입력 센서로 0~1023 사이의 아날로그 값을 전달하며 물체가 센서에 가까울수록 작은 값을 전달하며, 멀어질수록 큰 값을 전달합니다. 흰색의 경우 0~200, 검은색의 경우 700~1000 정도의 값을 가집니다. 인식 범위는 10cm 정도로 짧고 물체의 색, 조명의 밝기 등 외부 영향을 많이 받습니다.

Check 2 거리 센서를 이용하여 출력값을 화면에 표시하려면 어떻게 해야 하나요?

거리 센서를 연결한 후 엔트리봇이 거리 센서 출력값을 화면에 표시하도록 아래의 왼쪽 명령어 블록처럼 설정합니다. 그러면 아래의 오른쪽 그림처럼 엔트리봇이 왼쪽 거리 센서값을 연속적으로 화면에 표시합니다.

거리 센서의 불빛이 나는 부분에 불투명하고 약간 두께가 있는 물체를 가져가 봅시다. 물체가 거리 센서에 가까워질수록 출력값이 줄어드는 것을 확인할 수 있습니다.

이어서 '시작하기'를 클릭해볼까요? 그런데 거리 센서값이 화면에 연속으로 제시되어 읽기가 쉽지 않을 겁니다. 어떻게 하면 읽기 쉬워질까요? 다음과 같이 [생김새]의 **'2'초 기다리기** 블록을 이용하여 '2'를 '0.5'로 변경한 다음 연결하면 0.5초 단위로 거리 센서 출력값을 화면에 보여줘 값을 읽기가 훨씬 수월해집니다.

🎓 잠·깐·만

거리 센서값이 나오지 않아요.

책과 같이 동작하지 않는다면, E-센서보드의 오른쪽 거리 센서에 점퍼케이블을 연결했을 수 있습니다. 그렇다면 오른쪽 거리 센서값을 출력하려면 어떻게 해야 할까요? 오른쪽과 같이 '아날로그 3번 센서값'으로 변경하면 됩니다. 이 책에서는 왼쪽에 연결한 상태로 설명했으니 될 수 있으면 왼쪽에 다시 연결하고 실행하세요.

앞에서 살펴본 대로 거리 센서는 0~1023 사이의 아날로그 값을 출력해줍니다. 0~1023 값의 범위가 아닌 다른 값의 범위로 변환하고자 할 때는 [하드웨어]의 다음 명령어 블록을 사용합니다.

> 아날로그 0▼ 번 센서값 값의 범위를 0 ~ 1023 에서 0 ~ 100 (으)로 바꾼값

Check 2 에서 만든 명령어 블록에서 아날로그 '5'번 센서값 을(를) '말하기' 블록의 '아날로그 5번 센서값' 위치에 아날로그 값을 변환해서 출력하는 아날로그 '0'번 센서값 값의 범위를 '0' ~ '1023'에서 '0' ~ '100'(으)로 바꾼값 블록을 넣어줍니다.

두 명령어 블록을 합치면 다음과 같습니다.

'시작하기'를 클릭한 후 거리 센서에 물체를 가져다 놓으면 센서와 물체 사이의 거리에 따라 0~100 사이의 값이 출력됩니다.

핵심 블록 알아보기

아날로그 0 ▼ 번 센서값	특정 아날로그 센서값을 출력해줍니다.
만일 참 이라면	만일 판단이 참이면, 감싸고 있는 블록들을 실행합니다.

⚙ 피지컬 컴퓨팅 실전

거리 센서와 엔트리 프로그래밍을 통해 소하가 해결해야 할 문제를 함께 풀어봅시다. 먼저 우리가 만들 결과물은 다음과 같습니다.

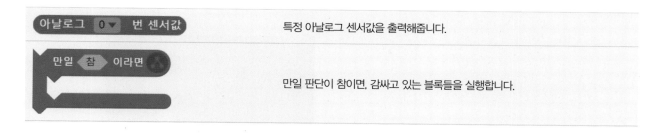

실행 전

실행 화면

거리 센서값에 따라 오브젝트가 움직이며 전등의 밝기가 달라지는 프로그램의 작동 과정은 다음과 같습니다.

실행 방법	실행 화면
1	▶ 시작하기 를 누릅니다.	
2	거리 센서 앞에 물체를 가져가면 거리 센서값에 따라 오브젝트가 왼쪽으로 움직입니다.	
3	거리 센서값에 따라 전등 밝기가 다르게 설정됩니다.	

다음은 우리가 만들 프로그램의 제작 순서입니다. 순서를 보고 프로그램을 직접 만들어봐도 좋습니다.

거리 센서값에 따라 불이 켜지는 전등 프로그램

| 1 | 화면에 필요한 오브젝트를 추가하고 위치를 배치합니다. | ▽ 전등 X: -0.8 Y: 100.8 크기: 100.0 방향: 0.0° 이동 방향: 90.0° 회전방식: ▽ 안경쓴 학생(2) X: 200.0 Y: -50.0 크기: 100.0 방향: 0.0° 이동 방향: 90.0° 회전방식: |

2	거리를 표시할 변수를 추가하고 지정해줍니다.	
3	거리 센서와 물체의 거리에 따라 오브젝트가 움직이고, 일정 값 이하로 거리 측정값이 작아지면 전등이 켜지도록 설정합니다.	

Step 1 🐾 화면에 오브젝트 추가하기

❶ '오브젝트 추가하기'를 클릭하여 '배경'–'자연'의 '별 헤는 밤', '물건'–'생활'의 '전등', '사람'의 '안경쓴 학생 (2)'를 선택한 후 '적용하기'를 클릭합니다.

❷ 화면에 나열된 오브젝트를 왼쪽 화면과 같이 배치합니다. 안경쓴 학생(2) 오브젝트의 좌푯값은 x: 200, y: −500으로 하고 전등 오브젝트는 x: 0, y: 100으로 설정합니다.

Step 2 📖 변수 추가하고 설정하기

화면에 거리 센서값이 출력되도록 변수를 추가합니다. 거리 센서에서 출력되는 거리의 값은 주변 상황에 따라 계속 변해야 하므로 변수를 추가해야 합니다.

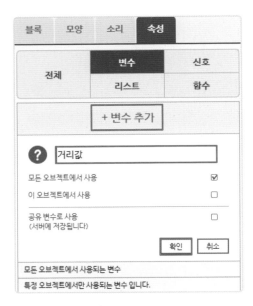

❶ '속성' 탭의 '변수' 메뉴에서 '변수 추가'를 클릭하여 변수 이름을 '거리값'이라고 입력하고 '확인'을 클릭합니다.

🎓 잠·깐·만

변수란 무엇인가요?

변수는 값을 저장하는 저장 공간을 의미합니다. 하나의 값을 저장한 후 그 값을 다시 사용하고 싶을 때 유용하게 쓰입니다.

❷ 다음과 같이 화면의 왼쪽 위에 '거리값' 변수가 추가됩니다.

❸ 거리 센서의 출력값을 '거리값' 변수의 값이 되도록 다음과 같이 설정합니다. 안경쓴 학생(2) 오브젝트를 선택한 후 명령어 블록을 입력합니다. [자료] 블록 꾸러미의  블록을 사용합니다.

❹ 거리 센서가 E-센서보드 왼쪽에 연결되어 있으므로 '아날로그 5번 센서값'이 출력됩니다. 따라서 아날로그 값을 변환해서 출력하는 `아날로그 '5'번 센서값 값의 범위를 '0' ~ '1023'에서 '0' ~ '100'(으)로 바꾼값` 블록을 가져와 '10'의 자리에 넣어줍니다.

`시작하기 버튼을 클릭했을 때`
`거리값 ▼ 를 아날로그 5▼ 번 센서값 값의 범위를 0 ~ 1023 에서 0 ~ 100 (으)로 바꾼값 로 정하기 ?`

❺ '시작하기'를 클릭해서 실행 화면을 보면 '거리값'이 너무 자주 바뀌어 숫자를 읽기가 어렵습니다. 따라서 `'2'초 기다리기` 블록의 '2'를 '0.1'로 변경하여 다음과 같이 연결합니다.

`시작하기 버튼을 클릭했을 때`
`거리값 ▼ 를 아날로그 5▼ 번 센서값 값의 범위를 0 ~ 1023 에서 0 ~ 100 (으)로 바꾼값 로 정하기 ?`
`0.1 초 기다리기 ∧`

❻ 계속 변경되는 거리 센서값을 '거리값' 변수로 지정해주기 위해 [흐름]의 `계속 반복하기` 블록 안에 다음과 같이 ❺의 명령어 블록을 넣어줍니다.

`시작하기 버튼을 클릭했을 때`
`계속 반복하기 ∧`
`거리값 ▼ 를 아날로그 5▼ 번 센서값 값의 범위를 0 ~ 1023 에서 0 ~ 100 (으)로 바꾼값 로 정하기 ?`
`0.1 초 기다리기 ∧`

Step 3 ▶ 거리 센서값에 따라 전등의 불빛이 변경되도록 설정하기

거리 센서에서 출력되는 값에 따라 전등의 불빛이 달라지도록 설정합니다. 거리 센서에 물체가 가까이 갈수록 출력되는 값은 점점 작아집니다. 거리 센서값이 30 이하로 줄어들면 전등에 불이 켜지도록 설정합니다.

❶ '아날로그 5번 센서값'을 0~1023에서 0~100 사이 값으로 바꾼 후 30 이하가 되면 불이 켜지도록 설정합니다. `아날로그 '5'번 센서값 값의 범위를 '0' ~ '1023'에서 '0' ~ '100'(으)로 바꾼값` 블록과 거리 센서값이 30 이하와 30 초과

일 때 수행할 명령이 다르므로 [흐름]의 만일 '참'이라면 ~ 아니면 블록과 [판단]의 '10' ≤ '10' 블록을 사용하여 다음과 같이 설정하여 조립합니다.

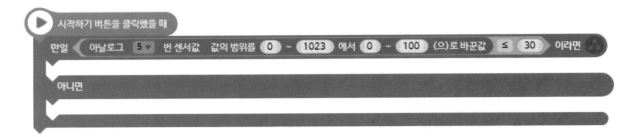

2 만약 '거리값' 변수가 30 이하이면 전등이 켜진 모양이 되도록 하고, 30을 초과하면 꺼짐 모양이 되도록 [생김새]의 '전등_켜짐' 모양으로 바꾸기 블록과 '전등_꺼짐' 모양으로 바꾸기 블록을 블록 조립소로 가져와 다음과 같이 연결해줍니다.

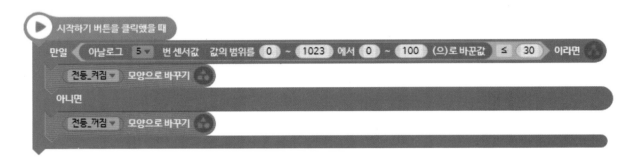

3 전등 모양은 '거리값' 변수의 값에 따라 계속 변해야 합니다. 계속 반복하기 블록을 가져옵니다. 그리고 **2** 에서 만든 명령어 블록을 다음과 같이 넣어줍니다.

❹ '거리값' 변수에 따라 안경쓴 학생(2) 오브젝트가 전등 쪽으로 움직이도록 설정하여 전등 아래에 안경쓴 학생(2) 오브젝트가 위치할 때쯤 전등불이 켜지도록 합니다. 안경쓴 학생(2) 오브젝트의 블록 조립소로 [움직임]의 `x: '10' 위치로 이동하기` 블록을 가져옵니다.

그리고 `아날로그 '5'번 센서값 값의 범위를 '0' ~ '1023'에서 '0' ~ '100'(으)로 바꾼값` 블록을 가져와 다음과 같이 '10'의 자리에 넣어줍니다.

```
x: 아날로그 5▼ 번 센서값  값의 범위를 0 ~ 1023 에서 0 ~ 100 (으)로 바꾼값  위치로 이동하기
```

❺ 방금 추가된 명령어 블록을 다음과 같이 Step 2의 명령어 블록에 조립합니다.

```
▶ 시작하기 버튼을 클릭했을 때
  계속 반복하기
    x: 아날로그 5▼ 번 센서값  값의 범위를 0 ~ 1023 에서 0 ~ 100 (으)로 바꾼값  위치로 이동하기
    거리값▼ 를 아날로그 5▼ 번 센서값  값의 범위를 0 ~ 1023 에서 0 ~ 100 (으)로 바꾼값  로 정하기
    0.1 초 기다리기
```

❻ '시작하기'를 클릭한 다음 거리 센서에 물체를 가져가봅시다. 거리 센서값이 30 이하가 되면 다음 화면과 같이 전등에 불이 켜집니다.

지금까지 배운 내용을 정리해봅시다. 요점 정리를 읽고 이해가 되지 않는 내용이 있다면 5장을 다시 한번 살펴봅시다.

Point 1 E-센서보드와 거리 센서 연결하기

+ 점프케이블(F/F)을 이용하여 E-센서보드와 거리 센서를 연결합니다.
+ E-센서보드와 거리 센서를 연결할 때에는 흰색 점이 서로 같은 방향을 향하도록 연결합니다.

Point 2 거리 센서의 출력값을 화면에 표시하기

+ 오른쪽 거리 센서를 이용할 경우 [하드웨어] 블록 꾸러미의 `아날로그 '3'번 센서값` 블록을 사용하고, 왼쪽은 `아날로그 '5'번 센서값` 블록을 사용합니다.
+ [흐름] 블록 꾸러미의 `'2'초 기다리기` 블록을 사용하면 화면에 연속적으로 보여지는 거리 센서값을 일정한 시간 간격으로 보이게 할 수 있습니다.

Point 3 거리 센서 출력값을 변경하기

+ 거리 센서는 아날로그 입력 센서로 왼쪽은 아날로그 5번, 오른쪽은 아날로그 3번에 배정되어 있습니다.
+ 거리 센서는 거리 센서값을 0~1023까지의 아날로그 값으로 변환하여 출력합니다.
+ 거리 센서의 출력값을 변경하기 위해서는 아날로그 값을 다른 값으로 바꿔주는 명령어 블록을 사용해야 하므로 [하드웨어] 블록 꾸러미의 `아날로그 '5'번 센서값 값의 범위를 '0' ~ '1023'에서 '0' ~ '100'(으)로 바꾼값` 블록을 사용합니다.

지금까지 배운 내용을 잘 이해했나요? 이제 배운 내용을 참고하여 도전과제를 해결해봅시다. '도전해봅시다'의 문제 풀이는 PDF로 제공됩니다. 한빛미디어(http://www.hanbit.co.kr)에 접속한 다음 상단의 검색 아이콘을 눌러서 '엔트리, 피지컬 컴퓨팅을 만나다'를 입력해서 검색해주세요. 검색해 나온 책 모양을 클릭한 다음 도서 표지 하단의 [부록/예제소스]를 클릭하면 파일을 받으실 수 있습니다.

도전과제 1 거리 센서의 출력값에 따라 오브젝트의 크기가 변하는 프로그램 제작하기 (난이도 ★)

거리 센서의 출력값이 작아질수록 화면에 제시된 오브젝트의 크기가 더 커지는 프로그램을 만들어봅시다. 이때 변수를 추가하여 화면에 거리 센서값이 표시되도록 합니다.

1 자신이 원하는 오브젝트를 화면에 추가한 다음 추가한 오브젝트를 선택합니다.

2 거리 센서의 출력값이 작아질수록 오브젝트의 크기가 커지도록 설정합니다.

> **Hint** [하드웨어]의 `아날로그 '5'번 센서값 값의 범위를 '0' ~ '1023'에서 '0' ~ '100'(으)로 바꾼값` 블록과 [흐름]의 `계속 반복하기` 블록 그리고 [생김새]의 `크기를 '10'(으)로 정하기` 블록을 사용합니다.

3 '거리' 변수를 추가하여 거리 센서의 출력값이 '거리' 변수가 되도록 설정합니다. 그리고 변숫값이 너무 빠르게 변하지 않도록 명령어 블록을 추가합니다.

> **Hint** [자료]의 `'거리'를 '10'로 정하기` 블록과 [하드웨어]의 `아날로그 '5'번 센서값 값의 범위를 '0' ~ '1023'에서 '0' ~ '100'(으)로 바꾼값` 블록을 사용합니다.

4 자신이 만든 프로그램을 엔트리 홈페이지에 업로드 해보고 친구들과 서로 평가해봅시다.

도전과제 2 거리 센서의 입력값에 따라 움직이는 축구공 프로그램 제작하기 (난이도 ★★)

거리 센서의 입력값에 따라 축구공이 움직이며, 축구공이 골대에 닿으면 호루라기 소리와 함께 '골!!' 이라는 글자가 화면에 제시되도록 프로그램을 만들어봅시다. 만들 프로그램의 완성 화면은 왼쪽과 같습니다.

1 '오브젝트 추가하기'를 클릭하여 '배경'–'실외'의 '운동장', '물건'–'취미'의 '축구공'과 '골대(2)'를 선택합니다.

2 축구공과 골대 오브젝트를 화면과 같이 위치해줍니다.

> **Hint** 화면에서의 축구공 위치는 x: 20, y: −50, 골대의 위치는 x: −100. y: −50입니다.

3 '거리' 변수를 추가하여 거리 센서의 출력값이 '거리' 변수에 입력되도록 합니다. 이때 거리 센서의 출력값은 0~100 사이 값으로 바꿔줍니다.

4 거리 센서의 출력값에 따라 축구공이 왼쪽으로 이동하도록 설정합니다.

> **Hint** 축구공이 왼쪽으로 이동하려면 x 좌푯값이 변하도록 설정합니다.

5 '호루라기' 소리를 추가합니다.

> **Hint** '소리' 탭의 '소리 추가'에서 '호루라기' 소리를 추가합니다.

6 축구공과 골대가 닿았는지를 판단하여 닿았으면 호루라기 소리가 재생되고 0.2초 동안 '골!!'이라는 글자가 축구공에 제시되도록 합니다.

> **Hint** 축구공과 골대가 닿았는지를 판단하는 명령어 블록은 [흐름]의 `만일 '참' 이라면` 블록입니다.

7 '시작하기'를 클릭하여 축구공이 왼쪽 방향으로 제대로 움직이는지 확인하고 골대와 축구공이 닿았을 때 소리와 글자가 표시되는지 확인합니다.

8 자신이 만든 프로그램을 엔트리 홈페이지에 업로드 해보고 친구들과 서로 평가해봅시다.

도전과제 3 거리 센서를 이용한 나만의 작품 제작하기 (난이도 ★★★)

1 거리 센서를 이용하여 나만의 작품을 제작해봅시다. 내가 만들 프로그램의 기능 및 특징을 글과 그림으로 표현해봅시다.

2 자신이 만든 프로그램을 엔트리 홈페이지에 업로드 해보고 친구들과 서로 평가해봅시다.

6장. [온도 센서]
온도에 따라 스스로 작동하는 선풍기

📖 이런 것을 배워요

* 온도 센서의 연결 방법을 알아봅시다.
* 온도 센서와 엔트리를 이용하여 온도에 따라 작동하는 선풍기를 만들어봅시다.
* 온도 센서를 이용한 다양한 응용 프로그램을 만들어봅시다.

📖 도움이 필요해요

무더운 여름 소하는 잠을 잘 때도 너무 더워 선풍기를 틀어 놓고 잡니다. 하지만 새벽에는 추운 선풍기 바람에 잠을 깨다 보니 주변 온도에 따라 바람의 세기가 조절되는 선풍기가 있으면 좋겠다는 생각을 했습니다.

소하는 E-센서보드와 엔트리를 사용해 자신이 생각한 선풍기를 만들기로 했습니다. 주변 온도를 감지하여 바람의 세기를 조절하는 선풍기를 만들려면 E-센서보드를 어떻게 활용해야 할까요?

🎖 미리 생각해봐요

소하가 고민하는 선풍기를 만들려면 어떻게 해야 할까요? E-센서보드의 온도 센서는 어떤 동작을 해야 하며 엔트리에서는 어떤 명령어 블록을 사용해야 할까요? 자신의 생각을 그림 혹은 글로 표현해봅시다.

피지컬 컴퓨팅 프로그래밍 기본

소하의 고민을 해결하기 위해서는 온도 센서를 다룰 수 있어야 합니다. 다음의 내용을 살펴보며 온도 센서의 작동 원리를 하나하나 배워봅시다.

Check 1 E-센서보드와 온도 센서의 연결은 어떻게 하나요?

Check 2 온도 센서를 이용하여 출력값을 화면에 표시하려면 어떻게 해야 하나요?

Check 3 온도 센서의 출력값을 섭씨온도로 바꾸려면 어떻게 해야 하나요?

Check 1 ▣ E-센서보드와 온도 센서의 연결은 어떻게 하나요?

❶ 먼저 점퍼케이블(F/F)의 한쪽 끝과 온도 센서를 다음과 같이 연결합니다.

❷ 남은 점퍼케이블(F/F)을 E-센서보드 아래에 있는 확장포트에 연결합니다(왼쪽이나 오른쪽 어느 쪽을 연결해도 상관없습니다). 이때 E-센서보드의 확장포트에 있는 흰색 점과 온도 센서에 있는 흰색 점이 같은 방향을 향하도록 연결합니다.

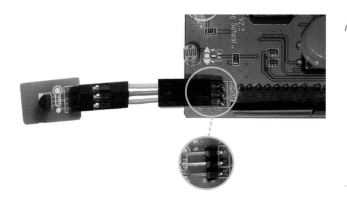

🎓 잠·깐·만

온도 센서는 어떤 특징이 있나요?

온도 센서는 -40도~150도 범위까지 측정할 수 있습니다. 온도 센서는 아날로그 센서로 0~1023까지의 아날로그 값을 전달하며 160을 기준으로 온도가 낮아지면 센서값이 감소하고, 온도가 높아지면 센서값이 증가합니다.

온도 센서를 연결한 후 엔트리봇이 온도 센서 출력값을 화면에 표시하도록 아래의 왼쪽 명령어 블록처럼 설정합니다. 그러면 아래의 오른쪽 그림처럼 엔트리봇이 오른쪽 온도 센서값을 화면에 표시합니다.

다시 '시작하기'를 클릭합니다. 온도 센서값이 화면에 연속으로 제시되어 읽기가 쉽지 않습니다. 어떻게 하면 읽기 쉬울까요? [생김새]의 '2'초 기다리기 블록을 이용하여 '2'를 '0.5'로 변경한 다음 연결하면 0.5초 단위로 온도 센서 출력값을 화면에 보여줘 읽기 쉬워집니다.

잠·깐·만

왜 실행이 제대로 되지 않을까요?

온도 센서를 E−센서보드의 왼쪽에 연결했다면 오른쪽과 같이 '5번 센서값'으로 변경하면 됩니다. 이 책에서는 온도 센서는 오른쪽에 연결하니 점퍼케이블을 다시 오른쪽에 연결해서 계속 따라 하세요.

잠·깐·만

교재 내용처럼 설정했는데도 출력값이 다를 수 있나요?

교재에 제시된 내용처럼 설정해도 결과 출력값이 다를 수 있습니다. 왜냐하면 우리가 입력받은 센서는 온도 센서인데 온도는 실험하는 환경마다 다를 수 있기 때문입니다.

Check 3 ▐ **온도 센서의 출력값을 섭씨온도로 바꾸려면 어떻게 해야 하나요?**

72쪽의 '잠깐만'에서 본 것처럼 온도 센서는 −40도에서 150도까지 측정할 수 있으며 이 값을 0~1023까지의 아날로그 값으로 변환하여 화면에 표시해줍니다. 이때 출력되는 출력값을 우리가 일상생활에서 사용하는 섭씨온도로 표현하기 위해서는 다음과 같은 공식을 입력해야 합니다.

[{(아날로그 3번(온도 센서) 센서값 * 5) / 1024} − 0.5] * 100

먼저 블록 조립소로 [계산] 블록 꾸러미의 '10'×'10', '10'/'10', '10'-'10', '10'×'10' 블록과 [하드웨어]의 아날로그 '3'번 센서값 블록을 가져와 다음과 같이 설정을 변경하고 조립합니다.

같은 방식으로 [계산]의 명령어 블록을 순서대로 그다음 명령어 블록의 왼쪽에 갖다 놓으면 우리가 원하는 수식의 명령어 블록이 완성됩니다.

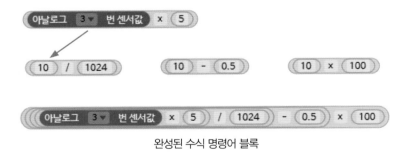

완성된 수식 명령어 블록

이렇게 만들어진 명령어 블록을 '안녕!'을(를) 말하기 블록의 '안녕!' 위치에 넣어줍니다.

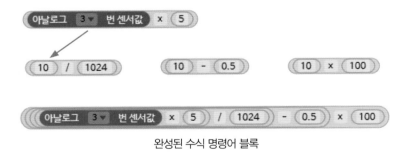

이제 '시작하기'를 클릭하면 엔트리봇이 다음과 같이 화면에 현재 온도를 섭씨온도로 표시해줍니다.

핵심 블록 알아보기

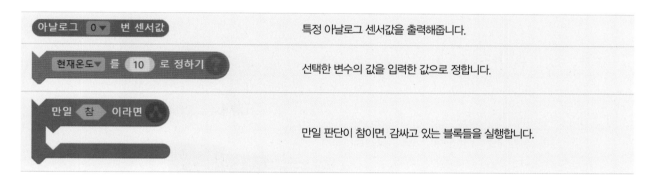

아날로그 0▼ 번 센서값	특정 아날로그 센서값을 출력해줍니다.
현재온도▼ 를 10 로 정하기	선택한 변수의 값을 입력한 값으로 정합니다.
만일 참 이라면	만일 판단이 참이면, 감싸고 있는 블록들을 실행합니다.

⚙ 피지컬 컴퓨팅 실전

온도 센서와 엔트리 프로그래밍을 통해 소하가 해결해야 할 문제를 함께 풀어봅시다. 먼저 우리가 만들 결과물은 76쪽 화면과 같습니다.

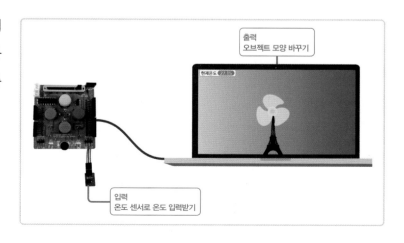

출력
오브젝트 모양 바꾸기

입력
온도 센서로 온도 입력받기

실행 전

실행 화면

온도 센서값에 따라 선풍기 날개의 회전 속도가 달라지는 프로그램의 작동 과정은 다음과 같습니다.

실행 방법		실행 화면
1	▶ 시작하기 를 누릅니다.	현재온도 0
2	온도 센서가 현재 온도를 측정합니다.	
3	측정된 온도 값에 따라 선풍기 날개의 회전 속도가 변경됩니다.	현재온도 24.71

이제 우리가 만들 프로그램의 제작 순서를 살펴보겠습니다. 다음 순서를 보고 프로그램을 직접 만들어보면 더욱 좋습니다.

온도에 따라 선풍기 날개 회전 속도가 달라지는 프로그램

1	화면에 필요한 오브젝트를 추가하고 위치를 지정해줍니다.	
2	현재 온도를 표시할 변수를 추가하고 지정해줍니다.	
3	현재 온도에 따라 선풍기 날개의 회전 속도가 다르게 동작하도록 설정합니다.	

Step 1 🔑 화면에 오브젝트 추가하기

❶ '오브젝트 추가하기'를 클릭하여 '배경'–'기타'의 '그라데이션', '건물'–'기념물'의 '에펠탑', '물건'–'생활'의 '선풍기'를 선택한 후 '적용하기'를 클릭합니다.

❷ 화면에 나열된 오브젝트를 다음과 같이 정렬합니다. 이때 선풍기의 중심점이 에펠탑 오브젝트의 끝부분에 위치하도록 조정합니다.

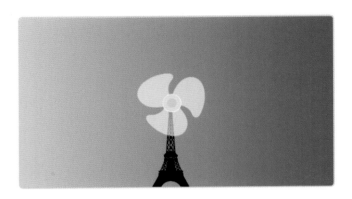

Step 2 ⬤ 변수 추가하고 설정하기

온도 센서에서 출력되는 온도 값은 주변 상황에 따라 계속 변해야 하므로 변수를 추가합니다.

❶ '속성' 탭의 '변수' 메뉴에서 '변수 추가'를 클릭하여 변수 이름을 '현재온도'라고 입력하고 '확인'을 클릭합니다.

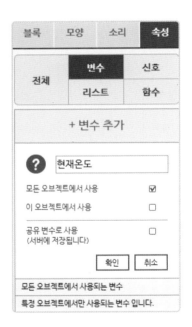

❷ 화면에 다음과 같이 '현재온도' 변수가 추가됩니다.

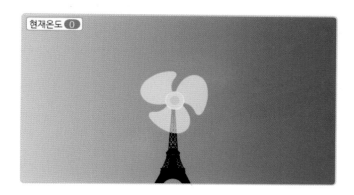

❸ 온도 센서의 출력값을 '현재온도' 변숫값이 되도록 다음과 같이 설정합니다. 선풍기 오브젝트를 선택한 후 [자료]의 '현재온도'를 '10'로 정하기 블록과 [하드웨어]의 아날로그 '3'번 센서값 블록을 가져와 아날로그 '3'번 센서값 블록을 '10'의 위치에 넣어줍니다

❹ 계속 변경되는 온도 값을 '현재온도' 변수로 지정해주기 위해 [흐름]의 계속 반복하기 블록을 가져와 다음과 같이 조립합니다.

Step 3 ▸ 온도에 따라 선풍기 날개의 회전 속도를 다르게 설정하기

온도 센서에서 출력되는 온도 값에 따라 선풍기 날개의 회전 속도가 달라지도록 설정합니다.

❶ 선풍기 오브젝트에 설정된 온도 센서값은 섭씨온도가 아니므로 우리가 자주 사용하는 섭씨온도로 바꾸기 위해 다음과 같이 변경해줍니다. 이때 [계산]의 명령어 블록을 이용합니다. 이 명령어 블록을 만드는 방법은 앞서 74쪽의 Check 3 에서 배웠습니다.

[{(아날로그 3번(온도 센서) 센서값 * 5) / 1024} − 0.5] * 100

```
시작하기 버튼을 클릭했을 때
계속 반복하기
  현재온도 ▼ 를 ( 아날로그 3 ▼ 번 센서값 x 5 / 1024 - 0.5 x 100 ) 로 정하기
```

❷ '현재온도' 값에 따라 선풍기 날개가 회전하도록 설정합니다. [흐름]의 만일 '참' 이라면 블록, '2'초 기다리기 블록과 [움직임]의 방향을 '90°'만큼 회전하기 블록을 사용합니다. 교재를 작성하는 당시 온도가 약 26도이므로 '현재온도'가 25도와 같거나 크면 선풍기 날개가 회전하도록 다음과 같이 설정하였습니다.

```
시작하기 버튼을 클릭했을 때
계속 반복하기
  현재온도 ▼ 를 ( 아날로그 3 ▼ 번 센서값 x 5 / 1024 - 0.5 x 100 ) 로 정하기
  만일 ( 25 ≤ 현재온도 ▼ 값 ) 이라면
    방향을 5° 만큼 회전하기
    0.1 초 기다리기
```

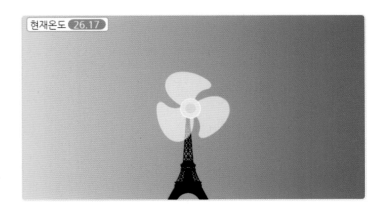

현재온도 26.17

❸ '현재온도' 값이 변할 경우 선풍기 날개의 회전 속도에도 변화를 주기 위해 명령어 블록을 복사하여 붙여넣기를 합니다. 만일 '25' ≤ '현재온도 값' 이라면 블록에서 마우스 오른쪽 버튼을 클릭한 후 '코드 복사 & 붙여넣기'를 선택합니다. 그리고 25도일 때 선풍기 날개 회전 각도와 27도일 때 회전 각도를 다르게 설정합니다.

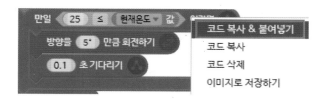

❹ 새로 추가된 명령어 블록은 다음과 같이 0.1초 기다리기 아래에 연결합니다. 이때 계속 반복하기 블록 안에 위치해야 합니다.

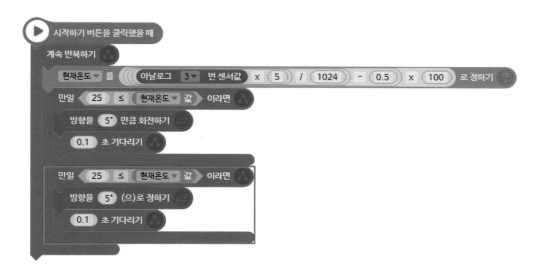

❺ 방금 추가한 명령어 블록의 값을 다음과 같이 변경합니다. '27'에 들어가는 값은 사용자가 위치한 장소의 온도에 따라 변경될 수 있습니다.

![만일 27 ≤ 현재온도 값 이라면, 방향을 45° 만큼 회전하기, 0.1 초 기다리기]

❻ '시작하기'를 클릭한 후 '현재온도'를 확인합니다. 그리고 온도 센서에 입김을 불어 온도를 높인 후 선풍기 날개의 회전 속도 변화를 살펴봅니다.

선풍기 오브젝트에 설정된 최종 코드는 다음과 같습니다.

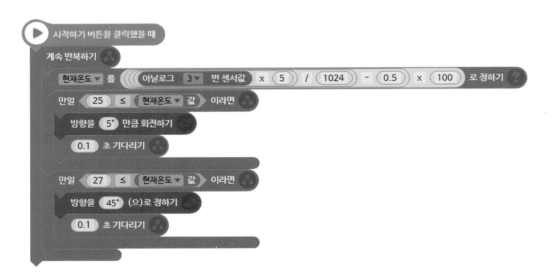

지금까지 배운 내용을 정리해봅시다. 요점 정리를 읽고 이해가 되지 않는 내용이 있다면 6장을 다시 한번 살펴봅시다.

Point 1 E−센서보드와 온도 센서 연결하기

+ 점프케이블(F/F)을 이용하여 E−센서보드와 온도 센서를 연결합니다.

+ E−센서보드와 온도 센서를 연결할 때에는 흰색 점이 서로 같은 방향을 향하도록 연결합니다.

Point 2 온도 센서의 출력값을 화면에 표시하기

+ 오른쪽 온도 센서를 이용할 경우 `아날로그 '3'번 센서값` 블록을 사용하고, 왼쪽은 `아날로그 '5'번 센서값` 블록을 사용합니다.

+ [흐름] 블록 꾸러미의 `'2'초 기다리기` 블록을 사용하면 화면에 연속적으로 보이는 온도 값을 일정한 시간 간격으로 보이게 할 수 있습니다.

Point 3 온도 센서 출력값을 섭씨온도로 변경하기

+ 온도 센서는 아날로그 입력 센서로 왼쪽은 아날로그 5번, 오른쪽은 아날로그 3번으로 배정되어 있습니다.

+ 온도 센서는 −40도에서 150도까지 측정할 수 있으며 이것을 0~1023까지의 아날로그 값으로 변환하여 출력합니다.

+ 온도 센서의 값을 섭씨온도로 바꾸기 위해서는 다음과 같은 식을 입력해야 합니다.

[{(아날로그 3번(온도 센서) 센서값 * 5) / 1024} − 0.5] * 100

도전해봅시다

지금까지 배운 내용을 잘 이해했나요? 이제 배운 내용을 참고하여 도전과제를 해결해봅시다. '도전해봅시다'의 문제 풀이는 PDF로 제공됩니다. 한빛미디어(http://www.hanbit.co.kr)에 접속한 다음 상단의 검색 아이콘을 눌러서 '엔트리, 피지컬 컴퓨팅을 만나다'를 입력해서 검색해주세요. 검색해 나온 책 모양을 클릭한 다음 도서 표지 하단의 [부록/예제소스]를 클릭하면 파일을 받으실 수 있습니다.

도전과제 1 온도 센서의 출력값과 섭씨온도로 변환한 값 모두 출력하기 (난이도 ★)

1 '오브젝트 추가하기'를 클릭하여 '엔트리봇 친구들'의 '좋아 엔트리봇'을 적용하여 화면에 추가합니다.

2 엔트리봇은 화면 왼쪽에, 좋아 엔트리봇은 화면 오른쪽에 놓이도록 위치를 조정합니다.

3 엔트리봇은 온도 센서의 출력값을 화면에 표시하고, 좋아 엔트리봇은 섭씨온도로 변경한 값을 출력하도록 명령어 블록을 작성합니다. 이때 0.1초 간격으로 값이 변하도록 설정합니다.

> **Hint** 엔트리봇은 [흐름], [생김새], [하드웨어]의 블록을, 좋아 엔트리봇은 [흐름], [생김새], [하드웨어], [계산]의 블록을 이용합니다. 섭씨온도로 변경하는 변환 식은 다음과 같습니다.
>
> [{(아날로그 3번(온도 센서) 센서값 * 5) / 1024} − 0.5] * 100

4 자신이 만든 프로그램을 엔트리 홈페이지에 업로드 해보고 친구들과 서로 평가해봅시다.

도전과제 2 온도 센서의 출력값에 따라 서로 다른 선풍기 날개 회전시키기 (난이도 ★★)

1 '오브젝트 추가하기'를 클릭하여 '배경'–'기타'의 '그라데이션', '건물'–'기념물'의 '에펠탑', '물건'–'생활'의 '선풍기'를 선택합니다.

2 '현재온도'라는 변수를 추가합니다. 선풍기 오브젝트를 선택한 후 '현재온도' 변수에 아날로그 '3'번 센서값 이 입력되도록 설정합니다. 이때 섭씨온도로 변경한 값이 '현재온도' 변수에 입력되도록 합니다.

[{(아날로그 3번(온도 센서) 센서값 * 5) / 1024} − 0.5] * 100

3 온도 센서의 현재 온도 값이 얼마인지 확인합니다.

4 선풍기 오브젝트를 선택한 후 온도 센서의 출력값에 따라 선풍기 날개가 회전하도록 설정합니다. 이때 조건문을 사용하여 **3**에서 확인한 온도 값보다 1도 낮은 값 이상일 때 선풍기 날개가 회전하도록 설정합니다. 선풍기 날개는 0.1초 간격으로 5도만큼 회전하도록 설정합니다.

> **Hint** **3**에서 확인한 현재 온도 값이 26도라면 조건문에서는 25도 이상일 때 선풍기 날개가 회전하도록 설정합니다.

5 에펠탑과 선풍기 오브젝트를 화면 왼쪽으로 이동시킵니다. 그리고 에펠탑과 선풍기 오브젝트를 각각 복제한 후 화면 오른쪽으로 이동시킵니다. 이때 복제된 오브젝트에도 명령어 블록이 설정되어 있습니다.

6 오른쪽 선풍기 오브젝트를 클릭한 후 조건문에서는 **3**에서 확인한 현재 온도보다 2도 더 높게 설정합니다. 선풍기 날개는 0.1초 간격으로 45도만큼 회전하도록 설정합니다.

> **Hint** **3**에서 확인한 현재 온도 값이 26도라면 조건문에서는 28도 이상일 때 선풍기 날개가 회전하도록 설정합니다.

7 '시작하기'를 클릭하여 온도 센서에 입김을 불어 선풍기 날개의 회전을 확인합니다. 온도 센서의 온도가 25도 이상이면 왼쪽 선풍기 날개만 회전하고, 27도 이상이면 두 선풍기 날개가 모두 도는 것을 볼 수 있습니다.

8 자신이 만든 프로그램을 엔트리 홈페이지에 업로드 해보고 친구들과 서로 평가해봅시다.

도전과제 3 온도 센서를 이용한 나만의 작품 제작하기 (난이도 ★★★)

1 온도 센서를 이용하여 나만의 작품을 제작해봅시다. 내가 만들 프로그램의 기능 및 특징을 글과 그림으로 표현해봅시다.

2 자신이 만든 프로그램을 엔트리 홈페이지에 업로드 해보고 친구들과 서로 평가해봅시다.

7장. [슬라이더 센서]
분위기 있는 조명을 만들어보아요

이런 것을 배워요

- 슬라이더 센서의 작동 원리를 알아봅시다.
- 슬라이더 센서와 엔트리를 이용해서 LED 조명을 밝혀봅시다.
- 슬라이더 센서를 이용한 다양한 응용 프로그램을 만들어봅시다.

도움이 필요해요

크리스마스가 가까워지자 축제 분위기에 들뜬 소하는 맛있는 음식을 준비하고 집도 꾸미며 들뜬 마음으로 크리스마스 파티를 준비하고 있었습니다. 파티 준비에 들떠있던 소하는 파티 조명을 준비하지 못했다는 걸 뒤늦게서야 알게 되었습니다.

파티 조명을 고민하던 소하는 E-센서보드와 센서보드에 있는 센서 그리고 LED를 이용하여 특별한 조명을 만들기로 하였습니다. 어떻게 하면 소하가 E-센서보드로 멋진 조명을 만들 수 있을까요?

미리 생각해봐요

E-센서보드에 있는 4개의 LED로 소하가 원하는 특별한 크리스마스 파티에 어울리는 조명을 만들려면 어떻게 해야 할까요? 엔트리에서는 어떤 명령어 블록을 사용해야 할까요? 자신의 생각을 그림 혹은 글로 표현해봅시다.

피지컬 컴퓨팅 프로그래밍 기본

소하의 고민을 해결하기 위해서는 슬라이더 센서로 LED를 조절할 수 있어야 합니다. 다음의 내용을 살펴보며 슬라이더 센서의 작동 원리를 하나하나 배워봅시다.

Check 1 **슬라이더 센서란 무엇이며 어떻게 조작하나요?**

Check 2 **슬라이더 센서의 최솟값과 최댓값을 알아보려면 어떻게 해야 하나요?**

Check 3 **슬라이더 센서를 이용하여 엔트리봇을 움직이려면 어떻게 해야 하나요?**

Check 1 **슬라이더 센서란 무엇이며 어떻게 조작하나요?**

아래 그림에서 주황색 점선으로 표시된 부분이 슬라이더 센서입니다. 슬라이더 센서는 센서 아래에 보이는 화살표와 같이 스위치를 좌우로 움직여 값을 조절하는 아날로그 센서입니다.

슬라이더 센서의 스위치를 움직여 슬라이더 센서 출력값을 화면에 표시하도록 다음의 명령어 블록처럼 설정합니다. 슬라이더 센서값을 확인하기 위해서는 [하드웨어]의 '슬라이더' 센서값 블록이 필요합니다. 센서의 종류는 '슬라이더'를 클릭하면 바꿀 수 있습니다.

이렇게 명령어 블록을 설정하여 실행하면 엔트리봇이 센서의 움직임에 따라 슬라이더 센서값을 표시해줍니다. 슬라이더의 최솟값과 최댓값을 확인해보면 다음의 결과 화면을 볼 수 있습니다.

최솟값 화면   최댓값 화면

결과 화면처럼 슬라이더 센서의 최솟값은 0, 최댓값은 1023입니다.

슬라이더 센서의 최솟값과 최댓값은 필요에 따라 변경할 수 있습니다. 슬라이더 센서의 최솟값과 최댓값을 0~100으로 바꿔봅시다.

❶ [하드웨어]에서 아날로그 '0'번 센서값 값의 범위를 '0' ~ '1023'에서 '0' ~ '100'(으)로 바꾼값 블록을 가져옵니다.

❷ [하드웨어]에서 '슬라이더' 센서값 블록을 가져옵니다.

❸ 아날로그 '0'번 센서값 자리에 '슬라이더' 센서값 블록을 넣어줍니다.

❹ 앞의 범위에는 '슬라이더 센서값'의 범위 값을 입력하고, 뒤의 범위에는 변경하고자 하는 범위 값을 입력합니다.

아날로그 0 ▾ 번 센서값 값의 범위를 0 ~ 1023 에서 0 ~ 100 (으)로 바꾼값

⑤ '슬라이더 센서값'의 범위가 변화되었는지 확인하기 위해 [생김새]의 `'안녕!'을(를) 말하기` 블록의 '안녕' 자리에 ④에서 만든 명령어 블록을 삽입합니다.

⑥ [흐름]의 `계속 반복하기` 블록으로 종료 전까지 반복해주면 슬라이드 센서에 있는 스위치의 움직임에 따라 출력값이 변화하는 것을 볼 수 있습니다.

다음의 명령어 블록은 슬라이더 센서의 최솟값과 최댓값을 0~100으로 변경합니다. 슬라이더 센서의 최솟값과 최댓값이 변경되었는지 확인해봅시다.

시작하기 버튼을 클릭했을 때
계속 반복하기
　슬라이더 ▼ 센서값 값의 범위를 0 ~ 1023 에서 0 ~ 100 (으)로 바꾼값 을(를) 말하기 ▼

Check 3 📣 **슬라이더 센서를 이용하여 엔트리봇을 움직이려면 어떻게 해야 하나요?**

슬라이더 센서의 스위치를 움직여 엔트리봇을 움직여봅시다. 그리고 슬러이더 센서값을 엔트리봇이 말하도록 해봅시다. 단, 슬라이더 센서의 최솟값은 −200, 슬라이더 센서의 최댓값은 200으로 바꿔줍니다. 자, 슬라이더 센서를 이용하여 엔트리봇이 슬라이더 센서값을 말하면서 슬라이더 센서 스위치의 움직임에 따라 이동하게 만들어봅시다.

🎓 잠·깐·만

슬라이더 센서의 최솟값과 최댓값을 바꾸는 이유는?

결과 화면에 표시된 값의 범위가 제한되어 있기 때문입니다. 오른쪽 그림과 같이 엔트리봇이 서 있는 위치는 '0'으로 지정되어 있으며 엔트리봇의 왼쪽으로는 음수값을 가지며, 엔트리봇의 오른쪽으로는 양수값을 가집니다. 따라서 엔트리봇이 화면에 보이는 위치로 가장 왼쪽은 −240, 가장 오른쪽은 240이기 때문에 슬라이더 센서값을 변경해줘야 합니다. 다만 −240~240으로 지정하면 엔트리봇이 화면 밖으로 사라지기 때문에 여기서는 −200~200으로 범위를 지정하겠습니다.

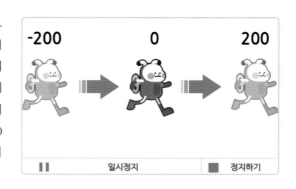

❶ 엔트리봇이 슬라이더 센서값을 말하게 하려면 슬라이더 센서값의 범위를 −200~200으로 변경하는 명령어 블록을 다음과 같이 설정해줘야 합니다.

> 슬라이더 ▼ 센서값 값의 범위를 (0) ~ (1023) 에서 (-200) ~ (200) (으)로 바꾼값

❷ ❶에서 만든 명령어 블록을 '안녕!'을(를) 말하기 블록의 '안녕!' 자리에 넣어줍니다.

❸ 엔트리봇이 슬라이더 센서값에 따라 이동하게 하려면 [움직임]의 x: '10' 위치로 이동하기 블록을 선택하여 '10'의 자리에 ❶에서 만든 명령어 블록을 넣어줍니다.

❹ 슬라이더 센서 스위치의 움직임에 따라 엔트리봇의 이동을 계속 반복하기 위해 ❷, ❸에서 만든 명령어 블록을 계속 반복하기 블록 안에 넣어줍니다.

다음은 완성된 명령어 블록입니다. 명령어 블록을 실행하여 원하는 결과가 나오는지 확인해봅시다.

핵심 블록 알아보기

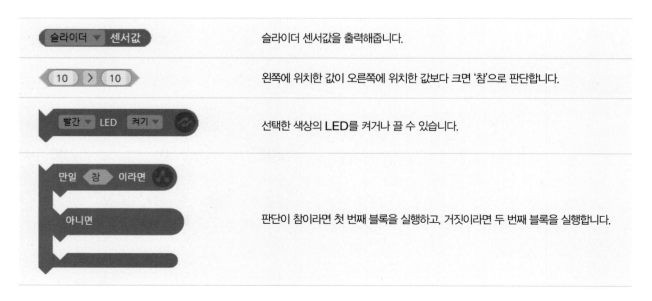

슬라이더 ▼ 센서값	슬라이더 센서값을 출력해줍니다.
10 > 10	왼쪽에 위치한 값이 오른쪽에 위치한 값보다 크면 '참'으로 판단합니다.
빨간 ▼ LED 켜기 ▼	선택한 색상의 LED를 켜거나 끌 수 있습니다.
만일 참 이라면 / 아니면	판단이 참이라면 첫 번째 블록을 실행하고, 거짓이라면 두 번째 블록을 실행합니다.

⚙️ 피지컬 컴퓨팅 실전

슬라이더 센서와 엔트리 프로그래밍으로 소하가 해결해야 할 문제를 함께 풀어봅시다. 먼저 우리가 만들 결과물은 슬라이더 센서를 움직이면 엔트리봇이 센서값을 말하고 그에 따라 LED가 켜집니다.

슬라이더 센서값의 범위에 따라 LED를 순차적으로 켜고 끄는 프로그램의 작동 과정은 다음과 같습니다.

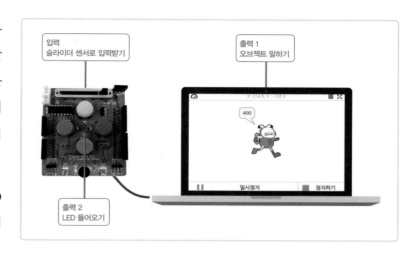

실행 방법		실행 화면
1	▶ **시작하기** 를 누릅니다.	슬라이더를 움직여서 LED를 켜봐!
2	센서보드의 슬라이더를 움직여 센서값을 변경합니다.	400
3	센서보드의 센서값에 따라 LED가 순차적으로 켜지는 것을 관찰합니다.	노란 LED / 파란 LED / 빨간 LED / 초록 LED

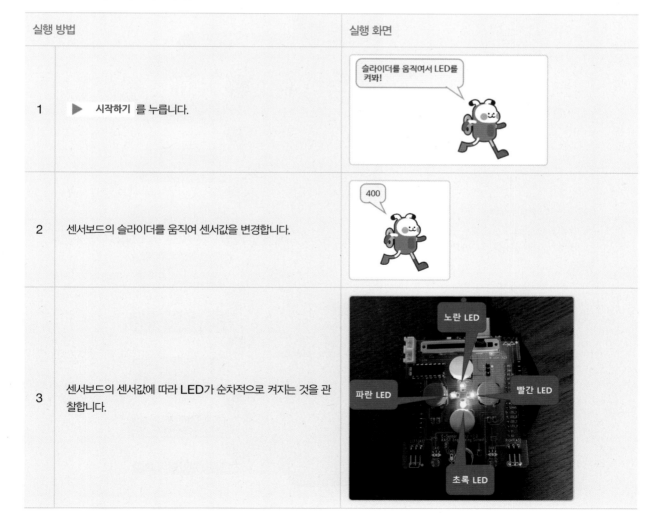

다음은 우리가 만들 프로그램의 제작 순서입니다. 순서를 보고 프로그램을 직접 만들어봐도 좋습니다.

슬라이더 센서값의 범위에 따라 LED를 순차적으로 켜고 끄는 프로그램

1	슬라이더 센서값을 비교하는 명령어 블록을 만듭니다.	
2	조건에 따라 1개의 **LED**를 켜고 끄는 명령어 블록을 만듭니다.	
3	2에서 만든 명령어 블록을 연결한 뒤에 [생김새]의 '안녕!'을(를) '4'초 동안 '말하기' 블록을 이용해 엔트리봇이 말할 문구를 추가하여 프로그램을 완성합니다.	

Step 1 🔑 슬라이더 센서값을 비교하는 블록 만들기

슬라이더 센서값에 따라 LED를 켜고 끄기 위해서는 기준값과 슬라이더 센서값을 비교하는 명령어 블록이 필요합니다. 이 프로그램에서의 기준값은 빨간 LED는 1, 초록 LED는 300, 파란 LED는 600, 노랑 LED는 900으로 지정하겠습니다.

❶ [판단]의 '10' > '10' 블록을 가져옵니다.

❷ [하드웨어]의 '슬라이더' 센서값 블록을 '10' > '10' 블록의 부등호 왼쪽에 있는 '10'의 자리에 넣어준 뒤 조건에 맞게 부등호 오른쪽의 숫자를 1로 바꿔줍니다.

❸ 조건에 맞게 기준값이 300, 600, 900인 경우의 명령어 블록을 동일한 방법으로 설정합니다. 명령어 블록에 마우스의 커서를 올리고 마우스 오른쪽 버튼을 클릭하여 '코드 복사 & 붙여넣기'를 이용하면 빠르게 만들 수 있습니다.

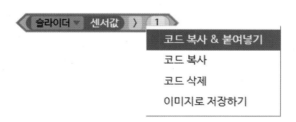

Step 2 🔑 조건에 따라 LED 켜고 끄는 블록 생성하기

LED를 켜기 위해서는 [하드웨어]의 '빨간' LED '켜기' 블록이 필요합니다. LED의 색은 '빨간'을 클릭하여 바꿀 수 있으며 '켜기'를 클릭하면 끄기로 바꿀 수 있습니다.

먼저 엔트리와 E-센서보드를 이용하여 슬라이더 센서값의 범위에 따라 빨간 LED를 켜고 끌 수 있도록 만들어봅시다. 단, 주어진 기준값에 따라 슬라이더 센서값이 1보다 크면 빨간 LED를 켜고, 슬라이더 센서값이 1 이하라면 빨간 LED를 끄도록 합니다.

❶ 조건에 따라 LED를 켜고 끄는 것을 선택하기 위해 [흐름]의 만일 '참'이라면 ~ 아니면 ~ 블록을 선택합니다.

❷ Step 1에서 만든 명령어 블록을 다음과 같이 만일 '참'이라면 ~ 아니면 ~ 블록의 '참' 위치에 넣어줍니다.

❸ 빨간 LED를 켜고 끄기 위해서 [하드웨어]의 '빨간' LED '켜기' 블록을 2개 선택하여 하나는 켜기, 하나는 끄기로 바꾼 뒤 ❷에서 만든 명령어 블록에 넣어줍니다.

❹ 동일한 방법으로 초록, 파란, 노랑 LED의 켜고 끄는 명령어 블록을 설정합니다. Step 1과 마찬가지로 '코드 복사 & 붙여넣기'를 이용하면 빠르게 만들 수 있습니다.

Step 3 🐁 엔트리봇이 말할 문구를 추가하고 4개의 명령어 블록을 연결하기

❶ '시작하기'를 눌렀을 때 엔트리봇이 "슬라이더를 움직여서 LED를 켜봐!"라고 말하도록 블록 조립소로 '안녕!'을(를) '4'초 동안 '말하기' 블록을 가져와 '안녕!'에 말할 내용을 입력합니다.

❷ 현재 슬라이더 센서값을 알기 위해서 Check 2에서 배운  블록을 설정합니다.

❸ ❷와 Step 2에서 만든 명령어 블록을 다음과 같이 연결합니다. 이때 슬라이더 센서값의 변화에 따라 계속 반복할 수 있도록 계속 반복하기 블록으로 감싸줍니다.

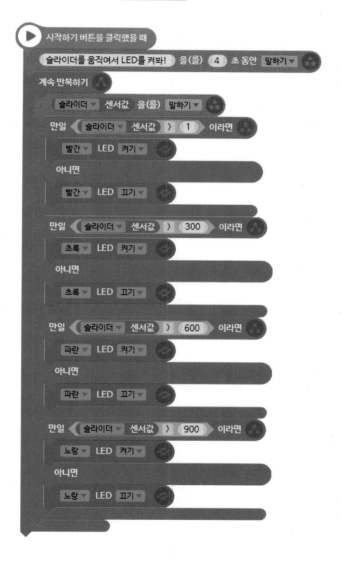

다음은 명령어 블록을 실행한 결과 화면입니다. 다음과 같은 결과가 나오는지 확인합시다.

센서값	센서보드
슬라이더를 움직여서 LED를 켜봐!	
10	
400	

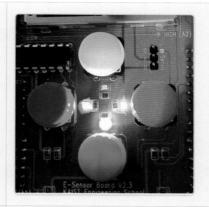

꼭 기억해요

지금까지 배운 내용을 정리해봅시다. 요점 정리를 읽고 이해가 되지 않는 내용이 있다면 7장을 다시 한번 살펴봅시다.

Point 1 슬라이더 센서는 무엇이고 어떻게 조작하나요?

❖ 슬라이더 센서는 스위치를 좌우로 움직여 값을 조절하는 아날로그 센서입니다.

Point 2 슬라이더 센서의 최솟값과 최댓값을 알아보려면 어떻게 해야 하나요?

❖ [하드웨어] 블록 꾸러미의 `'슬라이더' 센서값` 블록을 [생김새] 블록 꾸러미의 `'안녕!'을(를) 말하기` 블록과 조립합니다. 그리고 [흐름] 블록 꾸러미의 `계속 반복하기` 블록을 이용해 반복하면 슬라이더 센서의 스위치를 움직이면서 슬라이더 센서값을 확인할 수 있습니다.

◆ 슬라이더 센서의 최솟값은 0이며 최댓값은 1023입니다.

◆ 슬라이더 센서값의 범위는 [하드웨어] 블록 꾸러미의 `슬라이더 '0'번 센서값 값의 범위를 '0' ~ '1023'에서 '0' ~ '100'(으)로 바꾼값` 블록으로 변환할 수 있습니다.

Point 3 슬라이더 센서를 이용하여 E-센서보드의 LED를 켜려면 어떻게 해야 하나요?

◆ 조건에 따라 LED를 켜고 끄는 것을 선택하기 위해 [흐름] 블록 꾸러미의 `만일 '참'이라면 ~ 아니면 ~` 블록을 이용합니다.

◆ [하드웨어] 블록 꾸러미의 `'빨간' LED '켜기'` 블록을 사용하면 E-센서보드의 LED를 켜거나 끌 수 있습니다.

◆ `만일 '참'이라면 ~ 아니면 ~` 블록에 `'슬라이더' 센서값` 블록과 `'빨간' LED '켜기'` 블록을 사용하면 조건에 따라 LED를 켜거나 끌 수 있습니다.

도전해봅시다 ⚙

지금까지 배운 내용을 잘 이해했나요? 이제 배운 내용을 참고하여 도전과제를 해결해봅시다. '도전해봅시다'의 문제 풀이는 PDF로 제공됩니다. 한빛미디어(http://www.hanbit.co.kr)에 접속한 다음 상단의 검색 아이콘을 눌러서 '엔트리, 피지컬 컴퓨팅을 만나다'를 입력해서 검색해주세요. 검색해 나온 책 모양을 클릭한 다음 도서 표지 하단의 [부록/예제소스]를 클릭하면 파일을 받으실 수 있습니다.

도전과제 1 꼬마전구 오브젝트를 추가하여 슬라이더 센서값에 따라 꼬마전구 켜고 끄기 (난이도 ★)

1 '오브젝트 추가하기'를 클릭하여 '물건'-'생활'의 '꼬마전구'를 선택합니다.

2 Step 2에서 했던 내용을 떠올리며 명령어 블록을 만들어봅시다. 이때 꼬마전구를 켜고 끄기 위해서는 [생김새]의 `'꼬마전구_꺼짐' 모양으로 바꾸기`를 이용하여 꼬마전구를 켜고 끌 수 있습니다.

3 자신이 만든 프로그램을 엔트리 홈페이지에 업로드해보고 친구들과 서로 평가해봅시다.

도전과제 2 슬라이더 센서로 빨간 LED 켜고 끄는 속도 조절하기 (난이도 ★★)

엔트리와 E-센서보드를 이용하여 슬라이더 센서값의 범위에 따라 켜지고 꺼지는 속도를 다르게 하여 빨간 LED가 켜지고 꺼지도록 만들어봅시다. 이때 슬라이더 센서값의 범위를 0~10초로 바꾸어 센서값에 해당하는 초만큼 기다렸다가 켜지고, 센서값에 해당하는 초만큼 기다린 후 꺼지기를 반복하도록 만듭니다.

1 [하드웨어]의 **'빨간' LED '켜기'** 블록을 선택합니다.

2 슬라이더 센서값의 범위를 0~10으로 변경합니다.

3 **2**에서 변경한 명령어 블록을 [흐름]의 **'2'초 기다리기** 블록에 삽입합니다.

4 **'빨간' LED '켜기'** 블록을 선택하여 *끄기*로 변경한 뒤에 **3**의 명령어 블록 아래에 연결합니다.

5 **3**의 명령어 블록을 '코드 복사 & 붙여넣기'를 이용해 **4**의 명령어 블록 밑에 연결합니다.

6 [흐름]의 **계속 반복하기** 블록으로 전체를 감싸 반복해줍니다.

7 자신이 만든 프로그램을 엔트리 홈페이지에 업로드해보고 친구들과 서로 평가해봅시다.

도전과제 3 빛의 삼원색을 이용해 다양한 색의 조명 만들기 (난이도 ★★)

1 슬라이더 센서값의 변화에 따라 서로 다른 2가지 이상의 LED를 동시에 켜서 다양한 조명색을 만들어봅시다. 이때 빛이 투과할 수 있는 얇은 종이 상자 등을 LED에 감싸면 더욱 멋진 조명을 만들 수 있습니다. 아래의 빛의 삼원색 그림을 참고하여 슬라이더 센서의 스위치를 움직일 때마다 다양한 색상으로 변하도록 프로그램을 작성해봅시다.

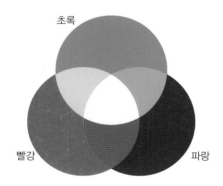

2 자신이 만든 프로그램을 엔트리 홈페이지에 업로드해보고 친구들과 서로 평가해봅시다.

8장. [버튼 센서]
원하는 색으로 그림을 그려보아요

📕 이런 것을 배워요

- ◆ 버튼 센서의 연결 방법을 알아봅시다.
- ◆ 버튼 센서와 엔트리를 이용하여 버튼에 따라 다른 색을 출력하는 프로그램을 만들어봅시다.
- ◆ 버튼 센서를 이용한 다양한 응용 프로그램을 만들어봅시다.

📕 도움이 필요해요

소하는 친구들과 의견을 나눌 때 화이트보드를 많이 사용합니다. 각자 다른 색의 매직으로 자신의 의견을 적으면 누가 낸 의견인지 색으로 구분할 수 있기 때문입니다. 또 매직으로 쓴 내용은 깨끗하게 지우고 다시 사용할 수 있어 종이를 아낄 수 있습니다. 하지만 매직은 매직 한 개에 하나의 색만 표현할 수 있다는 점이 아쉽습니다. 소하는 여러 가지 색을 표현할 수 있는 매직펜 프로그램을 만들어보고 싶어졌습니다. 여러 개의 버튼을 사용하여 버튼에 따라 각각 다른 색을 그릴 수 있는 매직펜 프로그램을 만들려면 어떻게 해야 할까요?

🎖 미리 생각해봐요

소하가 고민하는 프로그램을 만들려면 버튼 센서가 어떤 동작을 해야 할까요? 또 엔트리에서 사용될 명령어 블록은 무엇일까요? 자신의 생각을 그림 혹은 글로 표현해봅시다.

⚙ 피지컬 컴퓨팅 프로그래밍 기본

소하의 고민을 해결하기 위해서는 버튼 센서를 다룰 수 있어야 합니다. 다음의 내용을 살펴보며 버튼 센서의 작동 원리를 하나하나 배워봅시다.

Check 1 **버튼 센서는 어떻게 사용하나요?**

Check 2 **디지털 신호는 무엇인가요?**

Check 3 **오브젝트의 중심점은 무엇인가요?**

Check 1 ▗ **버튼 센서는 어떻게 사용하나요?**

E-센서보드에 있는 빨간, 노랑, 파란, 초록 버튼이 보이시나요? E-센서보드에는 4개의 버튼 센서가 있습니다.

이 버튼 센서는 [하드웨어]의 `'빨간' 버튼을 눌렀는가?` 블록으로 제어할 수 있습니다. 블록의 '빨간' 부분을 클릭하여 버튼의 색을 선택할 수 있습니다.

🎓 잠·깐·만

버튼을 제어하는 명령어 블록은 왜 육각형인가요?

`'빨간' 버튼을 눌렀는가?` 블록은 육각형 모양입니다. 이는 참 또는 거짓의 값을 갖는 조건을 의미하며 버튼이 눌렸다면 참, 버튼이 눌리지 않았다면 거짓을 의미합니다. 이렇게 조건을 의미하는 명령어 블록은 엔트리에서 육각형으로 표현됩니다.

엔트리와 E-센서보드를 연결하여 프로그래밍할 때 범위를 갖는 센서가 있고, 특정 값을 갖는 센서가 있습니다. 예를 들어, 소리 센서나 빛 센서는 0부터 1023까지의 범위 내에서 값이 변화합니다. 하지만 버튼 센서는 버튼이 눌렸는가, 눌리지 않았는가의 상태 값을 가집니다.

소리, 빛과 같이 연속적인 범위를 갖는 정보를 아날로그 정보, 버튼과 같이 유한개의 숫자나 문자로 표현한 정보를 디지털 정보라고 합니다. 컴퓨터는 0과 1을 사용한 이진법으로 디지털 정보를 표현합니다. 컴퓨터는 전원이 꺼져 있는 상태를 0, 전원이 켜져 있는 상태를 1로 표현합니다.

버튼 센서는 디지털 신호라고 할 수 있습니다. 버튼이 눌려있다면 1, 눌리지 않았다면 0으로 표현할 수 있기 때문입니다. 이렇게 전기 신호를 0과 1로 표현하는 예는 일상생활에서도 찾아볼 수 있습니다.

플러그를 뽑아야지만 전력 소모를 막을 수 있는 대기전력이 있는 제품은 0을 의미하는 동그라미에 1을 의미하는 막대 표시가 반쯤 걸쳐져 있습니다. 전원을 꺼도 전기가 흐른다는 의미입니다. 반면 플러그를 뽑지 않아도 전원만 끄면 전력 소모가 없는 대기전력이 없는 제품은 0을 의미하는 동그라미 안에 1을 의미하는 막대 표시가 완전히 들어가 있습니다.

대기전력이 있는 제품　　　　대기전력이 없는 제품

잠·깐·만

모든 정보를 이진수로 표현할 수 있나요?

이진수는 0과 1만을 사용하여 표현한 수를 의미합니다. 컴퓨터에서 0과 1을 표현하는 최소 단위를 비트(bit)라고 하며 한 자리 비트는 0과 1의 2가지 경우를 표현할 수 있습니다. 만약 2자리의 비트가 있다면 몇 가지 경우를 표현할 수 있을까요?

각 자리 비트가 0과 1을 표현할 수 있으므로, 00, 01, 10, 11의 4가지 경우를 표현할 수 있습니다. 이처럼 비트 수가 한 자리 늘어날수록 표현할 수 있는 경우의 수는 2배씩 늘어납니다. 이렇게 여러 자리의 비트를 사용하여 모든 정보를 이진수로 표현할 수 있습니다.

컴퍼스를 아시나요? 그리려는 원이나 호의 크기에 맞춰 도형을 그릴 수 있는 기구를 말합니다. 컴퍼스는 한쪽 다리의 끝을 중심으로 하여 다른 한쪽 다리에 필기도구를 매달아 도형을 그립니다. 이때 도형의 중심이 되는

지점이 어디인가에 따라 그려지는 도형의 위치가 달라집니다. 또한 도형의 중심과 필기도구의 거리가 얼마나 먼가에 따라 그려지는 도형의 크기가 달라집니다. 엔트리에서 오브젝트가 회전할 때도 오브젝트의 중심이 어디에 있는가에 따라 오브젝트가 움직이는 위치와 거리가 달라집니다.

엔트리에서 오브젝트의 중심은 동그란 갈색 점이 위치한 곳입니다. 동그란 갈색 점을 오브젝트의 중심점이라고 볼 수 있습니다. 오브젝트의 중심점은 마우스로 드래그하여 위치를 이동할 수 있으며 오브젝트의 중심점이 기본적으로 놓이는 자리는 오브젝트의 정중앙입니다.

만약 오브젝트의 중심점을 움직이지 않고 오브젝트를 회전시킨다면 어떻게 움직일까요? [움직임]의 `방향을 '90°'만큼 회전하기` 블록을 사용하여 오브젝트의 움직임이 어떻게 이루어지는지 살펴봅시다. [붓] 블록 꾸러미의 `도장찍기` 블록을 사용하여 오브젝트가 움직일 때마다 자취가 남도록 할 수 있습니다.

명령어 블록

실행 결과

이번에는 그림과 같이 오브젝트의 중심점을 오브젝트 그림 위가 아닌 다른 곳에 두었다고 가정해봅시다. 앞에서 실행한 것과 똑같은 명령어를 실행한 결과는 다음과 같습니다.

명령어 블록

실행 결과

오브젝트 중심점의 위치가 달라지면서 오브젝트가 움직이는 자취 역시 달라진 것을 확인할 수 있습니다.

[붓]의 `그리기 시작하기` 블록은 오브젝트가 이동하는 경로를 따라 선이 그려지는 명령어입니다. 이때 오브젝트의 중심점을 기준으로 선이 그려집니다. 즉, 오브젝트의 중심점이 위치한 자리에 선이 그려집니다.

핵심 블록 알아보기

블록	설명
`계속 반복하기`	감싸고 있는 블록들을 계속해서 반복 실행합니다.
`마우스포인터 ▾ 위치로 이동하기`	오브젝트가 선택한 오브젝트 또는 마우스 포인터의 위치로 이동합니다. (오브젝트의 중심점이 기준이 됩니다.)
`빨간 ▾ 버튼을 눌렀는가?`	센서보드로부터 감지된 버튼의 눌림 여부를 의미합니다. 버튼이 눌리면 참, 눌리지 않았다면 거짓 값을 갖습니다.
`마우스를 클릭했을 때`	마우스를 클릭했을 때 아래에 연결된 블록들을 실행합니다.
`마우스 클릭을 해제했을 때`	마우스 클릭을 해제했을 때 아래에 연결된 블록들을 실행합니다.
`그리기 시작하기`	오브젝트가 이동하는 경로를 따라 선이 그려지기 시작합니다. (오브젝트의 중심점이 기준)
`그리기 멈추기`	오브젝트가 선을 그리는 것을 멈춥니다.

⚙ 피지컬 컴퓨팅 실전

버튼 센서와 엔트리 프로그래밍으로 소하가 해결해야 할 문제를 함께 풀어봅시다. 먼저 우리가 만들 결과물은 105쪽의 화면과 같습니다. 프로그램이 시작되면 연필 오브젝트가 마우스를 따라 움직이며, 마우스를 클릭하는 동안 선을 그릴 수 있습니다. 또 버튼을 눌러 색을 선택할 수 있습니다.

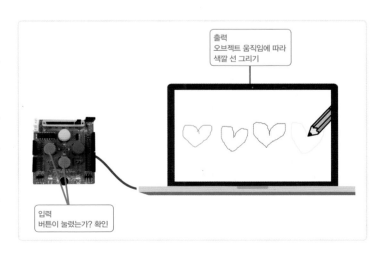

출력
오브젝트 움직임에 따라
색깔 선 그리기

입력
버튼이 눌렸는가? 확인

실행 전

실행 화면

버튼 센서값에 따라 오브젝트가 선을 그리는 프로그램의 작동 과정은 다음과 같습니다.

실행 방법		실행 화면
1	▶ 시작하기 를 누릅니다.	
2	마우스를 클릭하면 오브젝트의 움직임에 따라 선이 그려집니다. 스페이스 바를 누르면 모든 선이 지워집니다.	
3	눌러진 버튼에 따라 그려지는 선의 색이 바뀝니다.	

다음은 우리가 만들 프로그램의 제작 순서입니다. 순서를 보고 프로그램을 직접 만들어봐도 좋습니다.

버튼에 따라 각각 다른 색을 그릴 수 있는 매직펜 프로그램

1	'시작하기'를 누르면 마우스포인터에 따라 연필이 움직입니다.	시작하기 버튼을 클릭했을 때 계속 반복하기 마우스포인터 ▼ 위치로 이동하기
2	마우스를 클릭하면 선이 그려지고, 마우스를 클릭하지 않으면 그리기를 멈춥니다.	마우스를 클릭했을 때 마우스 클릭을 해제했을 때 그리기 시작하기 그리기 멈추기
3	스페이스 바를 누르면 그려진 선이 모두 지워집니다.	스페이스 키를 눌렀을 때 모든 붓 지우기
4	버튼을 클릭하면 선의 색을 바꿀 수 있도록 설정하여 프로그램을 완성합니다.	만일 파란 ▼ 버튼을 눌렀는가? 이라면 붓의 색을 ■ (으)로 정하기 만일 빨간 ▼ 버튼을 눌렀는가? 이라면 붓의 색을 ■ (으)로 정하기 만일 초록 ▼ 버튼을 눌렀는가? 이라면 붓의 색을 ■ (으)로 정하기 만일 노랑 ▼ 버튼을 눌렀는가? 이라면 붓의 색을 ■ (으)로 정하기

Step 1 ☞ 내 마음대로 연필 움직이기

❶ '오브젝트 추가하기'를 클릭하여 '물건'–'취미'의 '연필(1)'을 선택한 후 '적용하기'를 클릭합니다.

❷ [시작]의 `시작하기 버튼을 클릭했을 때` 블록과 [움직임]의 `'마우스포인터' 위치로 이동하기` 블록을 연필(1) 오브젝트의 블록 조립소로 가져옵니다.

❸ '시작하기'를 클릭했을 때 연필(1) 오브젝트가 계속 마우스포인터를 따라 이동하도록 [흐름]의 `계속 반복하기` 블록을 가져와 조립합니다.

Step 2 ☞ 그리기 시작하고 멈추기

마우스를 클릭하면 선이 그려지고 마우스를 클릭하지 않으면 그리기를 멈추도록 만들어봅시다. 또한 스페이스 바를 누르면 그려진 내용을 지울 수 있도록 만들어봅시다.

❶ 마우스를 클릭하면 선이 그려지도록 만들어봅시다. 블록 조립소에 [시작]의 `마우스를 클릭했을 때` 블록과 [붓]의 `그리기 시작하기` 블록을 가져와 연결합니다.

❷ 마우스를 클릭하지 않으면 그리기를 멈추도록 만들어봅시다. [시작]의 `마우스 클릭을 해제했을 때` 블록과 [붓]의 `그리기 멈추기` 블록을 가져와 연결합니다.

오브젝트를 클릭하는 것과 마우스를 클릭하는 것은 무엇이 다른가요?

오브젝트를 클릭하는 것은 오브젝트의 그림 부분을 클릭하는 것을 의미합니다. 마우스를 클릭하는 것은 특정 오브젝트를 클릭하는 것뿐만 아니라 사용자가 마우스를 클릭하는 것을 모두 포함합니다.

프로그래밍 결과	마우스를 클릭했을 때 오브젝트 색 변화	오브젝트를 클릭했을 때 오브젝트 방향 변화
마우스 클릭	O	X
오브젝트 클릭	O	O

만약 마우스를 클릭했을 때 꽃 오브젝트의 색이 바뀌고, 꽃 오브젝트를 클릭했을 때 오브젝트의 방향을 30도만큼 회전하도록 명령했다고 생각해봅시다. 마우스를 클릭하면 꽃 오브젝트의 색이 바뀔 것입니다. 만약 꽃 오브젝트를 클릭하면 꽃 오브젝트의 방향이 30도만큼 회전할 뿐만 아니라 오브젝트의 색도 바뀔 것입니다.

따라서 마우스를 클릭했을 때 블록과 오브젝트를 클릭했을 때 블록을 사용한 명령어 블록이 함께 할 때에는 마우스를 클릭했을 때의 실행 내용과 오브젝트를 클릭했을 때의 실행 내용을 잘 구분해야 합니다.

❸ 오브젝트의 움직임에 따라 선이 잘 그려지는 것을 확인했나요? 하지만 선이 그려지는 위치가 연필심이 아닌 연필의 가운데일 것입니다. 선이 그려지는 위치를 연필(1) 오브젝트의 가운데에서 연필심 부분으로 맞추기 위해서는 오브젝트의 중심점을 연필심 부분으로 이동하면 됩니다.

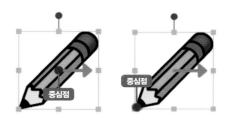

❹ 그려진 그림을 모두 지우려면 [붓]의 모든 붓 지우기 블록을 사용하면 됩니다. 스페이스 바를 눌러 모든 선을 지워봅시다. [시작]의 'q' 키를 눌렀을 때 블록을 가져옵니다. 그리고 'q' 부분을 클릭하여 스페이스 바를 눌러 '스페이스' 키를 눌렀을 때 로 설정합니다.

Step 3 🖐 버튼으로 색 바꾸기

E-센서보드에는 빨간, 파란, 노랑, 초록의 4개의 버튼이 있습니다. 이번에는 E-센서보드의 버튼을 누르면 버튼 색과 같은 색이 선택되고, 선택된 색의 선이 그려지도록 해봅시다.

❶ 〈'빨간' 버튼을 눌렀는가?〉 블록을 사용하면 E-센서보드의 '빨간' 버튼이 눌렸는지 알 수 있습니다. 빨간 버튼을 누르면 빨간색 선을 그릴 수 있도록 [붓]의 〈붓의 색을 '빨강'(으)로 정하기〉 블록을 가져옵니다.

❷ 〈'빨간' 버튼을 눌렀는가?〉 블록이 육각형이므로 〈붓의 색을 '빨강'(으)로 정하기〉 블록과 직접 연결할 수 없습니다. 따라서 [흐름]의 〈만일 '참' 이라면〉 블록을 가져와 '참'의 자리에 〈'빨간' 버튼을 눌렀는가?〉 블록을 넣어준 뒤 다음과 같이 연결합니다.

❸ 〈'빨간' 버튼을 눌렀는가?〉 블록의 '빨간'을 클릭하여 다른 버튼 색을 선택할 수 있습니다. 이때 버튼 색과 같은 색의 선이 그려질 수 있도록 〈붓의 색을 '빨강'(으)로 정하기〉 블록의 '빨강' 부분을 클릭하여 해당하는 색을 선택하여 변경합니다.

파란 버튼	만일 파란▾ 버튼을 눌렀는가? 이라면 / 붓의 색을 ■ (으)로 정하기
노랑 버튼	만일 노랑▾ 버튼을 눌렀는가? 이라면 / 붓의 색을 ☐ (으)로 정하기
초록 버튼	만일 초록▾ 버튼을 눌렀는가? 이라면 / 붓의 색을 ■ (으)로 정하기

④ 프로그램이 실행되는 동안 버튼이 눌렸는지 확인하는 것은 계속 반복되야 합니다. 따라서  블록을 사용하여 버튼이 눌렸는지 계속 확인할 수 있도록 설정합니다. **Step 1**에서 만든 명령어 블록에 왼쪽과 같이 조립합니다.

꼭 기억해요

지금까지 배운 내용을 정리해봅시다. 요점 정리를 읽고 이해가 되지 않는 내용이 있다면 8장을 다시 한번 살펴봅시다.

Point 1 · 아날로그와 디지털 정보는 무엇인가요?

+ 아날로그 정보는 소리, 빛과 같이 연속적인 범위를 갖는 정보를 말합니다.
+ 디지털 정보는 버튼과 같이 유한개의 숫자나 문자로 표현한 정보를 말합니다.
+ 컴퓨터는 0과 1의 2개의 숫자를 사용하여 디지털 정보를 표현합니다.

Point 2 · 오브젝트의 중심점

+ 엔트리에서 오브젝트의 중심점은 오브젝트 위에 동그란 갈색 점으로 표시됩니다.
+ 오브젝트의 중심점은 오브젝트의 정중앙에 놓이며, 마우스로 드래그하여 위치를 변경할 수 있습니다.
+ 오브젝트의 중심은 오브젝트 회전의 중심이 되며, [붓] 블록 꾸러미의 명령어 블록 사용 시 선이 그려지는 기준이 됩니다.

Point 3 버튼 센서 사용하기

+ [하드웨어] 블록 꾸러미의 `'빨간' 버튼을 눌렀는가?` 블록을 사용하여 버튼이 눌렸는지 또는 눌리지 않았는지의 정보를 확인할 수 있습니다.

+ 버튼이 눌린 상태는 1, 눌리지 않은 상태는 0의 값을 갖습니다.

+ E-센서보드에는 빨간, 파란, 노랑, 초록의 버튼이 있으며, 각 버튼이 연결된 디지털 핀번호는 다음과 같습니다.

버튼	빨간	파란	노랑	초록
핀번호	8	9	10	11

도전해봅시다

지금까지 배운 내용을 잘 이해했나요? 이제 배운 내용을 참고하여 도전과제를 해결해봅시다. '도전해봅시다'의 문제 풀이는 PDF로 제공됩니다. 한빛미디어(http://www.hanbit.co.kr)에 접속한 다음 상단의 검색 아이콘을 눌러서 '엔트리, 피지컬 컴퓨팅을 만나다'를 입력해서 검색해주세요. 검색해 나온 책 모양을 클릭한 다음 도서 표지 하단의 [부록/예제소스]를 클릭하면 파일을 받으실 수 있습니다.

도전과제 1 2개의 버튼 센서를 동시에 눌렀을 때 두 버튼 색을 섞은 색으로 그림을 그릴 수 있는 프로그램 만들기 (난이도 ★)

2개의 버튼을 동시에 누르면 해당하는 버튼의 색을 섞은 색을 선택하는 매직펜 프로그램을 만들어봅시다.

1 '오브젝트 추가하기'를 클릭하여 '물건'-'취미'의 '연필(1)' 오브젝트를 선택한 후 '적용하기'를 클릭합니다.

2 2개의 버튼 센서가 동시에 눌렸는지 확인합니다.

> **Hint** 2개의 버튼 센서가 동시에 눌렸는지 확인하기 위해 [판단]의 `'참' 그리고 '거짓'` 블록을 사용할 수 있습니다.

3 눌린 2개의 버튼을 확인하여 버튼 색과 같은 2개의 색을 섞은 색으로 붓의 색을 선택합니다. 그리고 스페이스 바가 눌렸을 때는 그려진 선을 모두 지우도록 합니다.

> **Hint** 오른쪽의 그림을 참고하여 빨강, 파란, 노랑, 초록의 혼합 결과를 확인합니다.

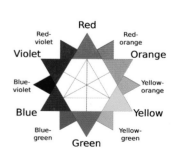

4 자신이 만든 프로그램을 엔트리 홈페이지에 업로드 해보고 친구들과 서로 평가해봅시다.

도전과제 2 ▶ 버튼 센서로 양탄자에 마법사 태우기 (난이도 ★★)

버튼 센서 입력값에 따라 양탄자가 위, 아래, 앞, 뒤로 움직여 마법사를 양탄자에 태우는 프로그램을 만들어봅시다.

1 '오브젝트 추가하기'를 클릭하여 '배경'–'자연'의 '사막(1)', '탈것'–하늘'의 '마법 양탄자(1)', '판타지'의 '꼬마 마법사'를 선택한 후 '적용하기'를 클릭합니다.

2 버튼을 눌러 마법 양탄자(1) 오브젝트를 움직이도록 합니다. 각 버튼은 오브젝트의 위치를 위, 아래, 앞, 뒤로 바꿀 수 있습니다.

> **Hint** 앞, 뒤 움직임은 x 좌푯값을, 위, 아래 움직임은 y 좌푯값을 변화시켜 표현할 수 있습니다.

> **Hint** 각 버튼을 눌렀을 때 빨간 버튼은 앞, 파란 버튼은 뒤, 노랑 버튼은 위, 초록 버튼은 아래로 오브젝트를 움직인다고 가정할 수 있습니다.

3 꼬마 마법사 오브젝트는 마법 양탄자(1) 오브젝트에 닿을 때까지 기다립니다.

> **Hint** [흐름]의 `'참'이(가) 될 때까지 기다리기` 블록을 사용할 수 있습니다.

4 꼬마 마법사 오브젝트가 마법 양탄자(1) 오브젝트에 닿으면 꼬마 마법사 오브젝트가 마법 양탄자(1) 오브젝트의 위치로 움직이도록 설정합니다.

5 자신이 만든 프로그램을 엔트리 홈페이지에 업로드 해보고 친구들과 서로 평가해봅시다.

도전과제 3 ▶ 버튼 센서를 이용한 나만의 작품 제작하기 (난이도 ★★★)

1 버튼 센서를 이용하여 나만의 작품을 제작해봅시다. 내가 만들 프로그램의 기능 및 특징을 글과 그림으로 표현해봅시다.

2 자신이 만든 프로그램을 엔트리 홈페이지에 업로드 해보고 친구들과 서로 평가해봅시다.

3

생활 속
피지컬 컴퓨팅

9장. 번쩍번쩍 알람시계 만들기

📖 이런 것을 배워요

✦ 초시계를 설정하는 방법을 알아봅시다.

✦ 원하는 소리를 추가하여 경고음 소리를 출력하는 프로그램을 만들어봅시다.

✦ 소리 센서, LED를 이용한 다양한 응용 프로그램을 만들어봅시다.

📖 도움이 필요해요

소하는 부대찌개를 무척 좋아합니다. 어느 날 가족과 함께 부대찌개를 먹으러 식당에 갔다가 숫자가 크게 적힌 타이머를 보았습니다. 미리 시간을 설정하면 해당 시각에 맞춰 큰 소리로 알람을 울리는 타이머의 동작이 단순하지만 꼭 필요해보였습니다. 하지만 타이머의 알람이 울릴 때마다 직접 끄는 모습에 소하는 타이머의 버튼을 누르지 않아도 소리로 알람을 끌 수 있는 기능을 만들어보고 싶어졌습니다. 타이머에 설정한 알람 시간이 되었을 때 LED 불빛과 소리로 알려주고 소리로 알람을 끌 수 있는 프로그램을 만들려면 어떻게 해야 할까요?

🏅 미리 생각해봐요

소하가 고민하는 프로그램을 만들려면 소리 센서가 어떤 동작을 해야 할까요? 또 엔트리에서 사용될 명령어 블록은 무엇일까요? 자신의 생각을 그림 혹은 글로 표현해봅시다.

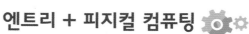

⚙️ 피지컬 컴퓨팅 프로그래밍 기본

소하의 고민을 해결하기 위해서는 소리 센서와 LED를 다룰 수 있어야 합니다. 다음의 내용을 살펴보며 프로그램의 작동 원리를 하나하나 배워봅시다.

Check 1 **초시계는 어떻게 사용하나요?**

Check 2 **말하기와 '～'초 동안 말하기의 차이점은 무엇인가요?**

Check 3 **소리를 추가하고 싶어요!**

Check 1 🚩 **초시계는 어떻게 사용하나요?**

엔트리는 시간을 측정할 수 있는 초시계 기능을 쉽게 구현할 수 있습니다. [계산]의 초시계 관련 명령어 블록을 이용하여 초시계를 시작하거나 멈추는 것이 가능합니다.

명령어 블록	설명
초시계 시작하기 ▾ ✓ 시작하기 정지하기 초기화하기	초시계를 시작하거나 초시계를 정지하거나 초시계의 값을 0으로 설정할 수 있습니다.
초시계 숨기기 ▾ 보이기 ✓ 숨기기	초시계 창을 화면에서 보이거나 숨기게 합니다.
초시계 값	이 블록이 실행되는 순간 초시계에 저장된 값입니다.

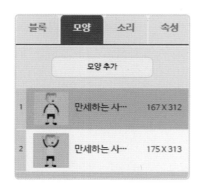

예를 들어, 프로그램을 시작하고 3초가 지나면 오브젝트의 모양을 바꾸는 프로그램을 만든다고 생각해봅시다.

먼저 모양이 2개인 만세하는 사람(1) 오브젝트를 가져와 3초가 지나면 다음 모양으로 바꿔봅시다.

[흐름]의 '참'이(가) 될 때까지 기다리기 블록을 사용하여 초시계의 값이 3초가 될 때까지 기다리는 프로그램을 만든다면 왼쪽과 같이 명령어 블록을 만들 수 있을 겁니다.

이렇게 프로그래밍을 했다면 프로그램이 시작되고 초시계의 값이 3이 되고 나서 다음 모양으로 바뀔 것이라 예상할 수 있습니다. 하지만 모양이 바뀌지 않습니다.

초시계 값 블록은 해당 명령어 블록이 시작되는 순간 초시계에 저장된 값을 의미합니다. 따라서 해당 명령어 블록이 시작되는 순간의 값은 정확히 '3'이 아닐 수 있습니다. 0.1초라도 빠르거나 느리면 정확히 같지 않기 때문입니다.

따라서 엔트리에서 초시계를 사용할 때는 이러한 특징을 꼭 기억해둬야 합니다. 그렇다면 3초가 되었을 때 모양이 바뀌게 하려면 어떻게 명령어 블록을 작성해야 할까요?

[판단]의 '10' ≥ '10' 블록을 사용하여 '초시계 값' ≥ '3' 블록으로 조건을 바꿔주면 됩니다. 시간은 흐르는 것이기 때문에 '3'초보다 더 긴 시간이 흘렀을 때 원하는 동작이 이루어지도록 프로그래밍할 수 있습니다.

🎓 잠·깐·만

초시계 기능은 엔트리에만 있나요?

엔트리에서 '초시계'와 관련된 명령어 블록을 사용할 수 있는 것은 엔트리라는 프로그래밍 언어에 '초시계'를 사용할 수 있도록 명령어를 미리 만들어놓았기 때문입니다. 다른 프로그래밍 언어에서도 시간과 관련된 명령어 블록을 불러와 초시계 기능을 사용할 수 있습니다. 블록형 프로그래밍 언어인 스크래치에서는 '타이머'라는 이름으로 초시계 기능을 사용할 수 있습니다. 프로그래밍 언어의 특징에 따라 이름이나 명령어의 형태가 다를 수 있습니다.

말하기와 '~'초 동안 말하기의 차이점은 무엇인가요?

엔트리로 문자를 출력할 때 [생김새]의 말하기 명령어 블록을 사용할 수 있습니다. 말하기 명령어 블록의 특징을 정확히 알고 있다면 프로그래밍 시 오류를 줄일 수 있습니다.

명령어 블록	설명
안녕! 을(를) 4 초 동안 말하기▼	오브젝트가 입력한 내용을 입력한 시간 동안 말풍선으로 말한 후 다음 블록이 실행됩니다.
안녕! 을(를) 말하기▼	오브젝트가 입력한 내용을 말풍선으로 말하는 동시에 다음 블록이 실행됩니다.
말하기 지우기	오브젝트가 말하고 모든 말풍선을 지웁니다.

예를 들어, 오브젝트가 인사말을 출력하며 제자리에서 끊임없이 회전하는 프로그램을 만든다고 생각해봅시다. '안녕!'을(를) '4'초 동안 '말하기' 블록과 '안녕!'을(를) 말하기 블록 중 어떤 명령어 블록을 사용해야 할까요?

먼저 '안녕!'을(를) '4'초 동안 '말하기' 블록을 사용하여 작성한 명령어 블록과 실행 결과를 살펴봅시다.

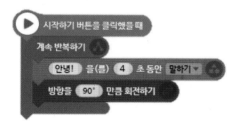

명령어 블록   실행 결과

인사말을 4초 동안 출력한 후 방향을 회전하기 때문에 오브젝트의 움직임이 뚜렷하게 보입니다. 이번에는 '안녕!'을(를) 말하기 블록을 사용하여 작성한 명령어 블록과 실행 결과를 살펴봅시다.

명령어 블록   실행 결과

인사말이 출력되는 시간이 따로 지정되어 있지 않기 때문에 "안녕!"을 말함과 동시에 방향을 회전합니다. 따라서 오브젝트의 모양이 뚜렷하게 보이지 않을만큼 빠르게 회전하는 것을 볼 수 있습니다.

잠·깐·만

문자를 계속 출력하는 방법은 한 가지밖에 없는 건가요?

아닙니다. 엔트리에서는 [시작]의 앞이 동그란 모양의 명령어 블록을 사용하여 명령어의 시작 시점을 정할 수 있습니다. 따라서 문자를 출력하는 명령어 블록을 다른 명령어 블록과 따로 조립하여 동시에 시작하도록 만들 수 있습니다.

예를 들어, '안녕!'을(를) '4'초 동안 '말하기' 블록을 사용하여 오브젝트가 인사말을 출력하며 제자리에서 끊임없이 회전하는 프로그램을 만든다고 생각해봅시다. 이때 인사말을 출력하는 것과 제자리에서 끊임없이 회전하는 것이 동시에 이루어지도록 2개로 분리해 명령어 블록을 조립할 수 있습니다.

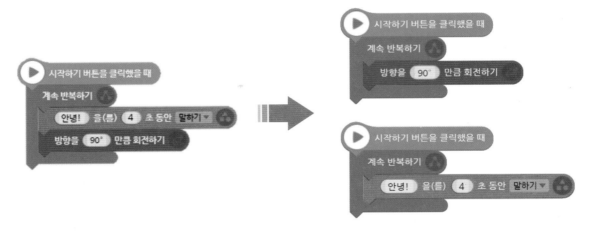

이 경우, 시작하기 버튼을 클릭했을 때, 방향을 회전하는 것과 인사말을 출력하는 것이 동시에 이루어집니다. 이와 같이 같은 명령어 블록을 사용하더라도 어떻게 조립하느냐에 따라 다른 결과를 실행할 수 있습니다.

따라서 오브젝트의 회전이 끊이지 않고 이루어짐과 동시에 인사말을 출력하기 위해서는 '안녕!'을(를) 말하기 블록을 사용해야 합니다. 두 명령어 블록의 차이는 프로그램의 실행 시간과도 관련이 있기에 프로그래밍할 때 잘 선택해 사용해야 합니다.

Check 3 소리를 추가하고 싶어요!

엔트리에서 화면에 보이는 오브젝트의 모양이나 크기를 바꾸는 것은 생김새를 변화시키는 명령어에 따른 출력을 의미합니다. 생김새의 변화는 모니터를 통해 확인할 수 있습니다. 그렇다면 스피커를 통해 출력되는 소리 정보는 어떻게 프로그래밍할 수 있을까요?

[소리] 블록 꾸러미에 있는 명령어 블록을 사용하여 명령을 내릴 수 있습니다. 하지만 [소리]의 명령어 블록을 사용하려면 재료가 필요합니다.

재료를 가져오기 위해 '소리' 탭의 '소리 추가'를 클릭합니다.

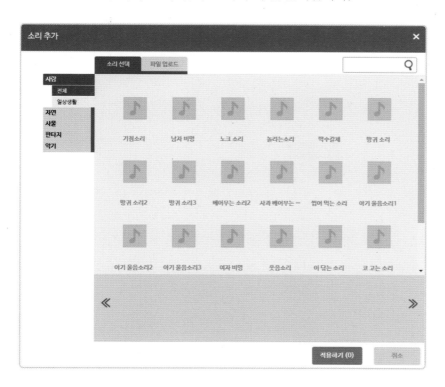

'소리 추가'의 '소리 선택' 탭에서는 엔트리에 저장된 소리 파일을 확인할 수 있습니다. 원하는 소리 파일을 클릭하면 미리 들을 수 있으며 오브젝트를 추가하듯 원하는 소리 파일을 선택하여 사용할 수 있습니다.

'파일 업로드' 탭에서는 mp3 파일을 추가하여 사용할 수 있습니다. 단, 파일을 추가할 때에는 다른 사람의 저작권을 침해하지 않아야 합니다.

'호루라기' 소리를 선택하여 스페이스 바를 눌렀을 때 호루라기 소리가 나도록 만들어봅시다. 먼저 '호루라기' 소리를 추가하여 재료를 준비합니다.

재료가 준비되면 [소리]의 명령어 블록의 '대상없음'이라고 표시되었던 부분이 '호루라기'로 바뀐 것을 확인할 수 있습니다.

재료 준비 전

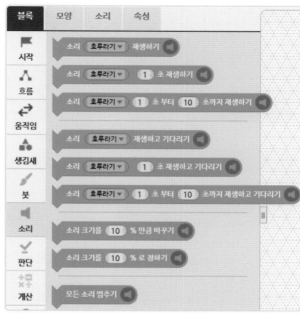
'호루라기' 소리 추가 후

스페이스 바를 눌렀을 때 호루라기 소리가 나도록 하기 위해서는 [시작]의 **'q' 키를 눌렀을 때** 블록과 [소리]의 **소리 '호루라기' 재생하기** 블록을 사용할 수 있습니다.

잠·깐·만

소리는 오브젝트 별로 추가해주어야 해요!

[소리]의 명령어 블록을 사용하기 위해 소리 재료를 추가해주어야 합니다. 하지만 소리를 추가하는 것은 오브젝트 별로 해주어야 합니다. 예를 들어, 장면 1에 어린이(1) 오브젝트와 어린이(2) 오브젝트가 있고 이 두 오브젝트에 '사과 베어무는 소리'를 내게 만들고 싶다고 가정해봅시다.

이때 어린이(1) 오브젝트와 어린이(2) 오브젝트에 각각 '소리' 탭의 '소리 추가'에서 '사과 베어무는 소리'를 추가해주어야 합니다. 하나의 장면 내에서 오브젝트는 한 개만 추가하여도 여러 명령어를 추가할 수 있지만, 소리는 사용하고자 하는 오브젝트에서 각각 불러와야 함을 주의하세요!

핵심 블록 알아보기

블록	설명
초시계 시작하기 ▼	초시계를 시작합니다.
안녕! 을(를) 말하기 ▼	오브젝트가 입력한 내용을 말풍선으로 말하는 동시에 다음 블록이 실행됩니다.
소리 ▼ 센서값	센서보드로부터 감지된 값(소리, 빛, 거리 등)을 의미합니다.
빨간 ▼ LED 켜기 ▼	센서보드와 연결된 해당 **LED**의 불을 켜고 끌 수 있습니다.
소리 호루라기 ▼ 재생하기	해당 오브젝트가 선택한 소리를 재생하는 동시에 다음 블록을 실행합니다.

⚙️ 피지컬 컴퓨팅 실전

소리 센서, LED와 엔트리 프로그래밍으로 소하가 해결해야 할 문제를 함께 풀어봅시다. 먼저 우리가 만들 결과물은 다음과 같습니다. 시간을 입력하고, 해당 시간이 흐른 뒤 소리, LED, 문자로 시간이 다 되었음을 알립니다. 또한 소리 센서의 값에 따라 알림을 멈춥니다.

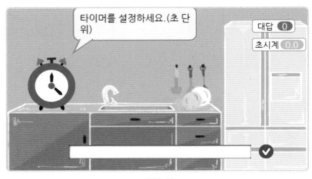

실행 전

실행 화면 1

실행 화면 2

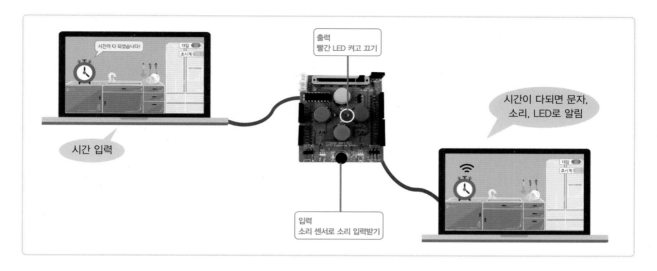

입력값에 따라 문자, 소리, LED를 출력하는 프로그램의 작동 과정은 다음과 같습니다.

실행 방법	실행 화면
1 ▶ 시작하기 를 누릅니다.	
2 시간 값을 입력하면 초시계가 동작하고, 시간이 다 되면 문자, 소리, LED로 알립니다.	
3 소리 센서값이 일정 값보다 커지면 모든 알림을 멈춥니다.	

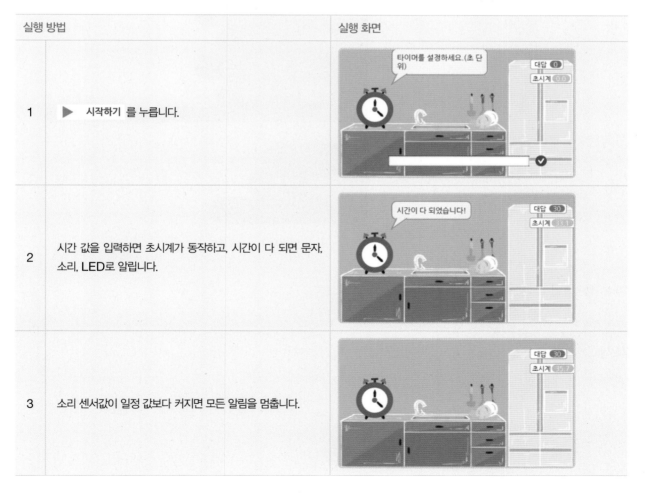

다음은 우리가 만들 프로그램의 제작 순서입니다. 순서를 보고 프로그램을 직접 만들어봐도 좋습니다.

설정한 시간이 다 되면 문자, 소리, LED 알림을 울리고, 소리 센서로 모든 알림을 끄는 프로그램

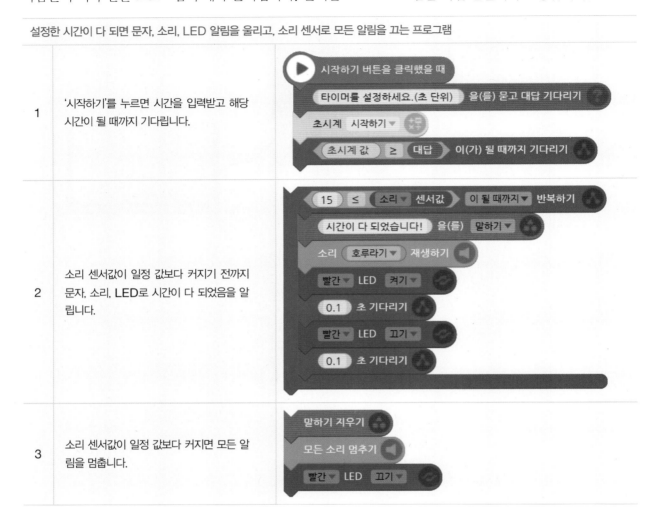

1	'시작하기'를 누르면 시간을 입력받고 해당 시간이 될 때까지 기다립니다.	
2	소리 센서값이 일정 값보다 커지기 전까지 문자, 소리, LED로 시간이 다 되었음을 알립니다.	
3	소리 센서값이 일정 값보다 커지면 모든 알림을 멈춥니다.	

Step 1 🚌 시간 설정하기

사용자가 타이머에 설정하고 싶은 시간을 입력하고, 사용자가 입력한 시간이 지난 후 다음 명령어가 실행되도록 만들어봅시다.

❶ '오브젝트 추가하기'를 클릭하여 '물건'-'생활'에서 '시계'를, '배경'-'실내'에서 '부엌'을 선택한 후 '적용하기'를 클릭합니다.

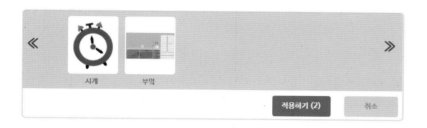

❷ 먼저 안내 문구 출력을 위해 시계 오브젝트의 블록 조립소에 [시작]의 시작하기 버튼을 클릭했을 때 블록과 [자료]의 '안녕!'을(를) 묻고 대답 기다리기 블록을 연결합니다. '안녕!' 자리에 시간 입력을 안내하는 문구를 입력합니다.

❸ 초시계 기능을 사용하기 위해 [계산]의 초시계 시작하기 블록을 가져와 연결합니다. 이 명령어 블록이 실행되는 순간 초시계가 시작되며, 이 명령어 블록을 블록 조립소로 가져오면 실행 화면에 '초시계 창'이 생성됩니다. 만약 실행 화면에서 초시계 창을 숨기려면 [계산]의 초시계 숨기기 블록을 사용할 수 있습니다.

❹ 사용자가 입력한 시간 값과 초시계 값을 비교하여 초시계 값이 사용자가 입력한 시간보다 커질 때까지 기다리도록 [흐름]의 '참'이(가) 될 때까지 기다리기 블록과 [계산]의 초시계 값 블록과 [자료]의 대답 블록을 가져와 다음과 같이 설정해줍니다. 사용자가 설정한 시간이 지난 후 다음 명령어의 실행이 이루어집니다.

잠·깐·만

초시계 관련 명령어 블록을 사용하지 않는 방법은 없나요?

초시계 관련 명령어 블록을 사용하여 단순히 특정 시간만큼을 기다리는 기능을 설정할 경우, [흐름]의 `'2'초 기다리기` 블록을 사용할 수도 있습니다.

Step 2 시간이 다 되었음을 알리기

사용자가 설정한 시간이 흐르면 시간이 다 되었음을 알립니다. 이때 알림 문자를 출력하고, 스피커로 소리를 출력하고, 센서보드의 LED가 깜빡이는 것이 모두 이루어지도록 만들어봅시다.

❶ 시계 오브젝트가 시간이 다 되었음을 알리는 알림 문자를 출력하도록 만들어봅시다. 시계 오브젝트의 블록 조립소로 `'안녕!'을(를) 말하기` 블록을 가져와 적절한 문구를 작성합니다.

❷ 이번에는 시간이 다 되었음을 소리로 알리도록 만듭니다. 시계 오브젝트의 '소리' 탭에서 원하는 소리를 가져옵니다. 여기에서는 '호루라기' 소리를 선택했다고 가정하였습니다. 소리 재료를 추가하면 [소리]의 명령어 블록에서 해당 소리를 선택할 수 있습니다. `소리 '호루라기' 재생하기` 블록을 가져와 연결합니다.

```
시간이 다 되었습니다!   을(를)   말하기 ▼
소리   호루라기 ▼   재생하기
```

❸ 마지막으로 시간이 다 되었음을 E-센서보드의 LED로 알리도록 만듭니다. 알림에 사용할 LED를 선택하여 깜박거리도록 만들 수 있습니다. 여기서는 '빨간' LED를 선택했다고 가정하였습니다. [하드웨어]에서 `'빨간' LED '켜기'` 블록을 2개 가져와 왼쪽과 같이 설정합니다.

```
빨간 ▼ LED   켜기 ▼
빨간 ▼ LED   끄기 ▼
```

만약 위와 같이 블록을 설정한다면 센서보드의 LED가 원하는 대로 깜박이지 않을 것입니다. 순식간에 LED를 켜고 끄기 때문이죠. 따라서 LED가 켜지고 꺼지는 것을 확인할 수 있도록 일정한 시간을 기다려야 합니다. `'2'초 기다리기` 블록을 2개 가져와 '2'를 '0.1'로 변경한 다음 왼쪽과 같이 연결합니다.

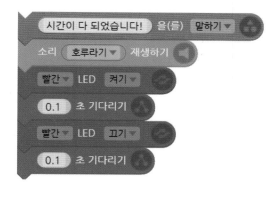

❹ 문자, 소리, LED 불빛으로 알림을 주는 행동이 연속해서 이루어질 수 있도록 왼쪽과 같이 명령어 블록을 연결합니다.

Step 3 🔑 모든 알림 멈추기

시간이 다 되었음을 알리는 동작들이 일정 수준 이상의 소릿값이 입력되면 모두 멈추도록 만들어봅시다. E-센서보드의 소리 센서를 사용할 수 있습니다.

❶ 먼저 시간이 다 되었음을 알리는 동작들이 일정 수준 이상의 소릿값이 입력되기 전까지 알림이 계속해서 울리도록 만들어줘야 합니다. 문자, 소리, LED 불빛이 계속해서 이루어지도록 적절한 명령어 블록을 추가합니다. 이때 [흐름]의 `'참'이 될 때까지 반복하기` 블록을 사용하여 명령어들의 실행을 멈추기 위한 조건이 만족 될 때까지 반복하도록 다음과 같이 연결합니다.

❷ 일정 수준 이상의 소릿값이 입력되면 모두 멈추도록 만들기 위해 육각형 모양의 명령어 블록이 필요합니다. [판단]의 10≤10 블록과 [하드웨어]의 '소리' 센서값 블록을 가져와 부등호 오른쪽의 '10'의 자리에 넣어줍니다. 이때 부등호의 방향에 유의해야 합니다. 사용하고자 하는 장소에서 E-센서보드의 소리 센서값을 확인하여 적절한 기준값을 찾을 수 있습니다. 여기에서는 기준값을 '15'로 가정하였습니다.

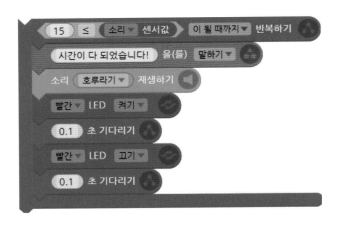

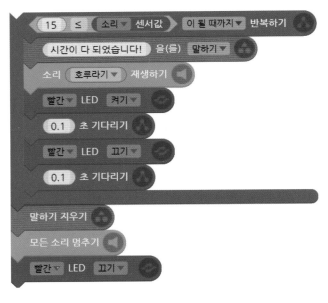

❸ 일정 수준 이상의 소릿값이 입력되면 실행될 명령어 블록을 작성합니다. 문자, 소리, LED 불빛을 멈추도록 만듭니다. [생김새]의 말하기 지우기 블록, [소리]의 모든 소리 멈추기 블록, [하드웨어]의 '빨간' LED '끄기' 블록을 가져와 왼쪽과 같이 설정해 줍니다.

👨‍🎓 잠·깐·만

명령어 블록을 조립하는 순서는 정해져 있나요?

엔트리에서는 명령어 블록이 연결된 순서대로 명령어가 실행된다는 것, 기억하시나요? 여기에서는 문자, 소리, LED의 순서대로 알림을 올리고, 차례대로 알림이 꺼지도록 만들었습니다. 하지만 프로그래밍하는 사람에 따라 출력의 순서는 달라질 수 있습니다. 또한 출력을 끄는 것 역시 원하는 순서대로 명령어 블록을 조립해주면 됩니다.

지금까지 배운 내용을 정리해봅시다. 요점 정리를 읽고 이해가 되지 않는 내용이 있다면 9장을 다시 한번 살펴봅시다.

Point 1 ▶ 초시계 사용하기

✦ [계산] 블록 꾸러미의 초시계 관련 명령어 블록을 사용하여 특정 시간을 측정할 수 있습니다.

✦ 초시계 값 블록은 해당 블록이 실행되는 순간 초시계에 저장된 값을 의미합니다.

✦ 초시계 관련 명령어 블록을 블록 조립소로 가져오면 실행 화면에 '초시계 창'이 생성되며 초시계 숨기기 블록을 사용하여 실행 화면에서 숨기거나 보이게 할 수 있습니다.

Point 2 ▶ 말하기와 '∼'초 동안 말하기

✦ 엔트리 오브젝트가 문자를 출력하기 위해 [생김새] 블록 꾸러미의 '안녕!'을(를) '4'초 동안 '말하기' 블록, '안녕!'을(를) 말하기 블록을 사용할 수 있습니다.

✦ 문자 출력과 동시에 다음 명령어 블록이 실행되도록 만들기 위해서는 '안녕!'을(를) 말하기 블록을 사용할 수 있습니다.

✦ 말풍선의 크기는 출력하는 내용의 길이에 따라 달라지며, 오브젝트의 위치나 크기에 따라 자동으로 설정됩니다.

Point 3 ▶ 소리 추가하기

✦ '소리' 탭에서 '소리 추가'를 눌러 원하는 소리 재료를 추가할 수 있습니다.

✦ 소리 재료가 준비되면 [소리] 블록 꾸러미의 명령어 블록을 사용할 수 있습니다.

✦ 소리 재료는 오브젝트 별로 각각 추가해야 합니다.

지금까지 배운 내용을 잘 이해했나요? 이제 배운 내용을 참고하여 도전과제를 해결해봅시다. '도전해봅시다'의 문제 풀이는 PDF로 제공됩니다. 한빛미디어(http://www.hanbit.co.kr)에 접속한 다음 상단의 검색 아이콘을 눌러서 '엔트리, 피지컬 컴퓨팅을 만나다'를 입력해서 검색해주세요. 검색해 나온 책 모양을 클릭한 다음 도서 표지 하단의 [부록/예제소스]를 클릭하면 파일을 받으실 수 있습니다.

도전과제 1 ▶ 초시계 설정 후 남은 시간 알려주는 프로그램 만들기 (난이도 ★)

초시계를 설정하면 해당 시간에 이르기까지 남은 시간을 알려주는 프로그램을 만들어봅시다.

1 '오브젝트 추가하기'를 클릭하여 '물건'–'생활'의 '시계'를 선택한 후 '적용하기'를 클릭합니다.

2 '남은 시간' 정보를 저장할 변수를 만듭니다.

> **Hint** '속성'–'변수'에서 '변수 추가'를 클릭하거나 또는 [자료]의 '변수 만들기'를 클릭하여 변수를 만들 수 있습니다.

3 사용자로부터 입력받은 시간을 변수에 저장한 후 1초 지날수록 변숫값이 1씩 줄어들도록 만들어봅시다.

4 자신이 만든 프로그램을 엔트리 홈페이지에 업로드 해보고 친구들과 서로 평가해봅시다.

도전과제 2 ▶ 소리 센서의 입력값에 따라 소음 정도를 LED로 알려주는 도서관 소음 측정 프로그램 만들기 (난이도 ★★)

소리 센서의 입력값에 따라 소음 정도를 3단계로 나누어 LED로 알려주는 도서관 소음 측정 프로그램을 만들어봅시다. 만들 프로그램의 완성 화면은 다음과 같습니다.

1 '오브젝트 추가하기'를 클릭하여 '배경'–'실내'의 '도서관'을, '엔트리봇 친구들'의 '(1)엔트리봇'을 선택하고 '글상자' 탭에서 '글상자'를 추가합니다.

2 엔트리봇이 소리 센서값을 실시간으로 알려주도록 합니다.

> **Hint** [생김새]의 **안녕!을(를) 말하기** 블록을 사용할 수 있습니다.

3 소리 센서값에 따라 글상자의 문구가 달라지도록 설정합니다.

4 소리 센서값에 따라 켜지는 LED 빛이 달라지며, 각 범위에 해당하는 LED가 하나만 켜지도록 설정합니다.

> **Hint** 소리 센서값을 확인하여 적절한 값을 찾아봅니다.

5 소리 센서값을 계속 확인하여 소리 센서값에 따라 LED 빛의 색과 글상자의 문구가 적절하게 보이는지 확인합니다.

6 자신이 만든 프로그램을 엔트리 홈페이지에 업로드 해보고 친구들과 서로 평가해봅시다.

도전과제 3 소리 센서와 LED를 이용한 나만의 작품 제작하기 (난이도 ★★★)

1 소리 센서와 LED를 모두 이용하여 나만의 작품을 제작해봅시다. 내가 만들 프로그램의 기능 및 특징을 글과 그림으로 표현해봅시다.

2 자신이 만든 프로그램을 엔트리 홈페이지에 업로드 해보고 친구들과 서로 평가해봅시다.

10장. 온도 알림 소품 만들기

📖 이런 것을 배워요

✦ 계절에 따른 실내 적정 온도를 알아봅시다.

✦ 현재 온도와 특정 온도의 차이를 계산하여 반올림 값을 출력하는 프로그램을 만들어봅시다.

✦ 온도 센서, 버튼을 이용하여 다양한 응용 프로그램을 만들어봅시다.

📖 도움이 필요해요

"에취!" 환절기가 되자 소하네 반에 재채기나 기침을 하는 친구들이 많아졌습니다. 숫자로는 비슷한 온도인데도 계절에 따라 사람이 느끼는 온도가 다르다는 것이 소하는 신기했습니다. 또한 최고 기온과 최저 기온의 차이가 벌어지는 환절기에 적절한 실내 온도를 어떻게 유지할 수 있는지 궁금해졌습니다. 그래서 소하는 현재 교실의 적절한 실내 온도와 계절에 따른 적절한 온도를 알려주는 프로그램을 만들어보기로 했습니다. 실내 온도를 감지하여 여름철과 겨울철의 적정 온도와의 차이를 알려주는 프로그램을 어떻게 만들 수 있을까요?

🏅 미리 생각해봐요

소하가 고민하는 프로그램을 만들려면 어떤 센서가 동작을 해야 할까요? 또 엔트리에서 사용될 명령어 블록은 무엇일까요? 자신의 생각을 그림 혹은 글로 표현해봅시다.

피지컬 컴퓨팅 프로그래밍 기본

소하의 고민을 해결하기 위해서는 온도 센서와 버튼을 다룰 수 있어야 합니다. 온도 센서에 관한 내용은 6장에서 다뤘습니다.[71쪽] 다음의 내용을 살펴보며 온도 센서와 버튼의 작동 원리를 하나하나 배워봅시다.

Check 1 **실내 적정 온도란 무엇인가요?**

Check 2 **오브젝트가 겹쳐지는 순서를 바꿀 수 있나요?**

Check 3 **숫자를 반올림하여 표현하고 싶어요!**

Check 1 ▐▬ **실내 적정 온도란 무엇인가요?**

우리 몸은 피부와 외부의 온도 차를 통해 온도를 감지합니다. 그래서 우리가 느끼는 체감 온도와 실제 온도는 다르며 실내와 실외의 온도 차가 심하면 우리 몸은 갑작스러운 온도 변화에 적응하기 어려워 질병이 생기기 쉽습니다. 최적 온도는 체온조절의 부담이 가장 적은 온도, 즉 덥지도 춥지도 않은 온도를 의미하며 실내 적정 온도는 사람의 건강과 에너지 절약을 고려하여 계절에 따라 적절하게 유지하길 권장하는 온도를 의미합니다.

한국에너지공단에서 권장하는 실내 온도는 여름철의 경우 26도, 겨울철의 경우 20도입니다. 실내 적정 온도를 유지하면 난방비를 절약할 수 있을 뿐만 아니라 냉방병이나 피부 및 호흡기 질환을 예방할 수 있습니다.

잠·깐·만

E-센서보드의 온도 센서는 섭씨온도를 감지하나요?

6장에서 다뤘던 내용입니다만 다시 복습하겠습니다.[72쪽] E-센서보드의 온도 센서는 −40도에서 150도까지 측정할 수 있으며 이 값을 0~1023까지의 아날로그 값으로 변환하여 화면에 표시해줍니다. 이것은 우리가 일상생활에서 사용하는 섭씨온도로 표현하기 위해서는 다음과 같은 공식을 입력해야 합니다.

[{(아날로그 3번(온도 센서) 센서값 * 5) / 1024} − 0.5] * 100

온도 센서를 연결하는 방법은 6장을 참고하세요.

엔트리에서 여러 개의 오브젝트를 추가하면 추가한 오브젝트는 오브젝트 목록에서 확인할 수 있습니다. 이때 추가되는 순서에 따라 오브젝트 목록에서의 위치가 결정됩니다. 가장 나중에 추가되는 오브젝트는 오브젝트 목록의 맨 위에 추가됩니다. 하지만 '배경'에 해당하는 오브젝트는 언제 추가하든지 오브젝트 목록의 맨 밑에 추가됩니다.

새롭게 추가한 오브젝트들은 불러오는 순서에 따라 차곡차곡 쌓이는 특징이 있습니다. 예를 들어, 엔트리봇이 추가된 장면에 개구리 오브젝트를 추가해봅시다.

왼쪽의 그림처럼 오브젝트 목록에서 개구리 오브젝트가 엔트리봇보다 위에 있습니다. 장면에서도 개구리 오브젝트가 엔트리봇의 위에 있는 것을 확인할 수 있습니다.

이번에는 오브젝트 목록에서 개구리 오브젝트를 드래그하여 엔트리봇 아래로 가져다 놓습니다. 그리고 장면을 보면 개구리 오브젝트가 엔트리봇보다 아래에 있습니다. 이처럼 똑같은 오브젝트라도 오브젝트 목록에서의 위치에 따라 겹쳐지는 순서가 다릅니다.

'배경'에 해당하는 오브젝트는 언제 불러오든 오브젝트 목록의 맨 아래쪽에 위치하지만 원한다면 다른 오브젝트와 위치를 바꿀 수 있습니다. 만약 오브젝트 목록에서의 순서와 상관없이 프로그램 실행 도중 겹쳐지는 순서를 바꾸고 싶다면 [생김새]의 보내기 명령어 블록을 사용할 수 있습니다.

명령어 블록	설명
맨 앞으로 ▼ 보내기	해당 오브젝트를 화면의 가장 앞쪽으로 가져옵니다.
앞으로 ▼ 보내기	해당 오브젝트를 한 층 앞쪽으로 가져옵니다
뒤로 ▼ 보내기	해당 오브젝트를 한 층 뒤쪽으로 보냅니다.
맨 뒤로 ▼ 보내기	해당 오브젝트를 화면의 가장 뒤쪽으로 보냅니다.

잠·깐·만

글상자도 겹쳐질 수 있나요?

엔트리에서 글상자도 오브젝트로 추가할 수 있습니다. 여러 개의 글상자를 만들면 오브젝트 목록에서의 순서에 따라 글상자도 겹쳐질 수 있습니다. 따라서 글상자가 겹치지 않고 내용이 잘 보이도록 적절한 위치로 옮겨 원하는 크기로 맞춰줘야 합니다.

Check 3 **숫자를 반올림하여 표현하고 싶어요!**

일상생활 속에서 반올림한 숫자를 사용하는 경우는 언제일까요? 사고 싶은 물건의 가격이 3480원이라면, 3500원을 준비해야 할 것입니다. 또 키가 159.7cm인 사람은 자신의 키를 160cm라고 표현하기도 합니다. 이처럼 표현을 하는 데 있어 반올림한 숫자를 표현하면 보다 읽기 쉽고 이해하기 편리할 때가 있습니다.

엔트리에서도 반올림한 값을 표현할 수 있습니다. 다만 엔트리에서의 반올림은 소수점이 있는 숫자에 적용되며 소수점 아래 첫째 자리에서 반올림합니다. [계산]의 '10'의 '제곱' 블록에서 '제곱' 부분을 '반올림'으로 선택하여 명령을 내릴 수 있습니다. 예로 글상자 오브젝트를 추가하여 명령어 블록의 실행 결과를 확인해봅시다.

명령어 블록   실행 결과

숫자가 들어가는 공간에 변숫값을 넣어 프로그래밍할 수도 있습니다. 또한 '10'의 '제곱' 블록으로 입력한 수에 대한 다양한 수학식의 계산 값을 구할 수 있습니다. '제곱' 부분을 클릭하여 선택할 수 있는 계산은 왼쪽과 같습니다.

제곱
루트
사인값
코사인값
탄젠트값
아크사인값
아크코사인값
아크탄젠트값
로그값
자연로그값
소수점 부분
소수점 버림값
소수점 올림값
✓ 반올림값
팩토리얼값
절댓값

엔트리에서 반올림은 소수점 아래 첫째 자리에서 이루어지므로 소수점이 있는 숫자가 소수점 없이 표현됩니다. 이와 비슷한 결과를 표현하는 [계산]의 '10'의 '소수점 버림값' 블록은 소수점 아래 숫자의 값이 얼마인지에 상관없이 버리고, '10'의 '소수점 올림값' 블록은 소수점 아래 숫자의 값이 얼마인지에 상관없이 올림을 의미합니다.

명령어 블록   실행 결과

 잠·깐·만

반올림이란 무엇인가요?

반올림은 구하려는 자리의 한 자리 아래 숫자가 0, 1, 2, 3, 4이면 버리고, 5, 6, 7, 8, 9이면 올리는 방법을 말합니다. 예를 들어, 3.14를 소수점 아래 첫째 자리 숫자까지 반올림하여 표현하고 싶다면, 소수점 아래 둘째 자리 숫자를 확인해야 합니다. 소수점 아래 둘째 자리 숫자가 4이므로 버리면 됩니다. 따라서 3.1로 표현할 수 있습니다.

핵심 블록 알아보기

빨간 ▼ 버튼을 눌렀는가?	센서보드의 버튼을 눌렀는지 확인합니다.
엔트리 라고 글쓰기	글상자의 내용을 입력한 값으로 고쳐 씁니다.
엔트리 라고 뒤에 이어쓰기	글상자의 내용 뒤에 입력한 값을 추가합니다.
맨 앞으로 ▼ 보내기	해당 오브젝트를 화면의 가장 앞쪽으로 가져옵니다.

⚙️ 피지컬 컴퓨팅 실전

온도 센서와 버튼 그리고 엔트리 프로그래밍을 사용하여 소하가 해결해야 할 문제를 함께 풀어봅시다. 먼저 우리가 만들 결과물은 다음과 같습니다. 온도를 감지하고, 계절을 선택하면 선택한 계절에 따라 감지한 온도와 실내 적정 온도의 차이를 알려주는 글상자가 등장합니다.

실행 화면 1

실행 화면 2

실행 화면 3

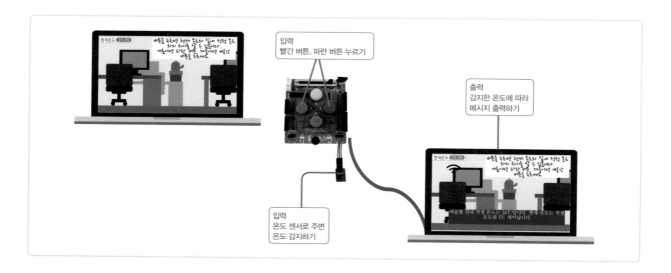

입력값에 따라 글상자를 출력하는 프로그램의 작동 과정은 다음과 같습니다.

실행 방법	실행 화면
1 ▶ 시작하기 를 누릅니다.	
2 파란 버튼을 누르면 여름철 실내 적정 온도와 현재 온도의 차이를 글상자로 알립니다.	
3 빨간 버튼을 누르면 겨울철 실내 적정 온도와 현재 온도의 차이를 글상자로 알립니다.	

다음은 우리가 만들 프로그램의 제작 순서입니다. 이것만 보고 프로그램을 직접 만들어봐도 좋습니다.

온도를 감지하여 버튼에 따라 해당 계절의 실내 적정 온도와 현재 온도의 차이를 알려주는 프로그램
'시작하기'를 누르면 현재 온도를 감지합니다.
1 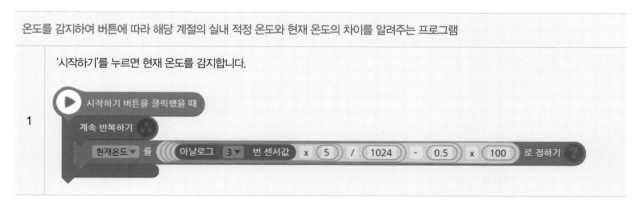

파란 버튼을 누르면 여름철 실내 적정 온도를 알려주고, 현재 온도와의 차이를 알려줍니다.

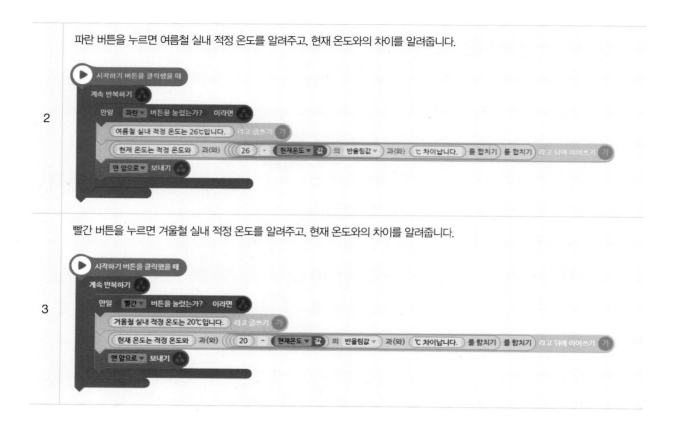

빨간 버튼을 누르면 겨울철 실내 적정 온도를 알려주고, 현재 온도와의 차이를 알려줍니다.

Step 1 🖥 사용자 화면 설계하기

프로그램을 만드는 사람은 이미 프로그램의 동작에 대해 잘 알고 있지만 프로그램을 처음 사용하는 사용자는 사용법을 배워야 합니다. 프로그램을 실행했을 때, 사용자가 프로그램을 사용하는 방법이나 어떤 프로그램인지 이해할 수 있도록 적절한 안내가 필요합니다. 사용자가 보는 화면을 먼저 만들어봅시다.

❶ 엔트리를 실행하여 엔트리봇을 삭제합니다. 그리고 '오브젝트 추가하기'를 클릭하여 '배경'–'실내'의 '사무실 안'과 '식물'–'나무'의 '선인장(4)'를 선택한 후 '적용하기'를 클릭합니다.

❷ 불러 온 오브젝트의 크기와 위치를 조절하여 서로 어울리도록 배치합니다.

❸ '오브젝트 추가하기'를 클릭하여 '글상자' 탭을 클릭한 다음 프로그램의 조작방법에 대해 안내하는 문구를 입력합니다. 그리고 다른 오브젝트를 가리지 않도록 크기와 위치를 조절하여 배치합니다.

❹ 이번에는 버튼을 누르면 나타날 문구를 표현하기 위한 글상자를 만들어봅시다. '오브젝트 추가하기'를 클릭하여 글상자를 2개 만듭니다. 이때 내용은 입력하지 않아도 됩니다. 2개의 글 상자는 각각 여름용 안내 문구와 겨울용 안내 문구를 나타낼 겁니다. 추가한 글상자의 이름을 바꾸려면 오브젝트 목록에서 수정하기 버튼(✎)을 누르면 됩니다. 2개의 '글상자' 이름을 '여름용'과 '겨울용'으로 바꿔줍니다. 만든 글상자는 사무실 안 오브젝트의 아래쪽으로 드래그하여 배경 뒤로 숨길 수 있습니다.

Step 2 🔊 온도 표시하기

온도 센서를 사용하여 감지한 온도 값을 변수에 저장해봅시다.

❶ '속성' 탭의 '변수' 메뉴를 클릭하여 '변수 추가'로 변수를 추가하거나, [자료]의 '변수 만들기'를 사용하여 변수를 만듭니다. 온도 값을 저장할 것이므로 변수 이름은 '현재온도'라고 만들어봅시다. 변수를 만들면 [자료]에 변수를 사용할 수 있는 명령어 블록이 생성됩니다.

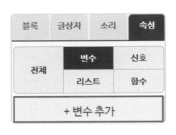
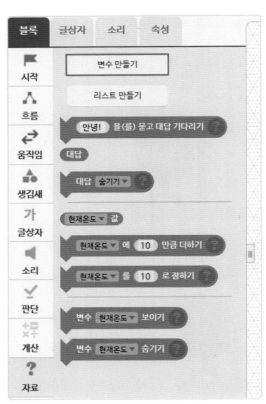

❷ 선인장(4) 오브젝트를 클릭하여 현재 온도를 섭씨온도로 저장하도록 만들어봅시다. 6장에서 온도 센서는 아날로그 3번 센서에 해당한다고 했습니다.[73쪽] [하드웨어]의 아날로그 '3'번 센서값 블록을 가져옵니다. 온도 센서에서 감지한 값을 섭씨온도로 바꾸는 공식은 앞에서 살펴보았죠?[74쪽]

[{(아날로그 3번(온도 센서) 센서값 * 5) / 1024} − 0.5] * 100

위의 식을 엔트리의 명령어 블록으로 표현하기 위해서는 여러 개의 명령어 블록이 필요합니다. [계산]에서 필요한 명령어 블록을 가져올 수 있습니다. 수식에서 괄호에 해당하는 부분이 먼저 계산되어야 하는 부분이므로 ❶ ~ ❹처럼 명령어 블록을 차례대로 조립해야 합니다.

❶ 아날로그 3▼ 번 센서값 x 5

❷ 아날로그 3▼ 번 센서값 x 5 / 1024

❸ 아날로그 3▼ 번 센서값 x 5 / 1024 - 0.5

❹ 아날로그 3▼ 번 센서값 x 5 / 1024 - 0.5 x 100

❸ '시작하기'를 클릭했을 때, 현재 온도 값을 실시간으로 알려줄 수 있도록 [시작]의 시작하기 버튼을 클릭했을 때 블록, [자료]의 '현재온도'를 '10'로 정하기 블록과 [흐름]의 계속 반복하기 블록을 가져와 ❷에서 조립한 명령어 블록을 [자료]의 '현재온도'를 '10'로 정하기 블록의 '10'의 자리에 넣어준 뒤 다음과 같이 조립합니다.

Step 3 🔘 버튼 조작하기

파란 버튼을 누르면 여름철 실내 적정 온도를, 빨간 버튼을 누르면 겨울철 실내 적정 온도를 안내하도록 만들어봅시다. 또 해당 계절의 실내 적정 온도와 현재 온도와의 차이를 계산하여 알려주도록 만들어봅시다.

❶ 먼저 파란 버튼을 누르면 여름철 실내 적정 온도를 알려주도록 만들어봅시다. 앞에서 만들어두었던 여름용 글상자를 클릭하여 명령어 블록을 조립합니다. [흐름]의 만일 '참' 이라면 블록의 '참' 자리에 [하드웨어]의 '파란' 버튼을 눌렀는가? 블록을 가져와 넣어줍니다.

만일 파란▼ 버튼을 눌렀는가? 이라면

❷ 만일 파란 버튼이 눌리면 여름철 실내 적정 온도를 알려주는 문구를 출력해봅시다. [글상자] 블록 꾸러미의 '엔트리'라고 글쓰기 블록을 가져와 '엔트리' 자리에 여름철 실내 적정 온도 안내 문구를 입력한 다음 다음과 같이 연결합니다.

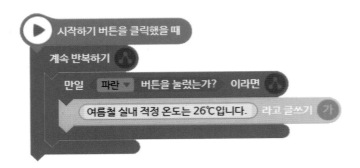

❸ 파란 버튼이 눌렸는지 확인하는 것은 프로그램을 시작하면 계속 반복하여 이루어져야 합니다. 따라서 계속 반복하기 블록을 가져와 ❷에서 만든 명령어 블록을 다음과 같이 연결해줍니다.

```
시작하기 버튼을 클릭했을 때
계속 반복하기
    만일   파란 ▼  버튼을 눌렀는가?    이라면
        여름철 실내 적정 온도는 26℃입니다.  라고 글쓰기
```

❹ 이번에는 실내 적정 온도와 현재 온도의 차이를 계산해봅시다. 여름철 실내 적정 온도는 '26℃'이므로 [계산]의 뺄셈 블록을 사용하여 '현재온도' 변수에 저장된 값과의 차이를 구할 수 있습니다. 이 값이 소수가 있는 숫자로 계산되므로 [계산]의 '10'의 반올림값 블록을 가져와 소수점이 없는 숫자로 표현할 수 있습니다. 다음과 같이 명령어 블록을 설정해봅시다.

```
( 26 - 현재온도 ▼ 값 )의  반올림값 ▼
```

❺ 온도 값을 안내하는 적절한 문구를 함께 출력하기 위해 [계산]의 '안녕!'과(와) '엔트리'를 합치기 블록 2개와 [글상자]의 '엔트리'라고 뒤에 이어쓰기 블록을 가져와 다음과 같이 연결하여 ❸의 명령어 블록에 연결합니다.

```
( 현재 온도는 적정 온도와  과(와)  ((( 26 - 현재온도 ▼ 값 )의  반올림값 ▼  과(와)  ℃ 차이납니다.  를 합치기 ) 를 합치기 ) 라고 뒤에 이어쓰기
```

❻ 파란 버튼을 눌렀을 때, 안내 문구가 배경에 가리지 않고 보여지도록 [생김새]의 **'맨 앞으로' 보내기** 블록을 가져와 ❺에서 만든 명령어 블록 아래에 다음과 같이 연결합니다.

> 시작하기 버튼을 클릭했을 때
> 계속 반복하기
> 만일 파란▼ 버튼을 눌렀는가? 이라면
> 여름철 실내 적정 온도는 26℃입니다. 라고 글쓰기 가
> 현재 온도는 적정 온도와 과(와) (((26 - 현재온도▼ 값) 의 반올림값▼) 과(와) ℃ 차이납니다. 를 합치기) 를 합치기 라고 뒤에 이어쓰기 가
> 맨 앞으로▼ 보내기

❼ 같은 방법으로 겨울용 글상자에도 명령어 블록을 만듭니다. 여름용 글상자의 명령어 블록을 복사하여 붙여 넣기를 해도 좋습니다. 겨울철 실내 적정 온도는 20℃이므로 '파란' → '빨간', '여름철' → '겨울철', '26' → '20'으로 바꾸어줍니다.

> 시작하기 버튼을 클릭했을 때
> 계속 반복하기
> 만일 빨간▼ 버튼을 눌렀는가? 이라면
> 겨울철 실내 적정 온도는 20℃입니다. 라고 글쓰기 가
> 현재 온도는 적정 온도와 과(와) (((20 - 현재온도▼ 값) 의 반올림값▼) 과(와) ℃ 차이납니다. 를 합치기) 를 합치기 라고 뒤에 이어쓰기 가
> 맨 앞으로▼ 보내기

❽ '시작하기'를 클릭한 후 현재 계절에 맞는 버튼을 누르고 현재 온도와 실내 적정 온도와의 차이를 확인합니다.

🎓 **잠·깐·만**

온도 단위 ℃는 어떻게 삽입하나요?

앞에서는 온도 단위를 발음대로 '도'라고 표기했습니다. 10장에서는 특수문자로 온도 단위를 표현했습니다. 엔트리 입력 창에서 한글 자음인 'ㄹ'을 입력한 후, '한자' 키를 누르면 해당 기호를 선택할 수 있는 목록이 뜹니다. ℃ 기호는 일곱 번째에 있네요. 목록에서 원하는 특수 문자를 선택하면 해당 문자가 입력됩니다.

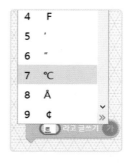

꼭 기억해요 ⚙️

지금까지 배운 내용을 정리해봅시다. 요점 정리를 읽고 이해가 되지 않는 내용이 있다면 10장을 다시 한번 살펴봅시다.

Point 1 실내 적정 온도를 지켜요

◆ 실내 적정 온도란 사람의 건강과 에너지 절약을 고려하여 계절에 따라 적절하게 유지하길 권장하는 온도를 의미합니다.

◆ 한국에너지공단에서 권장하는 실내 적정 온도는 여름철의 경우 26℃, 겨울철의 경우 20℃입니다.

Point 2 오브젝트 목록에서의 오브젝트 위치

◆ 엔트리에서 불러온 오브젝트는 오브젝트 목록에서 확인할 수 있습니다. 이때 오브젝트는 추가되는 순서에 따라 오브젝트 목록에서의 위치가 결정됩니다.

◆ 맨 나중에 추가되는 오브젝트는 오브젝트 목록의 맨 위에 위치하며, 오브젝트 목록에서 위에 위치할수록 다른 오브젝트의 위에 나타납니다.

◆ 배경에 해당하는 오브젝트는 언제 불러오든 오브젝트 목록의 맨 아래쪽에 위치하지만, 원한다면 다른 오브젝트와 위치를 바꿀 수 있습니다.

◆ [생김새] 블록 꾸러미의 `맨 앞으로 보내기` 블록을 사용하여 오브젝트가 겹쳐지는 순서를 바꿀 수 있습니다.

Point 3 소수점 아래의 숫자를 반올림하여 표현하기

◆ [계산] 블록 꾸러미의 `'10'의 '제곱'` 블록에서 '제곱' 부분을 클릭하여 제곱, 루트, 절댓값 등 다양한 수학식의 계산 값을 구할 수 있습니다.

◆ 엔트리에서 '반올림'은 소수점 아래 첫째 자리에서 반올림합니다.

지금까지 배운 내용을 잘 이해했나요? 이제 배운 내용을 참고하여 도전과제를 해결해봅시다. '도전해봅시다'
의 문제 풀이는 PDF로 제공됩니다. 한빛미디어(http://www.hanbit.co.kr)에 접속한 다음 상단의 검색 아
이콘을 눌러서 '엔트리, 피지컬 컴퓨팅을 만나다'를 입력해서 검색해주세요. 검색해 나온 책 모양을 클릭한 다
음 도서 표지 하단의 [부록/예제소스]를 클릭하면 파일을 받으실 수 있습니다.

도전과제 1 ▶ 나만의 계산기 프로그램 만들기 (난이도 ★)

숫자를 입력하고 버튼을 누르면 입력된 숫자의 제곱값, 절댓값, 반올림값, 소수점 부분을 계산하여 알려주는
프로그램을 만들어봅시다.

1 숫자를 입력받고 결괏값을 안내할 오브젝트를 선택합니다.

2 프로그램을 안내하는 문구를 출력한 후 사용자에게 계산을 원하는 숫자를 입력받습니다.

> **Hint** [자료]의 `'안녕!'을(를) 묻고 대답 기다리기` 블록을 사용합니다.

3 빨간 버튼을 누르면 입력받은 값의 제곱을, 파란 버튼을 누르면 입력받은 값의 절댓값을, 초록 버튼을 누르
면 입력받은 값의 소수 첫째 자리에서 반올림한 값을, 노랑 버튼을 누르면 입력받은 값의 소수점 부분 값을
알려주도록 만들어봅시다.

4 자신이 만든 프로그램을 엔트리 홈페이지에 업로드 해보고 친구들과 서로 평가해봅시다.

도전과제 2 ▶ 온도 센서를 사용하여 김치찌개 요리하기 (난이도 ★★)

온도 센서의 입력값에 따라 처음 온도와 현재 온도의 차이를 계산하여 김치찌개를 요리하는 프로그램을 만들
어봅시다. 만들 프로그램의 완성 화면은 다음과 같습니다.

1 '오브젝트 추가하기'를 클릭하여 '음식'–'기타'의 '김치찌개'와 '환경'–'자연'의 '불(1)'을 추가합니다.

2 불(1) 오브젝트의 크기를 적절하게 조절한 후, 오브젝트 목록에서 마우스 오른쪽을 클릭하여 복제하여 여러 개의 불꽃을 만들어줍니다.

3 온도 변화를 계산하기 위해 프로그램을 시작할 때 온도 센서가 측정하는 값을 저장할 '처음온도' 변수와 실시간으로 온도 센서가 측정하는 값을 저장할 '현재온도' 변수를 만들어 온도 센서(아날로그 3번 센서값)를 저장합니다.

> **Hint** 실시간으로 온도 센서값을 감지하기 위해 [흐름]의 `계속 반복하기` 블록을 사용할 수 있습니다.

4 처음 온도 값과 현재 온도 값의 차이를 계산하여 온도의 변화량이 10 이상이면 음식이 완성되었음을 알리고 불 모양을 숨기도록 설정합니다.

> **Hint** 주변 환경에 따라 온도 센서값을 확인하여 음식이 완성되었음을 알리는 온도 변화량을 적절한 값으로 변경할 수도 있습니다.

5 만약 온도의 변화량이 10 미만이면 음식이 아직 완성되지 않았음을 알리고 불 모양이 보이도록 설정합니다.

> **Hint** '신호'를 만들어 불 모양을 보이게 하거나 숨기게 할 수 있습니다. 추가한 불꽃 모두에 설정해야 합니다.

6 자신이 만든 프로그램을 엔트리 홈페이지에 업로드 해보고 친구들과 서로 평가해봅시다.

도전과제 3 온도 센서와 버튼을 이용한 나만의 작품 제작하기 (난이도 ★★★)

1 온도 센서와 버튼을 모두 이용하여 나만의 작품을 제작해봅시다. 내가 만들 프로그램의 기능 및 특징을 글과 그림으로 표현해봅시다.

2 자신이 만든 프로그램을 엔트리 홈페이지에 업로드 해보고 친구들과 서로 평가해봅시다.

11장. 스마트 블라인드 만들기

✒ 이런 것을 배워요

✦ 빛 센서의 작동 방법을 알아봅시다.

✦ 빛 센서를 이용하여 스마트 블라인드 프로그램을 만들어봅시다.

✦ 빛 센서를 이용한 다양한 응용 프로그램을 만들어봅시다.

✒ 도움이 필요해요

친구 집에 놀러 간 소하는 친구와 함께 인터넷 검색을 하며 즐겁게 놀고 있었습니다. 화장실을 가기 위해 잠깐 방에서 나온 소하는 거실에 햇빛이 밝게 비추고 있는 것을 보았습니다. 그런데 소하가 있던 방에는 햇빛이 비치지 않았습니다. 다시 방으로 돌아와 친구에게 물어보니 방에 설치된 스마트 블라인드가 햇빛 양에 따라 자동으로 블라인드를 조정하기 때문이라고 합니다. 스마트 블라인드를 처음 본 소하는 너무 신기했습니다. 그리고 엔트리와 E-센서보드를 이용하여 나만의 스마트 블라인드를 만들 수 있지 않을까 생각했습니다. 소하는 E-센서보드를 이용해 자신이 생각한 스마트 블라인드를 만들어보기로 했습니다. 빛의 양을 감지하여 밝기를 조절하는 스마트 블라인드를 만들려면 E-센서보드를 어떻게 활용해야 할까요?

🎖 미리 생각해봐요

소하가 필요로 하는 스마트 블라인드를 만들려면 어떻게 해야 할까요? E-센서보드의 어떤 센서가 작동해야 하며 엔트리에서는 어떤 명령어 블록을 사용해야 할까요? 자신의 생각을 그림 혹은 글로 표현해봅시다.

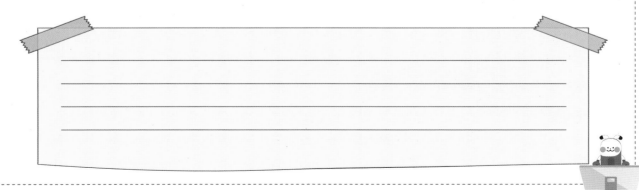

⚙️ 피지컬 컴퓨팅 프로그래밍 기본

소하의 고민을 해결하기 위해서는 빛 센서의 기본적인 작동 방법, 변수를 다루는 방법, 신호를 보내고 받는 방법 등을 알고 있어야 합니다. 다음의 내용을 살펴보며 스마트 블라인드 만들기를 하나하나 배워봅시다.

Check 1 **빛 센서의 기본적인 작동 방법은 무엇인가요?**

Check 2 **모양 추가는 어떻게 해야 하나요?**

Check 3 **신호 기능을 이용하려면 어떻게 해야 하나요?**

Check 1 🏁 **빛 센서의 기본적인 작동 방법은 무엇인가요?**

빛 센서에 입력된 빛의 양을 화면으로 확인해보도록 하겠습니다.

❶ 엔트리를 실행한 후 엔트리봇의 블록 조립소에 [시작]의 시작하기 버튼을 클릭했을 때 블록만 남기고 모두 삭제합니다.

❷ [생김새]의 '안녕!'을(를) 말하기 블록과 [하드웨어]의 아날로그 '0'번 센서값 블록을 가져와 '0'을 '1'로 변경하여 다음과 같이 연결합니다.

❸ '시작하기'를 클릭하면 엔트리봇이 빛 센서값을 1회만 출력합니다. 이번에는 [흐름]의 계속 반복하기 블록과 '2'초 기다리기 블록을 가져와 '2'를 '0.5'로 변경하여 다음과 같이 조립합니다.

❹ '시작하기'를 클릭하여 확인해보면 입력값이 0.5초마다 변경되는 것을 볼 수 있습니다.

다른 방법으로 변수를 추가하여 지정해주면 빛 센서값을 화면으로 출력할 수 있습니다.

❶ 엔트리봇을 선택한 후 '속성' 탭의 '변수' 메뉴에서 '변수 추가'를 클릭합니다. 변수 이름을 '빛'이라고 입력하고 '확인' 버튼을 클릭합니다.

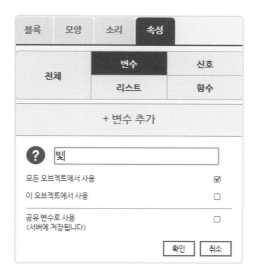

❷ 화면에 '빛'이라는 변수가 추가됩니다.

❸ 빛 센서의 입력값을 '빛' 변숫값으로 지정해줍니다. [자료]의 빛'를 '10'로 정하기 블록과 아날로그 '0'번 센서값 블록을 가져와 다음과 같이 설정합니다.

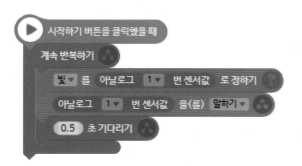

❹ '시작하기'를 클릭하면 '빛' 변수가 계속 바뀌는 것을 볼 수 있습니다.

모양 추가는 어떻게 해야 하나요?

화면에 오브젝트를 추가한 후 '모양' 탭을 클릭하면 해당 오브젝트에서 사용할 수 있는 모양들이 나옵니다. 필요한 경우 새로운 모양을 추가하거나 삭제할 수 있습니다.

엔트리를 실행한 후 '모양' 탭을 선택합니다. 엔트리봇에는 2개의 모양이 설정되어 있으며 '모양 추가'를 통해 새로운 모양을 추가할 수 있습니다.

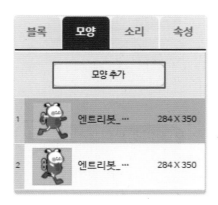

모양 추가 방법은 엔트리에서 제공하는 모양을 선택하는 방법과 파일 업로드를 통해 기존에 제작된 파일 형태의 모양을 추가하는 방법 그리고 새로 그리기를 통해 화면에 직접 그려서 모양을 추가하는 방법이 있습니다.

'모양 선택' 탭에서 '(2)엔트리봇_뒤1'을 선택한 후 '적용하기'를 클릭합니다.

왼쪽과 같이 새로운 모양이 추가됩니다.

이번에는 화면에서 직접 그린 후 모양을 추가해보겠습니다. '모양 추가'에서 '새로 그리기' 탭의 '이동하기'를 선택합니다.

이때 주의할 것은 새 모양을 그린 후 반드시 '파일'-'저장하기'를 클릭해야 그린 모양이 오브젝트에 추가됩니다.

Check 3 신호 기능을 이용하려면 어떻게 해야 하나요?

프로그램을 만들다 보면 오브젝트에서 다른 오브젝트로 혹은 특정 오브젝트 내에서 명령을 주고받아야 할 때가 있습니다. 다음 그림에서 왼쪽의 엔트리봇을 클릭하면 오른쪽 좋아 엔트리봇이 화면에서 사라지도록 명령을 전달하려면 명령어 블록을 어떻게 설정해야 할까요? 이럴 때 신호 기능을 이용하면 좀 더 편리하게 프로그램을 만들 수 있습니다. 변수 기능을 이용할 수도 있지만 신호 기능을 이용하는 것이 좀 더 직관적으로 코드를 작성할 수 있습니다.

154쪽의 엔트리봇과 좋아 엔트리봇의 상황에 맞게 프로그램을 만들어보겠습니다.

❶ '속성' 탭을 클릭하여 '신호' 메뉴를 선택한 후 '신호 추가'를 클릭하여 '신호 1' 변수를 추가합니다.

❷ 엔트리봇에는 신호 보내기 기능을 설정합니다. 엔트리봇의 블록 조립소로 [시작]의 오브젝트를 클릭했을 때 블록과 신호 1 신호 보내기 블록을 다음과 같이 연결합니다.

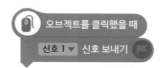

❸ 좋아 엔트리봇에는 신호를 받는 기능을 설정합니다. [시작]의 신호 1 신호를 받았을 때 와 [생김새]의 모양 숨기기 블록을 다음과 같이 연결합니다.

❹ '시작하기'를 클릭하여 엔트리봇을 클릭했을 때 좋아 엔트리봇이 화면에서 사라지는지 확인합니다.

핵심 블록 알아보기

빛의양 ▼ 를 10 로 정하기	선택한 변수의 값을 입력한 값으로 정합니다.
신호 3 ▼ 신호를 받았을 때	해당 신호를 받으면 연결된 블록들을 실행합니다.
아날로그 1 ▼ 번 센서값	아날로그 1번 센서값을 가져옵니다.

⚙️ 피지컬 컴퓨팅 실전

빛 센서와 엔트리 프로그래밍을 통해 소하가 해결해야 할 문제를 함께 풀어 봅시다. 먼저 우리가 만들 결과물은 다음과 같습니다.

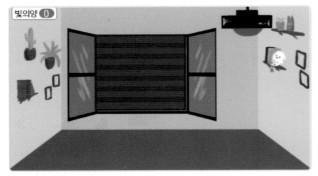

실행 전

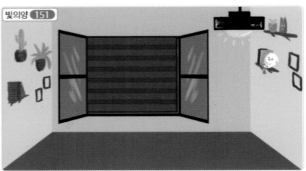

실행 화면

빛 센서값에 따라 블라인드의 모양 및 전등 불빛 새기가 달라지는 프로그램의 작동 과정은 다음과 같습니다.

실행 방법	실행 화면
1 ▶ 시작하기 를 누릅니다.	
2 빛 센서가 빛의 양을 측정합니다.	
3 빛의 양에 따라 블라인드 모양 및 전등 불빛 새기가 변경됩니다.	

다음은 우리가 만들 프로그램의 제작 순서입니다. 순서를 보고 프로그램을 직접 만들어봐도 좋습니다.

빛의 양에 따라 조정되는 스마트 블라인드 프로그램

1	화면에 필요한 오브젝트를 추가하여 배치합니다.

2	변수 및 신호를 추가하고 설정을 합니다.	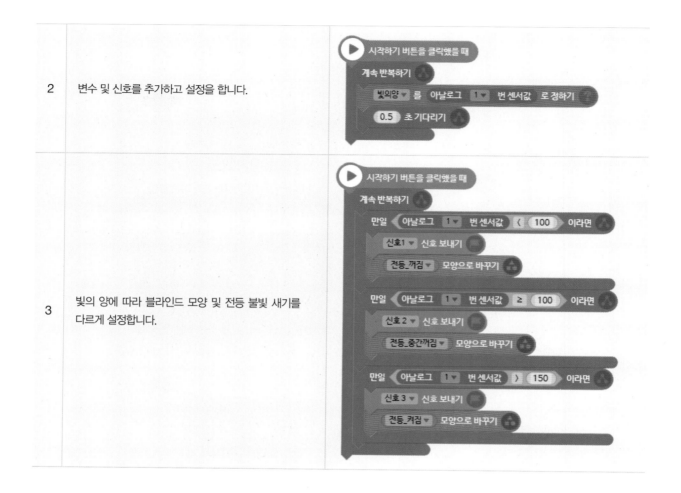
3	빛의 양에 따라 블라인드 모양 및 전등 불빛 새기를 다르게 설정합니다.	

Step 1 🔌 화면에 오브젝트 추가하고 설정하기

화면에 프로그램에 필요한 오브젝트를 추가하고 위치 및 모양을 설정합니다.

❶ '오브젝트 추가하기'를 클릭하여 '배경'–'전체'의 '초록 방'을, '물건'–'생활'의 '창문'을, '물건'–'기타'의 '컨베이어 벨트'를, '물건'–'생활'의 '전등'을 선택한 후 '적용하기'를 클릭합니다.

❷ 각 오브젝트의 크기 및 위치를 다음과 같이 설정합니다.

▽ 창문

X: -25.0 Y: 20.0 크기 : 200.0
방향 : 0.0° 이동 방향 : 90.0° 회전방식 :

▽ 컨베이어 벨트

X: -30.0 Y: 20.0 크기 : 135.0
방향 : 0.0° 이동 방향 : 90.0° 회전방식 :

▽ 전등

X: 130.0 Y: 100.0 크기 : 100.0
방향 : 0.0° 이동 방향 : 90.0° 회전방식 :

❸ 다음 화면과 같이 오브젝트가 위치하는지 확인합니다.

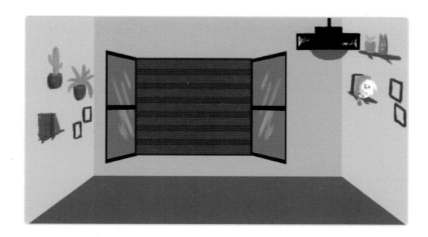

❹ 전등 오브젝트를 선택한 후 '모양' 탭을 클릭하여 새로운 모양을 추가합니다. '전등_꺼짐' 모양 위에서 마우스 오른쪽 버튼을 클릭한 후 '복제'를 선택합니다.

❺ 모양의 이름을 각각 '전등_켜짐', '전등_중간꺼짐', '전등_꺼짐'으로 설정합니다.

❻ '전등_중간꺼짐' 모양을 선택한 후 오른쪽의 '채우기' 메뉴를 선택합니다.

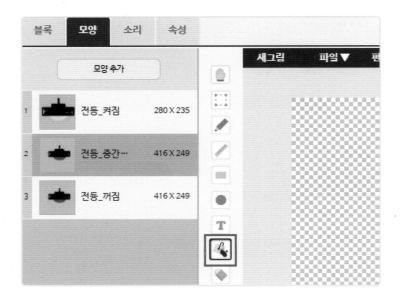

❼ 채우기 속성에서 ❶을 선택한 다음 '전등_중간꺼짐' 오브젝트의 ❷불빛 부분을 클릭합니다. 책과 같이 색이 변했나요? 그다음 ❸파일의 저장하기를 누르세요.

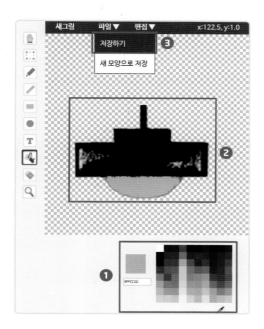

❽ '모양' 탭을 다시 보면 조금 전 만든 전등 모양이 새로 추가된 것을 볼 수 있습니다.

Step 2 🐟 변수 및 신호 추가하고 설정하기

E-센서보드의 '빛 센서'로 입력되는 빛의 양을 표시해줄 변수를 추가합니다. 전등 오브젝트에서 컨베이어 벨트 오브젝트로 보낼 신호를 3개 추가합니다.

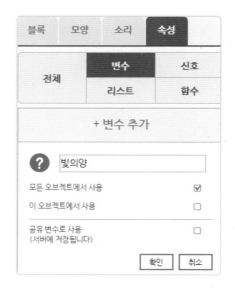

❶ '속성' 탭에서 '변수' 메뉴를 클릭한 다음 '변수 추가'를 클릭합니다. 그리고 '빛의양'이라고 입력하고 '확인' 버튼을 클릭하여 변수를 추가합니다.

❷ 화면 왼쪽 위에 '빛의양' 변수가 추가되었습니다.

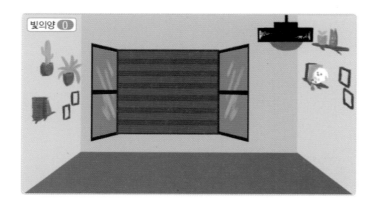

❸ '시작하기'를 클릭하여 실행해보면 '빛의양' 변숫값의 변화가 없습니다. 그 이유는 빛 센서의 입력값을 변수로 지정해주지 않았기 때문입니다. 초록 방 오브젝트를 클릭한 후 `시작하기 버튼을 클릭했을 때` 블록만 남기고 다른 블록은 모두 삭제합니다. `'빛의양'를 '10'로 정하기` 블록과 `아날로그 '0'번 센서값` 블록을 가져와 '0'을 '1'로 변경하여 '10'의 자리에ㅌㅌㅌ `아날로그 '1'번 센서값` 블록을 넣어줍니다.

`빛의양 ▾ 를 아날로그 1▾ 번 센서값 로 정하기`

아날로그 1번 센서값은 무엇인가요?

4장에서 보았듯이[45쪽] '아날로그 1번 센서값'은 E-센서보드의 빛 센서값을 나타냅니다. E-센서보드에는 2개의 빛 센서가 있는데 왼쪽은 아날로그 1번, 오른쪽은 아날로그 4번 센서로 배정되어 있습니다. 따라서 '아날로그 1번 센서값'은 E-센서보드의 왼쪽 빛 센서값을 말합니다.

④ [흐름]의 ⟨계속 반복하기⟩ 블록과 ⟨'2'초 기다리기⟩ 블록을 가져와 다음과 같이 설정합니다.

⑤ '시작하기'를 클릭하면 E-센서보드의 왼쪽 빛 센서로 들어오는 빛의 양을 확인할 수 있습니다. 왼쪽 빛 센서 근처에 물체를 가져가봅시다. 이제 '빛의양' 변숫값이 변하는 것을 확인할 수 있습니다.

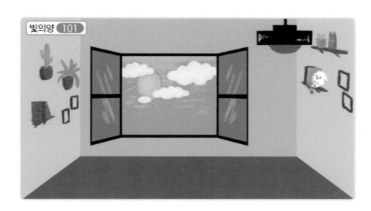

빛 센서값의 범위는 어떻게 되나요?

빛 센서는 0~1023 사이의 아날로그 값을 전달하며 100을 기준으로 밝아지면 값이 작아지고, 어두워지면 값이 커집니다. 즉, 현재 출력값이 100일 때 빛 센서에 물체를 가져가면 빛의 양이 줄어들지만 출력값은 더 커지게 됩니다. 하지만 현실적으로 빛 센서가 0~1023 사이의 모든 값을 표현할 수 있는 것은 아니며 너무 밝은 곳에서는 빛 센서가 제대로 작동하지 않습니다.

❻ 신호를 추가하기 위하여 '속성' 탭에서 '신호' 메뉴의 '신호 추가'를 클릭하여 다음과 같이 '신호 1', '신호 2', '신호 3'을 추가합니다.

Step 3 🔦 빛의 양에 따라 블라인드 모양 및 전등 불빛 세기 다르게 설정하기

빛의 양에 따라서 블라인드의 모양 및 전등 불빛 세기를 다르게 설정합니다. 블라인드 모양은 색깔 효과를 사용하고 전등 불빛 세기는 모양 기능을 이용합니다.

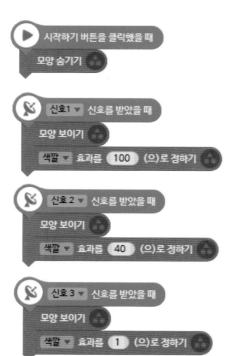

❶ 전등 오브젝트에서 신호를 보내면 컨베이어 벨트 오브젝트가 신호를 받아 자신의 색깔을 변하도록 설정합니다. 컨베이어 벨트 오브젝트를 선택한 후 왼쪽과 같이 명령어 블록을 설정합니다.

❷ '시작하기'를 클릭하면 컨베이어 벨트 오브젝트는 화면에 보이지 않다가 '신호 1'을 받으면 모양이 보이면서 색깔 효과를 100만큼 줍니다. '신호 2'를 받으면 색깔 효과를 40으로, '신호 3'을 받으면 색깔 효과를 1로 정해 왼쪽과 같이 명령어 블록을 설정합니다.

전등 오브젝트에 왼쪽 빛 센서값에 따라 전등 모양이 변하고 컨베이어 벨트 오브젝트에 신호를 보내도록 설정합니다. 빛 센서값이 100보다 작으면 전등 오브젝트는 '전등_꺼짐' 모양이고 100 이상이면 '전등_중간꺼짐', 150 이상이면 '전등_켜짐' 상태가 되도록 설정합니다.

❶ 전등 오브젝트를 클릭하여 블록 조립소로 [흐름]의 만일 '참' 이라면 블록과 '신호 1' 신호 보내기 블록 그리고 [생김새]의 '전등_켜짐' 모양으로 바꾸기 블록을 가져와 다음과 같이 연결합니다.

❷ [판단]의 '10' < '10' 블록과 아날로그 '0'번 센서값 블록을 가져와 '0'은 '1'로 변경하여 [판단] 명령어 블록의 부등호 왼쪽 '10'의 자리에 넣어줍니다.

❸ ❷에서 만든 명령어 블록을 만일 '참' 이라면 블록의 '참' 부분에 넣어줍니다. 빛 센서값이 100 미만일 때는 전등이 '전등_꺼짐' 모양으로 표시되도록 부등호 오른쪽 '10'은 '100'으로 변경합니다.

❹ ❸에서 만든 명령어 블록을 '코드 복사 & 붙여넣기'를 이용하여 하나 더 만듭니다.

❺ 새로 만들어진 명령어 블록을 다음과 같이 설정하여 빛 센서값이 100 이상일 때 전등은 '전등_중간꺼짐' 모양이 되도록 설정합니다. 이때 부등호의 방향에 유의하세요.

```
만일 〈아날로그 1▼ 번 센서값 ≥ 100〉 이라면
    신호2▼ 신호 보내기
    전등_중간꺼짐▼ 모양으로 바꾸기
```

❻ ❺의 명령어 블록을 '코드 복사 & 붙여넣기'하여 빛 센서값이 150 초과일 때는 '전등_커짐' 상태가 되도록 다음과 같이 변경하여 설정합니다.

```
만일 〈아날로그 1▼ 번 센서값 > 150〉 이라면
    신호3▼ 신호 보내기
    전등_커짐▼ 모양으로 바꾸기
```

❼ ❶~❻에서 만든 명령어 블록을 다음과 같이 계속 반복하기 블록 안에 넣습니다.

```
시작하기 버튼을 클릭했을 때
계속 반복하기
    만일 〈아날로그 1▼ 번 센서값 < 100〉 이라면
        신호1▼ 신호 보내기
        전등_꺼짐▼ 모양으로 바꾸기
    만일 〈아날로그 1▼ 번 센서값 ≥ 100〉 이라면
        신호2▼ 신호 보내기
        전등_중간꺼짐▼ 모양으로 바꾸기
    만일 〈아날로그 1▼ 번 센서값 > 150〉 이라면
        신호3▼ 신호 보내기
        전등_커짐▼ 모양으로 바꾸기
```

❽ '시작하기'를 클릭한 후 빛 센서에 물체를 가져가 설정한 대로 작동하는지 확인합니다.

지금까지 배운 내용을 정리해봅시다. 요점 정리를 읽고 이해가 되지 않는 내용이 있다면 11장을 다시 한번 살펴봅시다.

Point 1 빛 센서 알아보기

+ E-센서보드의 빛 센서는 빛의 양을 측정하여 0~1023 사이의 값을 출력합니다.
+ E-센서보드의 왼쪽 빛 센서는 아날로그 1번, 오른쪽 빛 센서는 아날로그 4번으로 설정되어 있습니다.

Point 2 모양 추가하기

+ 오브젝트는 새로운 모양을 추가하거나 기존 모양을 삭제할 수 있으며 '모양' 탭에서 설정 가능합니다.
+ 새로운 모양을 만들거나 모양을 삭제하는 등 변경된 내용을 저장하려면 '파일'-'저장하기' 메뉴를 선택해야 반영됩니다.

Point 3 신호 기능

+ 엔트리에서 오브젝트가 다른 오브젝트에게 명령을 내릴 때 신호 기능을 이용합니다.
+ 신호 기능을 사용하려면 '속성' 탭에서 신호를 추가한 후 신호를 보내는 기능과 신호를 받았을 때의 동작을 설정해주어야 합니다.

도전해봅시다

지금까지 배운 내용을 잘 이해했나요? 이제 배운 내용을 참고하여 도전과제를 해결해봅시다. '도전해봅시다'의 문제 풀이는 PDF로 제공됩니다. 한빛미디어(http://www.hanbit.co.kr)에 접속한 다음 상단의 검색 아이콘을 눌러서 '엔트리, 피지컬 컴퓨팅을 만나다'를 입력해서 검색해주세요. 검색해 나온 책 모양을 클릭한 다음 도서 표지 하단의 [부록/예제소스]를 클릭하면 파일을 받으실 수 있습니다.

도전과제 1 오른쪽 빛 센서값을 화면에 출력하기 (난이도 ★)

오른쪽 빛 센서값을 변수로 설정하여 화면에 출력하도록 하고 빛 센서값이 특정 값 이상이 되면 엔트리봇 모양이 숨겨지는 프로그램을 만들어봅시다.

1 엔트리를 실행하여 '속성' 탭의 '변수' 메뉴에서 '변수 추가'를 클릭하여 '빛' 변수를 만듭니다.

2 오른쪽 빛 센서값이 '빛' 변숫값이 되도록 설정합니다. 이때 0.2초 간격으로 변숫값이 변경되어 화면에 표시되도록 합니다.

> **Hint** [흐름]의 `'2'초 기다리기` 블록을 사용하면 변숫값이 특정한 시간 간격으로 화면에 표시됩니다.

3 오른쪽 빛 센서값이 100 이상이면 엔트리봇의 모양을 숨기도록 설정합니다.

> **Hint** 주변 환경에 따라 설정하는 센서값을 100이 아닌 다른 값으로 변경해야 할 수 있습니다. 그리고 [흐름]의 `계속 반복하기` 블록을 사용하면 빛 센서의 입력값을 계속 확인할 수 있습니다.

4 자신이 만든 프로그램을 엔트리 홈페이지에 업로드 해보고 친구들과 서로 평가해봅시다.

도전과제 2 빨간 버튼을 누르면 동작하는 스마트 블라인드 만들기 (난이도 ★★)

'피지컬 컴퓨팅 실전'에서 만든 프로그램을 변경하여 빨간 버튼을 누르면 스마트 블라인드가 동작하도록 프로그램을 만들어봅시다. 그리고 빨간 버튼을 누르면 빨간 LED가 켜지도록 설정합니다.

1 '피지컬 컴퓨팅 실전' 내용을 참고하여 스마트 블라인드를 만듭니다.

2 빨간 버튼이 눌러졌는지 확인하여 빨간 버튼이 눌러진 경우 스마트 블라인드가 동작하도록 프로그램을 변경합니다.

3 빨간 버튼을 누르면 빨간 LED가 켜지도록 설정을 변경합니다.

> **Hint** [흐름]의 `만일 '참' 이라면` 블록과 [하드웨어]의 `'빨간' 버튼을 눌렀는가?` 블록, `'빨간' LED '켜기'` 블록을 사용합니다.

4 자신이 만든 프로그램을 엔트리 홈페이지에 업로드 해보고 친구들과 서로 평가해봅시다.

도전과제 3 빛 센서를 이용한 나만의 작품 제작하기 (난이도 ★★★)

1 빛 센서를 이용하여 나만의 작품을 제작해봅시다. 내가 만들 프로그램의 기능 및 특징을 글과 그림으로 표현해봅시다.

2 자신이 만든 프로그램을 엔트리 홈페이지에 업로드 해보고 친구들과 서로 평가해봅시다.

12장. 문 열림 감지 시스템 만들기

이런 것을 배워요

- 리스트의 개념과 사용 방법을 알아봅시다.
- 문 열림 감지 시스템을 만드는 데 필요한 기능을 생각해봅시다.
- 거리 센서, 버튼을 이용하여 다양한 응용 프로그램을 만들어봅시다.

도움이 필요해요

소하는 자주 뵙지는 못하지만 늘 따뜻한 미소로 반겨주는 할머니를 제일 좋아합니다. 어느 날 소하는 혼자 사시는 할머니가 외출중일 때 집에 누가 들어올까 걱정이 되었습니다. 엔트리 프로그래밍을 배운 소하는 E-센서보드를 사용하여 문 열림 감지 시스템을 만들어 외출 후 귀가하신 할머니가 안심하고 문을 열 수 있도록 도와드리고 싶어졌습니다.

할머니가 외출 중일 때 문 열림을 감지하고, 집으로 돌아오셨을 때 문 열림 횟수와 시각을 확인할 수 있는 프로그램을 만들려면 어떻게 해야 할까요?

미리 생각해봐요

소하가 고민하는 프로그램을 만들려면 어떤 센서가 동작을 해야 할까요? 또 엔트리에서 사용될 명령어 블록은 무엇일까요? 자신의 생각을 그림 혹은 글로 표현해봅시다.

⚙️ 피지컬 컴퓨팅 프로그래밍 기본

소하의 고민을 해결하기 위해서는 거리 센서와 버튼을 다룰 수 있어야 합니다. 다음의 내용을 살펴보며 앞으로 만들 프로그램의 작동 원리를 하나하나 배워봅시다.

Check 1 **리스트가 무엇인가요?**

Check 2 **문 열림 감지 시스템에 필요한 기능을 생각해보아요!**

Check 3 **신호 보내기와 신호 보내고 기다리기의 차이점은 무엇인가요?**

Check 1 ◣ **리스트가 무엇인가요?**

문 열림 감지 시스템을 만들기 위해 문 열림이 감지된 순간의 시간을 기록한다고 생각해봅시다. 시간을 기록하기 위해서는 기록할 종이와 필기구가 필요하겠죠? 만약 이 과정을 컴퓨터가 대신한다면 어떤 도구가 필요할까요?

먼저 '문 열림이 감지된 시각을 기록하라'는 명령어를 내려야겠죠? 이것은 필기구 준비로 볼 수 있습니다. 그리고 문 열림이 감지된 시각 정보를 저장할 저장 공간은 시간을 기록하는 종이로 볼 수 있습니다. 우리는 앞서 정보를 저장하는 공간으로 변수를 배웠습니다. 변수는 한 개의 값을 저장합니다. 이번에 사용할 저장 공간은 리스트입니다. 리스트는 한 개의 값만 저장하는 것이 아니라 여러 개의 값을 저장할 수 있으며 저장되는 값들은 번호로 구분됩니다.

예를 들어, 우리 반의 출석부에는 학생들의 출석 번호와 이름이 순서대로 적혀있습니다. 학생의 번호가 기준이 되고 번호에 해당하는 학생의 이름이 기준에 해당하는 값이 되는 것입니다. 이처럼 리스트도 항목이 저장되는 위치가 번호로 구분됩니다. 엔트리에서 리스트의 번호는 1부터 시작합니다.

리스트는 '속성' 탭에서 '리스트' 메뉴의 '리스트 추가'하기에서 만들 수 있습니다. 리스트를 만들면 리스트를 다룰 수 있는 명령어 블록이 [자료] 블록 꾸러미에 생성됩니다.

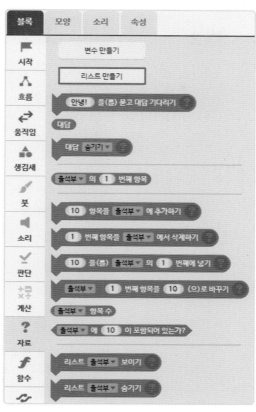

잠·깐·만

일상 생활 속에서 리스트를 사용한 예는 무엇이 있나요?

리스트(List)는 목록, 명단을 의미하는 단어입니다. 따라서 프로그래밍에서 여러 가지 내용을 순서대로 나열할 때는 리스트 구조를 사용한다고 볼 수 있습니다. 예를 들어, '오늘의 할 일 우선순위 목록'은 오늘 하고자 하는 여러 개의 일을 먼저 처리하고자 하는 순서대로 적은 리스트이며, '음식점 메뉴판'은 음식점에서 판매하는 음식의 이름과 가격을 일정한 기준에 따라 나열한 리스트입니다.

Check 2 ⫸ **문 열림 감지 시스템에 필요한 기능을 생각해보아요!**

"띠링띠링" 냉장고 문이 오래 열려있을 때 냉장고에서 경고음이 울리는 것을 들어본 적이 있나요? 우리 주변에는 센서를 사용하여 상태를 감지하고 소리를 통해 상황을 알려주는 경우가 많습니다. 만약 창문으로 누군가 침입한다면 침입자를 감지하여 사이렌 소리를 내는 방범 시스템이 대표적인 예라 할 수 있습니다.

소하가 만들려는 문 열림 감지 시스템은 어떻게 동작하면 좋을까요? 먼저 문이 열렸다는 것을 감지할 수 있어야 합니다. 그리고 할머니가 외출 중일 때와 아닐 때를 구별할 수 있어야 합니다. 만약 할머니가 외출 중일 때 문이 열렸다면, 문이 열린 시각과 횟수를 기록할 수 있어야 합니다. 또 할머니가 외출 중이 아닐 때는 문이 열린 시각과 횟수를 확인하도록 안내할 수 있어야 합니다. 우리가 만들고자 하는 기능을 다음과 같이 그림으로 표현했습니다.

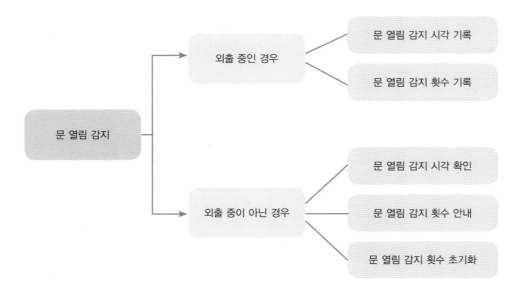

위와 같이 기능을 구분하여 그림으로 표현하면 프로그램을 어디까지 만들었는지, 보완할 부분은 없는지 등 프로그램의 주요 흐름을 확인하기 편합니다. 그뿐만 아니라 다른 사람에게 내가 만든 프로그램의 사용법을 안내하거나 협업하여 프로그램을 만들 때 좋은 자료가 됩니다.

🎓 잠·깐·만

프로그램의 흐름을 표현하는 방법은 정해져 있나요?

문제를 해결하기 위한 절차나 방법을 알고리즘이라고 합니다. 프로그램을 만들기 위해 프로그램의 동작 흐름을 작성하는 것도 알고리즘을 작성하는 것이라고 볼 수 있습니다. 알고리즘을 표현하는 방법은 다양합니다. 우리가 일상생활에서 사용하고 있는 언어로 단계를 순서대로 나누어 쓸 수도 있고, 짧은 영어 단어나 화살표와 같은 기호로 표현할 수도 있습니다. 또는 사각형, 타원 등의 도형을 화살표로 연결하는 순서도를 그려 표현할 수도 있습니다. 실은 우리가 4장에서 나팔꽃을 피울 때 사용했던 그림이 순서도입니다. 52쪽 이렇게 순서도를 그릴 때는 도형마다 정해진 의미가 있기 때문에 의미에 맞게 사용해야 합니다. 하지만 중요한 것은 문제를 해결하기 위한 알고리즘을 이해하기 쉽게 표현하는 것입니다. 따라서, 알고리즘을 작성하는 사람이나 상황에 따라 편리한 알고리즘 표현 방법을 선택하면 됩니다. 순서도에 대해 더 알고 싶다면 다음 링크를 확인해보세요.

✦ https://terms.naver.com/entry.nhn?docId=3597398&cid=58598&categoryId=59316

Check 3 | 신호 보내기와 신호 보내고 기다리기의 차이점은 무엇인가요?

엔트리에서 여러 오브젝트가 서로 대화를 한다면 어떤 이야기를 나눌까요? 상상하기 힘들겠지만, 오브젝트끼리는 화면에 보이지 않는 신호를 주고 받습니다. 마치 텔레파시를 주고 받는 것처럼 말이죠.

오브젝트와 오브젝트가 서로 신호를 주고받으며 명령어 실행 순서를 정할 수 있습니다. 예를 들어, 두 오브젝트가 말하기 명령어 블록을 사용하여 대화하는 프로그램을 만든다고 가정해봅시다.

다음과 같이 명령어 블록을 작성하면 어떤 상황이 벌어질까요?

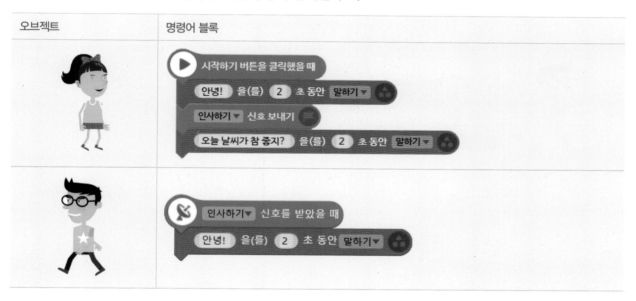

여학생 오브젝트가 "안녕!"이라고 인사를 건네면, 남학생 오브젝트가 "안녕!"이라고 말합니다. 하지만 여학생 오브젝트는 남학생의 인사말을 끝까지 듣지 않고 "오늘 날씨가 참 좋지?"라고 말하는 것을 볼 수 있습니다.

이번에는 [시작]의 '인사하기' 신호 보내기 블록 대신 '인사하기' 신호 보내고 기다리기 블록을 사용해봅시다. 남학생 오브젝트의 명령어 블록은 바꾸지 않고, 여학생 오브젝트의 명령어 블록만 바꿔보겠습니다.

오브젝트	명령어 블록
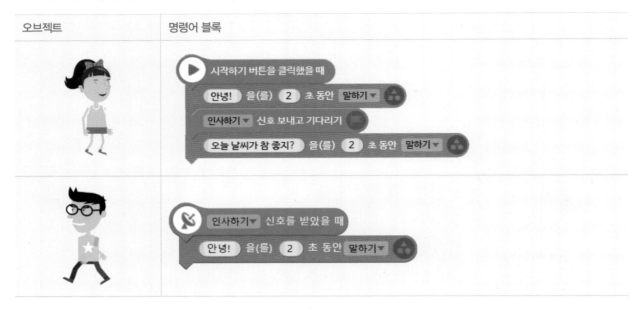	

이렇게 명령어 블록을 작성하면 여학생 오브젝트가 "안녕!"이라고 말을 건넨 후 남학생 오브젝트가 "안녕!"이라고 이야기합니다. 남학생 오브젝트의 말이 모두 끝난 후 여학생 오브젝트가 "오늘 날씨가 참 좋지?"라고 말합니다.

이처럼 '인사하기' 신호 보내고 기다리기 블록은 신호를 보내고 바로 다음 명령어를 실행하는 것이 아니라, 해당 신호를 받았을 때 실행되는 명령어 블록의 수행이 다 끝날 때까지 다음 명령어 블록의 실행을 멈추고 기다립니다. '인사하기' 신호 보내고 기다리기 블록을 적절히 사용한다면 신호의 개수를 줄일 수 있을 뿐만 아니라 명령어 블록을 보다 적게 사용하여 프로그램을 만들 수 있습니다.

핵심 블록 알아보기

블록	설명
참 이 될 때까지 ▼ 반복하기	조건이 참인 동안 감싸고 있는 블록들을 반복 실행합니다.
참 이(가) 될 때까지 기다리기	조건이 참이 될 때까지 실행을 멈추고 기다립니다.
외출중입니다. ▼ 신호 보내고 기다리기	선택된 신호를 보내고, 해당 신호를 받는 블록들의 실행이 끝날 때까지 다음 명령어의 실행을 멈추고 기다립니다.
10 항목을 문열림감지시각 ▼ 에 추가하기	입력한 값이 선택한 리스트의 마지막 항목으로 추가됩니다.
1 번째 항목을 문열림감지시각 ▼ 에서 삭제하기	선택한 리스트의 입력한 순서에 있는 항목을 삭제합니다.

⚙️ 피지컬 컴퓨팅 실전

거리 센서와 버튼 그리고 엔트리 프로그래밍으로 소하가 해결해야 할 문제를 함께 풀어봅시다. 먼저 우리가 만들 결과물은 다음과 같습니다. 문 열림을 감지하고 외출 중이면 문 열림이 감지된 시각과 횟수를 기록합니다. 외출 중이 아니라면 외출 중 문 열림 횟수를 안내하고 문 열림 감지 기록을 초기화할 수 있도록 안내합니다.

실행 화면 1　　　　　　　　실행 화면 2

외출 중 문 열림 감지 횟수는 3번 입니다.

외출할 때는 빨간 버튼을, 돌아와서는 파란 버튼을 눌러주세요.

실행 화면 3

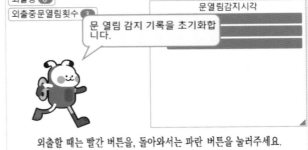

문 열림 감지 기록을 초기화합니다.

외출할 때는 빨간 버튼을, 돌아와서는 파란 버튼을 눌러주세요.

실행 화면 4

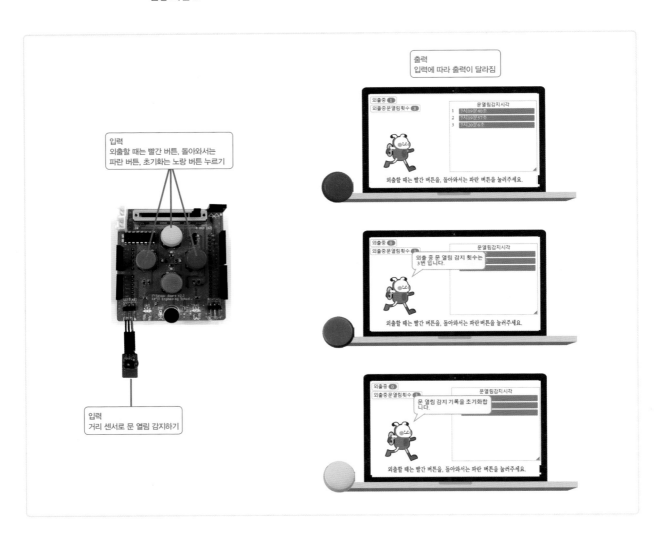

거리 센서값에 따라 시각을 출력하는 프로그램의 작동 과정은 다음과 같습니다.

실행 방법	실행 화면
1 ▶ 시작하기 를 누릅니다.	외출중 ⓪ 외출중문열림횟수 ⓪ 문열림감지시각 외출할 때는 빨간 버튼을, 돌아와서는 파란 버튼을 눌러주세요.
2 빨간 버튼을 누르면 외출 상태로 전환되며 거리 센서값에 따라 문 열림 감지 시각을 기록하고 외출 중 문 열림 횟수를 증가시킵니다.	외출중 ① 외출중문열림횟수 ③ 문열림감지시각 1 7시 19분 40초 2 7시 19분 57초 3 7시 20분 6초 외출할 때는 빨간 버튼을, 돌아와서는 파란 버튼을 눌러주세요.
3 파란 버튼을 누르면 외출 중 문 열림 횟수를 안내합니다.	외출중 ⓪ 외출중문열림횟수 ③ 문열림감지시각 외출 중 문 열림 감지 횟수는 3번 입니다. 외출할 때는 빨간 버튼을, 돌아와서는 파란 버튼을 눌러주세요.
4 노랑 버튼을 누르면 문 열림 감지 기록과 횟수를 초기화합니다.	외출중 ⓪ 외출중문열림횟수 ③ 문열림감지시각 문 열림 감지 기록을 초기화합니다. 외출할 때는 빨간 버튼을, 돌아와서는 파란 버튼을 눌러주세요.

이제 우리가 만들 프로그램의 제작 순서를 살펴보겠습니다. 다음 순서를 보고 프로그램을 직접 만들어보면 더욱 좋습니다.

거리를 감지하여 버튼에 따라 문 열림 감지 시각과 횟수를 알려주는 프로그램

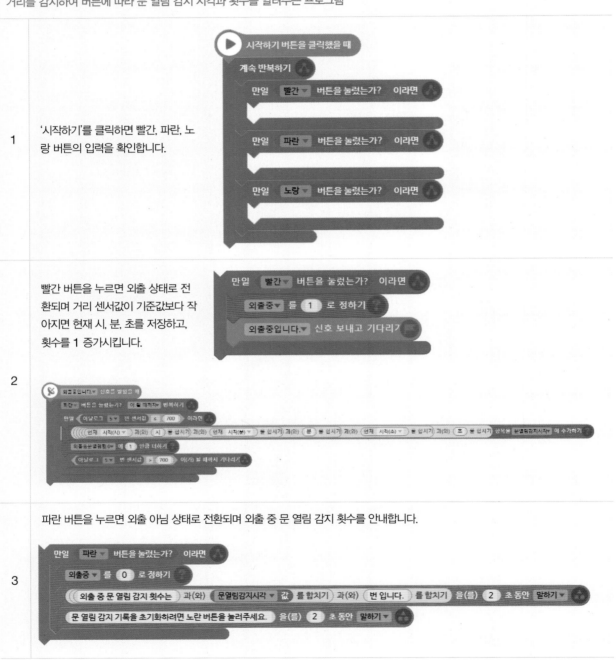

1 '시작하기'를 클릭하면 빨간, 파란, 노랑 버튼의 입력을 확인합니다.

2 빨간 버튼을 누르면 외출 상태로 전환되며 거리 센서값이 기준값보다 작아지면 현재 시, 분, 초를 저장하고, 횟수를 1 증가시킵니다.

3 파란 버튼을 누르면 외출 아님 상태로 전환되며 외출 중 문 열림 감지 횟수를 안내합니다.

4	노랑 버튼을 누르면 문 열림 감지 기록을 지우고 문 열림 횟수를 0으로 초기화합니다.	만일 노랑▼ 버튼을 눌렀는가? 이라면 문 열림 감지 기록을 초기화합니다. 을(를) 2 초 동안 말하기▼ 외출중문열림횟수▼ 를 0 로 정하기 문열림감지시각▼ 항목 수 번 반복하기 1 번째 항목을 문열림감지시각▼ 에서 삭제하기

Step 1 🐟 외출 중임을 표시하기

외출 여부를 표시하기 위해 변수를 사용하여 프로그램을 만들어봅시다.

❶ '오브젝트 추가하기'를 클릭하여 '글상자'를 선택한 후 다음과 같이 적절한 안내 문구를 작성한 다음 '적용하기'를 클릭합니다.

외출할 때는 빨간 버튼을, 돌아와서는 파란 버튼을 눌러주세요.

❷ 외출 중인지 아닌지를 표시하기 위해 '외출 여부' 정보와 '외출 중 문 열림 감지 횟수'를 저장할 변수를 만듭니다. '속성' 탭의 '변수' 메뉴를 클릭해서 만들 수도 있고, [자료]의 '변수 만들기'를 클릭해서 만들 수도 있습니다. 각각 변수 이름은 '외출중', '외출중문열림횟수'라고 합시다.

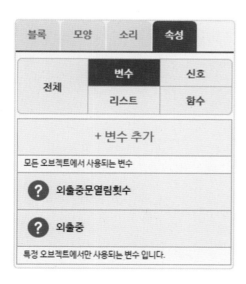

❸ 빨간 버튼을 눌러 외출 중임을 표시합니다. 엔트리봇의 블록 조립소로 [흐름]의 만일 '참' 이라면 블록과 [하드웨어]의 '빨간' 버튼을 눌렀는가? 블록 그리고 초기화 전까지는 계속 반복해야 하므로 [흐름]의 계속 반복하기 블록을 가져옵니다. 빨간 버튼을 누르면 '외출중' 변숫값이 1이 되도록 '참'의 자리에 '빨간' 버튼을 눌렀는가? 블록을 넣어 외출 중임을 나타냅니다. 그리고 다음과 같이 조립합니다.

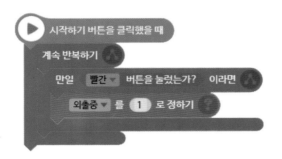

❹ 이번에는 파란 버튼을 눌러 돌아왔음을 표시합니다. 만일 '참' 이라면 블록과 '빨간' 버튼을 눌렀는가? 블록을 가져와 '빨간'을 '파란'으로 변경 후 다음과 같이 조립하여 버튼이 눌렸는지 확인합니다. 파란 버튼을 누르면 '외출중' 변숫값이 0이 되도록 다음과 같이 설정하여 외출 중이 아님을 표시합니다.

Step 2 🔒 문 열림 감지하기

문 열림을 감지하기 위해 거리 센서와 리스트를 사용하여 문 열림 감지 시각을 기록하는 프로그램을 만듭니다. 문이 열렸을 때 벽과 문과의 거리가 가까워지는 상황을 감지하기 위해 거리 센서에 가까이 닿았을 때의 시각을 기록하도록 합니다.

❶ 문 열림 감지 시각을 저장할 수 있는 리스트를 만들기 위해 '속성' 탭의 '리스트' 메뉴에서 리스트 추가'를 클릭합니다. 또 [자료]의 '리스트 만들기'를 클릭하여 리스트를 만들 수도 있습니다. 리스트 이름은 저장되는 내용을 나타내도록 정하는 것이 좋습니다. 여기에서는 '문열림감지시각' 이라고 합시다.

❷ 거리 센서값을 사용하여 문이 열렸음을 감지하기 위해 적절한 기준값을 설정합니다. E-센서보드의 경우, 거리 센서에 가까워질수록 값이 커집니다. 여기서는 700을 기준으로 값을 정하겠습니다. [하드웨어]의 `아날로그 '5'번 센서값` 블록과 `만일 '참' 이라면` 블록 그리고 [판단]의 `'10' ≤ '10'` 블록을 블록 조립소로 가져옵니다. 그리고 `'10' ≤ '10'` 블록 앞의 '10' 자리에 `아날로그 '5'번 센서값` 블록을 넣어주고 뒤의 '10'은 '700'으로 변경합니다. 그리고 다음과 같이 조립하여 센서에 가까워지는지 확인합니다.

❸ 엔트리에서는 현재 연도, 월, 일, 시, 분, 초를 불러올 수 있는 명령어 블록이 있습니다. 문 열림이 감지된 시각을 저장하기 위해 [계산]의 `현재 '연도'` 블록을 3개 가져옵니다. 각 블록의 '연도'를 '시각(시)', '시각(분)', '시각(초)'으로 바꿔줍니다.

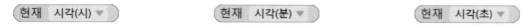

❹ [계산]의 `'안녕!'과(와) '엔트리'를 합치기` 블록 5개를 블록 조립소로 가져옵니다. 그리고 문 열림이 감지된 시각이 '문열림감지시각' 리스트에 기록될 수 있도록 182쪽의 첫 번째 명령어 블록과 같이 만들어줍니다.

리스트에 값을 저장하는 블록인 [자료]의 `'10' 항목을 '문열림지시각'에 추가하기` 블록을 가져와 '10'의 자리에 다음의 첫 번째 명령어 블록과 같이 만든 명령어 블록을 넣어줍니다.

`((( 현재 시각(시) ▼ ) 과(와) ( 시 ) 를 합치기 ) 과(와) ( 현재 시각(분) ▼ ) 를 합치기 ) 과(와) ( 분 ) 를 합치기 ) 과(와) ( 현재 시각(초) ▼ ) 를 합치기 ) 과(와) ( 초 ) 를 합치기`

`((( 현재 시각(시) ▼ ) 과(와) ( 시 ) 를 합치기 ) 과(와) ( 현재 시각(분) ▼ ) 를 합치기 ) 과(와) ( 분 ) 를 합치기 ) 과(와) ( 현재 시각(초) ▼ ) 를 합치기 ) 과(와) ( 초 ) 를 합치기 항목을 문열림감지시각 ▼ 에 추가하기`

❺ 문 열림이 감지되면 '문열림감지횟수'의 변숫값도 1만큼 증가시켜야 합니다. [자료]에서 변숫값을 바꿀 수 있는 `'외출중문열림횟수'에 '1'만큼 더하기` 블록을 가져와 다음과 같이 조립합니다.

`만일 ( 아날로그 5 ▼ 번 센서값 ) ≤ 700 이라면`
`((( 현재 시각(시) ▼ ) 과(와) ( 시 ) 를 합치기 ) 과(와) ( 현재 시각(분) ▼ ) 를 합치기 ) 과(와) ( 분 ) 를 합치기 ) 과(와) ( 현재 시각(초) ▼ ) 를 합치기 ) 과(와) ( 초 ) 를 합치기 항목을 문열림감지시각 ▼ 에 추가하기`
`외출중문열림횟수 ▼ 에 1 만큼 더하기`

❻ 이제 외출 중일 때만 문 열림 감지 시각을 기록하도록 만들겠습니다. 지금까지 빨간 버튼을 누르면 외출 중이며 외출에서 돌아와 파란 버튼을 누르도록 안내했습니다. 따라서 문 열림 감지 시각을 외출 중일 때만 기록하려면 문 열림을 감지하는 명령어가 빨간 버튼을 누르면 실행되고 파란 버튼을 누르면 멈춰야 합니다. 그러므로 [흐름]의 `'참'이 될 때까지 반복하기` 블록과 `'빨간' 버튼을 눌렀는가?` 블록을 가져와 '빨간'을 '파란'으로 변경하여 '참'의 자리에 넣어줍니다. 그리고 ❺에서 조립한 명령어 블록을 감싸줍니다.

`파란 ▼ 버튼을 눌렀는가? 이 될 때까지 반복하기`
`만일 ( 아날로그 5 ▼ 번 센서값 ) ≤ 700 이라면`
`((( 현재 시각(시) ▼ ) 과(와) ( 시 ) 를 합치기 ) 과(와) ( 현재 시각(분) ▼ ) 를 합치기 ) 과(와) ( 분 ) 를 합치기 ) 과(와) ( 현재 시각(초) ▼ ) 를 합치기 ) 과(와) ( 초 ) 를 합치기 항목을 문열림감지시각 ▼ 에 추가하기`
`외출중문열림횟수 ▼ 에 1 만큼 더하기`

❼ 조립한 명령어 블록이 빨간 버튼을 눌렀을 때 시작될 수 있도록 신호를 사용합니다. '속성' 탭에서 '신호' 메뉴의 '신호 추가'를 클릭하여 외출 중을 의미하는 신호를 만듭니다.

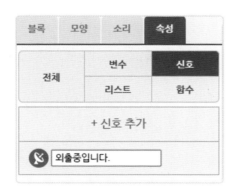

❽ 빨간 버튼을 눌렀을 때 외출 중을 의미하는 신호를 보내고 기다립니다. 그리고 외출 중을 의미하는 신호를 받으면 문 열림 감지 시각을 기록하도록 만듭니다. Step 1과 ❶~❻에서 만든 명령어 블록에 `'외출중입니다.' 신호 보내고 기다리기` 블록과 `'외출중입니다.' 신호를 받았을 때` 블록을 사용하여 다음과 같이 연결합니다.

❾ 여기까지 만든 프로그램을 실행해봅시다. 외출 중일 때 문 열림이 감지되면 시각을 기록하는 것을 볼 수 있습니다. 하지만 한 번 열리면 시각이 한 번만 기록되어야 하는데, 여러 번 순식간에 기록되는 것을 볼 수 있습니다. 명령어가 여러 번 실행되기 때문입니다. 따라서 `'참'이(가) 될 때까지 기다리기` 블록과 `아날로그 '5'번 센서값` 블록, [판단]의 `10>10` 블록을 사용하여 다음과 같이 조립해줍니다.

Step 3 🐷 외출 중 문 열림 횟수 알리기 및 기록 초기화

이번에는 외출에서 돌아와 파란 버튼을 누르면 외출 중 문 열림 감지 횟수를 안내하고, 노랑 버튼을 누르면 문 열림 감지 기록을 초기화하도록 만듭니다.

❶ 파란 버튼을 누르면 문 열림 감지 횟수를 안내하도록 만듭니다. [생김새]의 `'안녕!'을(를) '4'초 동안 '말하기'` 블록 2개와 [자료]의 `'외출중문열림횟수' 값` 블록 그리고 `'안녕!'과(와) '엔트리'를 합치기` 블록 2개를 가져와 다음과 같이 설정을 변경하여 조립합니다. `'안녕!'을(를) '4'초 동안 '말하기'` 블록으로 노랑 버튼을 누르면 초기화가 된다는 안내도 함께 할 수 있습니다.

```
( ( ( 외출 중 문 열림 감지 횟수는 ) 과(와) ( 외출중문열림횟수 ▼ 값 ) 를 합치기 ) 과(와) ( 번 입니다. ) 를 합치기 ) 을(를) ( 2 ) 초 동안 ( 말하기 ▼ )
```

```
▶ 시작하기 버튼을 클릭했을 때
  계속 반복하기
    만일  빨간 ▼  버튼을 눌렀는가?  이라면
      외출중 ▼  를  1  로 정하기
      외출중입니다. ▼  신호 보내고 기다리기
    만일  파란 ▼  버튼을 눌렀는가?  이라면
      외출중 ▼  를  0  로 정하기
      ( ( ( 외출 중 문 열림 감지 횟수는 ) 과(와) ( 외출중문열림횟수 ▼ 값 ) 를 합치기 ) 과(와) ( 번 입니다. ) 를 합치기 ) 을(를)  2  초 동안  말하기 ▼
      문 열림 감지 기록을 초기화하려면 노란 버튼을 눌러주세요.  을(를)  2  초 동안  말하기 ▼
```

❷ 노랑 버튼을 누르면 문 열림 감지 기록이 초기화되도록 `만일 '참' 이라면` 블록과 `'빨간' 버튼을 눌렀는가?` 블록을 가져와 '빨간'을 '노랑'으로 변경 후 '참'의 자리에 넣어줍니다. 이제 외출 중 문 열림을 감지한 횟수를 초기화합니다. `'외출중문열림횟수'를 '10'(으)로 정하기` 블록을 사용하여 '10'을 '0'으로 변경하여 횟수를 0으로 초기화합니다. 이때 `'안녕!'을(를) '4'초 동안 '말하기'` 블록으로 '2'초 정도 초기화 안내를 해줍니다.

```
    만일  노랑 ▼  버튼을 눌렀는가?  이라면
      문 열림 감지 기록을 초기화합니다.  을(를)  2  초 동안  말하기 ▼
      외출중문열림횟수 ▼  를  0  로 정하기
```

❸ 이번에는 '문열림감지시각' 리스트의 값을 모두 삭제합니다. 엔트리에서는 리스트에 저장된 모든 내용을 한 번에 지우는 명령어 블록은 없습니다. 따라서 리스트에 저장된 내용을 하나씩 지우는 명령어 블록을 리스트에 저장된 항목 수만큼 반복해 실행해야 합니다. 그러므로 [흐름]의 `'10'번 반복하기` 블록과 [자료]의 `'문열림감지시각' 항목 수` 블록을 가져와 '10' 자리에 `'문열림감지시각' 항목 수` 블록을 넣어줍니다.

❹ 리스트의 항목을 삭제하기 위해 [자료]의 `'1'번째 항목을 '문열림지시각'에서 삭제하기` 블록을 가져와 ❸에서 조립한 명령어 블록에 다음과 같이 조립합니다.

❺ 노랑 버튼을 클릭했을 때 ❹에서 조립한 명령어 블록을 실행할 수 있도록 ❶~❸에서 만든 명령어 블록과 조립해줍니다.

⑥ **⑤**에서 조립한 명령어 블록을 [시작하기 버튼을 클릭했을 때] 블록과 연결된 [계속 반복하기] 블록과 함께 조립하여 완성한 블록은 다음과 같습니다.

```
▶ 시작하기 버튼을 클릭했을 때
  계속 반복하기
    만일   빨간 ▼  버튼을 눌렀는가?   이라면
      외출중 ▼  를  1  로 정하기
      외출중입니다. ▼  신호 보내고 기다리기
    만일   파란 ▼  버튼을 눌렀는가?   이라면
      외출중 ▼  를  0  로 정하기
      ( 외출 중 문 열림 감지 횟수는 ) 과(와) ( 외출중문열림횟수 ▼  값 ) 를 합치기 ) 과(와) ( 번 입니다. ) 를 합치기 ) 을(를)  2  초 동안  말하기 ▼
      ( 문 열림 감지 기록을 초기화하려면 노란 버튼을 눌러주세요. ) 을(를)  2  초 동안  말하기 ▼
    만일   노랑 ▼  버튼을 눌렀는가?   이라면
      ( 문 열림 감지 기록을 초기화합니다. ) 을(를)  2  초 동안  말하기 ▼
      외출중문열림횟수 ▼  를  0  로 정하기
      ( 문열림감지시각 ▼  항목 수 ) 번 반복하기
        ( 1 ) 번째 항목을 ( 문열림감지시각 ▼ ) 에서 삭제하기
```

꼭 기억해요

지금까지 배운 내용을 정리해봅시다. 요점 정리를 읽고 이해가 되지 않는 내용이 있다면 12장을 다시 한번 살펴봅시다.

Point 1 **리스트 사용하기**

- 리스트는 여러 개의 값을 저장할 수 있는 구조이며 엔트리에서 리스트의 번호는 1부터 시작합니다.
- 리스트는 '속성' 탭에서 '리스트' 메뉴의 '리스트 추가'를 클릭하여 만들 수 있습니다.
- 리스트를 만든 후 [자료] 블록 꾸러미에서 리스트를 다루는 명령어 블록을 가져와 사용할 수 있습니다.

Point 2 **프로그램의 흐름 표현하기**

⁺ 문제를 해결하기 위한 절차나 방법을 알고리즘이라고 합니다. 프로그램을 만들기 위해 프로그램의 동작 흐름을 작성하는 것도 알고리즘을 작성하는 것이라고 볼 수 있습니다.

⁺ 프로그램의 흐름을 글이나 그림으로 표현하면 프로그래밍 과정의 단계를 확인하기 편리하며, 다른 사람과 의사소통 할 때 도움이 됩니다.

⁺ 알고리즘을 표현하는 방법은 작성하는 사람이나 상황에 따라 효과적인 방법을 선택하면 됩니다.

Point 3 **신호 보내기와 신호 보내고 기다리기**

⁺ 오브젝트 간 신호를 주고받으며 명령어 블록의 실행 순서를 제어할 수 있습니다.

⁺ [시작] 블록 꾸러미의 〔'대상없음' 신호 보내기〕 블록은 신호를 보낸 후 연결된 다음 명령어 블록을 바로 실행합니다.

⁺ [시작] 블록 꾸러미의 〔'대상없음' 신호 보내고 기다리기〕 블록은 신호를 보낸 후 해당 신호를 받았을 때 실행되는 명령어 블록의 실행이 다 끝날 때까지 다음 명령어 블록의 실행을 멈추고 기다립니다.

⁺ [시작] 블록 꾸러미의 〔'대상없음' 신호 보내고 기다리기〕 블록을 적절히 사용하면 신호의 갯수를 줄일 수 있을 뿐만 아니라 명령어 블록을 보다 적게 사용하여 프로그램을 만들 수 있습니다.

도전해봅시다 ⚙

지금까지 배운 내용을 잘 이해했나요? 이제 배운 내용을 참고하여 도전과제를 해결해봅시다. '도전해봅시다'의 문제 풀이는 PDF로 제공됩니다. 한빛미디어(http://www.hanbit.co.kr)에 접속한 다음 상단의 검색 아이콘을 눌러서 '엔트리, 피지컬 컴퓨팅을 만나다'를 입력해서 검색해주세요. 검색해 나온 책 모양을 클릭한 다음 도서 표지 하단의 [부록/예제소스]를 클릭하면 파일을 받으실 수 있습니다.

도전과제 1 **로봇 전시 관리 프로그램 만들기 (난이도 ★)**

거리 센서를 사용하여 로봇에 가까이 다가가면 경고음을 울리고 눈으로만 감상할 수 있도록 안내하는 프로그램을 만들어봅시다.

1 '배경'–'실내'의 '로보트방'과 '사람'의 '원피스 입은 사람'을 추가합니다.

2 거리 센서의 출력값을 측정하여 기준이 될 거리에 해당하는 센서값을 설정합니다.

> **Hint** [하드웨어]의 〔아날로그 '5'번 센서값〕 블록을 사용하여 거리 센서값을 출력할 수 있습니다.

3 만약 거리 센서에 가까이 다가오면 경고음을 울리고 눈으로만 감상할 수 있도록 안내하고 거리 센서에 가까이 다가오지 않았다면 로봇 전시회 방문을 환영하는 문구를 출력합니다.

> **Hint** '소리' 탭에서 경고음으로 사용할 소리를 추가할 수 있습니다.

4 자신이 만든 프로그램을 엔트리 홈페이지에 업로드 해보고 친구들과 서로 평가해봅시다.

도전과제 2 리스트를 사용하여 오늘의 청소 당번 뽑기 프로그램 만들기 (난이도 ★★)

청소 당번 후보 수를 입력받고 청소 당번 후보의 이름을 입력하면 무작위로 청소 당번을 뽑아주는 프로그램을 만들어봅시다.

1 청소 당번 후보의 수와 이름을 입력받고 결과를 안내할 오브젝트를 선택합니다.

2 청소 당번 후보의 수를 입력받고 입력받은 수만큼 청소 당번 후보의 이름을 입력받습니다.

> **Hint** 청소 당번 후보의 이름을 입력받아 저장할 수 있는 리스트를 만들어야 합니다.

3 청소 당번 후보의 이름을 모두 입력받으면 입력받은 이름 중 무작위로 이름을 선택하여 알려주도록 만들어봅시다.

> **Hint** [계산]의 `'0'부터 '10'사이의 무작위 수` 블록을 사용하여 무작위 값을 구할 수 있습니다.

4 자신이 만든 프로그램을 엔트리 홈페이지에 업로드 해보고 친구들과 서로 평가해봅시다.

도전과제 3 거리 센서와 버튼을 이용한 나만의 작품 제작하기 (난이도 ★★★)

1 거리 센서와 버튼을 모두 이용하여 나만의 작품을 제작해봅시다. 내가 만들 프로그램의 기능 및 특징을 글과 그림으로 표현해봅시다.

2 자신이 만든 프로그램을 엔트리 홈페이지에 업로드 해보고 친구들과 서로 평가해봅시다.

13장. 손짓에 반응하는 다람쥐 만들기

📖 이런 것을 배워요

✦ 오브젝트의 모양을 추가하고 움직이는 효과를 만들어봅시다.

✦ 함수의 개념과 사용 방법을 알아봅시다.

✦ 빛 센서, 소리 센서, 리스트, 함수를 이용하여 다양한 응용 프로그램을 만들어봅시다.

📖 도움이 필요해요

"와! 강아지다!" 소하는 공원을 산책하던 중 운동을 나온 강아지를 보았습니다. 반려동물과 함께 운동을 즐기는 사람들의 모습을 보며 소하도 반려동물을 기르고 싶어졌습니다. 하지만 집에서 기르기에는 반려동물이 혼자 있는 시간이 많아 외로울 것 같았습니다. 그래서 소하는 반려동물을 키우는 대신 엔트리와 E-센서보드로 나의 손짓에 반응하는 동물 프로그램을 만들려고 합니다.

센서를 사용하여 사람의 손짓에 따라 반응하는 캐릭터 프로그램을 어떻게 만들 수 있을까요?

🎖 미리 생각해봐요

소하가 고민하는 프로그램을 만들려면 어떤 센서가 동작을 해야 할까요? 또 엔트리에서 사용될 명령어 블록은 무엇일까요? 자신의 생각을 그림 혹은 글로 표현해봅시다.

⚙️ 피지컬 컴퓨팅 프로그래밍 기본

소하의 고민을 해결하기 위해서는 빛 센서와 소리 센서, 리스트, 함수를 다룰 수 있어야 합니다. 다음의 내용을 살펴보며 프로그램의 작동 원리를 하나하나 배워봅시다.

Check 1 **오브젝트의 모양을 바꿔보아요!**

Check 2 **함수는 무엇인가요?**

Check 3 **저장 공간에 저장될 초깃값을 정해요!**

Check 1 🏁 **오브젝트의 모양을 바꿔보아요!**

모양이 2개인 오브젝트를 본 적 있나요? 엔트리를 실행한 다음 엔트리봇의 '모양' 탭을 눌러봅시다. '모양' 탭에는 ❶ 왼쪽 발이 앞으로 나온 모양과 ❷ 오른쪽 발이 앞으로 나온 모양이 있습니다. 이처럼 하나의 오브젝트에 모양이 여러 개인 경우, 애니메이션처럼 오브젝트가 모양을 바꾸며 움직이는 효과를 낼 수 있습니다.

[생김새]의 '엔트리봇_걷기(1)' 모양으로 바꾸기 블록 또는 '다음' 모양으로 바꾸기 블록을 사용하여 오브젝트의 모양을 바꿀 수 있습니다. 오브젝트의 모양을 바꾸는 것을 반복하여 실행하면 마치 오브젝트가 움직이는 것처럼 보입니다. 엔트리봇에 다음의 명령어 블록을 실행하면 어떻게 동작할까요?

다음 모양으로 바꾸는 것을 계속 반복하기 때문에 '첫 번째 모양 → 두 번째 모양 → 첫 번째 모양 → 두 번째 모양 → …' 으로 보입니다. 하지만 이렇게 프로그래밍하면 반복이 순식간에 이루어지기 때문에 매우 빠르게 다음 모양으로 바뀌는 것을 확인할 수 있습니다. 다음 모양으로 바뀌는 것이 천천히 이루어질 수 있도록 [흐름] 의 '2'초 기다리기 블록을 사용할 수 있습니다. 원하는 시간으로 숫자 값을 바꾸어 결과를 확인해봅시다.

만약 오브젝트 모양을 직접 추가하고 싶다면 '모양' 탭에서 '모양 추가'를 눌러 원하는 오브젝트 모양을 추가할 수 있습니다. 오브젝트 모양은 각각의 모양 번호를 가지며 마우스 오른쪽 버튼을 클릭하여 'PC에 저장'을 클릭하여 특정 모양을 PNG 형식의 이미지 파일로 내 컴퓨터에 저장할 수 있습니다.

내가 직접 그린 그림도 오브젝트의 모양으로 사용할 수 있나요?

물론입니다. '오브젝트 추가하기'의 '파일 업로드' 탭을 눌러 내가 그린 그림의 이미지 파일을 불러올 수 있습니다. 단, JPG, PNG, BMP 형식의 파일만 불러올 수 있습니다. 또는 '새로 그리기' 탭의 '이동하기'를 클릭하여 '새그림'에서 직접 그림을 그린 것을 오브젝트 모양으로 사용할 수 있습니다. '새그림'에서 그림을 그린 후에는 '파일'-'저장하기'를 클릭해야 오브젝트 모양 목록에 반영됩니다.

또한 11장의 **Step 1**에서 다뤘던 전등 색칠하기와 같은 방법으로 기존의 오브젝트 모양에 변형을 줄 수도 있습니다.^{161쪽}

Check 2 ▐ **함수는 무엇인가요?**

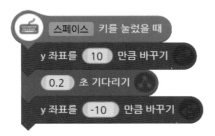

여러분, 게임 좋아하시나요? 화면 속의 캐릭터를 조작하여 앞, 뒤로 움직이거나 점프를 할 수도 있죠. 스페이스 바를 눌렀을 때 화면 속의 캐릭터가 점프하도록 하려면 어떤 명령어를 써야 할까요? 스페이스 바를 누르면 y 좌푯값을 바꿔 점프하는 효과를 만들어봅시다.

만약 스페이스 바를 누르면 점프하는 기능을 여러 오브젝트에 프로그래밍하려면 어떻게 해야 할까요? 또는 스페이스 바를 한 번 눌렀을 때 여러 번 점프하도록 프로그래밍하려면 어떻게 해야 할까요? 해당 명령어 블록을 복사하여 붙여넣기를 하거나 [흐름]의 반복하기 명령어 블록을 사용할 수 있습니다.

조금 더 간단한 방법은 없을까요? 있습니다! 엔트리에서는 함수를 이용해 직접 명령어 블록을 만들 수 있습니다. '점프하기'라는 이름의 명령어 블록을 만들어봅시다. '속성' 탭의 '함수' 메뉴에서 '함수 추가'를 클릭하거나, [함수]의 '함수 만들기'를 클릭하여 만들 수 있습니다.

함수란 무엇인가요?

함수는 프로그래밍 등에서 반복되는 명령어들을 별도로 묶어 두었다가 필요할 때마다 불러 쓰는 것을 말합니다. 함수에 사용될 명령어 블록을 하나하나 나열하는 것을 '함수 정의'라고 하고, 해당 함수가 실행되도록 명령하는 것을 '함수 호출'이라고 합니다.

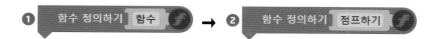

'함수 만들기'를 클릭하면 함수의 이름을 정할 수 있습니다. 그러면 블록 조립소에 ❶ 함수 정의하기 블록이 생기며 바로 옆에 입력할 수 있는 칸이 생깁니다. '함수'라고 쓰여진 칸에 '점프하기'라고 입력합시다. ❷ 함수 정의하기 '점프하기' 블록이 만들어졌습니다. 이 명령어 블록이 해야 할 일은 추가로 지정해줘야 합니다.

필요한 명령어 블록을 연결했다면 블록 조립소의 아래에 보이는 '확인'을 눌러 함수 만들기를 완성합니다. 이렇게 만든 함수는 왼쪽과 같이 [함수] 블록 꾸러미에서 확인할 수 있습니다.

만약 오브젝트가 점프하는 높이를 조절하고 싶다면 함수를 어떻게 변경할 수 있을까요? 함수를 변경하기 위해서는 '속성' 탭의 '함수' 메뉴를 클릭한 후 변경하려는 함수 이름 옆의 연필 모양을 눌러 함수의 내용을 변경할 수 있습니다.

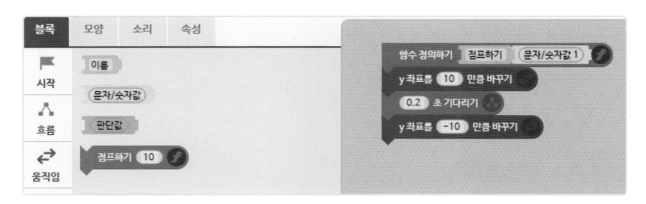

함수를 수정하는 창에서 문자/숫자값 블록을 블록 조립소로 가져와 '점프하기' 옆에 연결해봅시다. 그러면 문자/숫자값 1 이라는 블록으로 변한 것을 볼 수 있습니다. 문자/숫자값 1 블록을 추가하면 '점프하기' 블록 옆에 문자나 숫자를 입력할 수 있는 입력 칸이 생깁니다. 이 입력 칸에 입력한 값을 함수의 명령어에 사용할 수 있습니다. 우리는 점프하기 '문자/숫자값 1' 블록의 '문자/숫자값 1'에 입력된 값으로 y 좌푯값을 변경시켜봅시다.

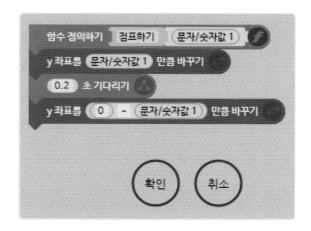

블록 조립소에서 문자/숫자값 1 블록을 y좌표를 '10'만큼 바꾸기 의 '10' 자리에 마우스로 드래그하여 넣어주었습니다. 아래의 명령어 블록에는 음수를 표현하기 위해 [계산]의 '10' - '10' 블록을 가져와 연결해주었습니다. 함수의 수정이 끝났다면 확인 버튼을 눌러 완성합니다.

이렇게 함수를 만들면 [함수]에  블록이 생긴 것을 확인할 수 있습니다. 이 블록은 다른 명령어 블록과 마찬가지로 필요할 때마다 가져와 쓸 수 있습니다.

이처럼 함수를 쓰면 여러 번 사용하는 명령어를 하나로 묶어 보다 쉽게 사용할 수 있으며 함수에 사용될 명령어들을 하나하나 나열하는 것을 '함수 정의'라고 합니다.

Check 3 ▶ 저장 공간에 저장 될 초깃값을 정해요!

우리는 컴퓨터 프로그램을 만들 때 컴퓨터에서 기억해야 하는 내용을 저장하는 공간으로 '변수'와 '리스트'를 배웠습니다. 저장 공간에 저장될 초깃값을 미리 정해놓는 것을 초기화라고 합니다. 엔트리에서는 변수의 기본값이 초깃값에 해당합니다. 엔트리에서 변수나 리스트의 값을 초기화하는 방법은 다음과 같습니다.

'속성' 탭에서 초기화를 원하는 저장 공간의 종류를 클릭하고 연필 모양 아이콘(✎)을 눌러 이름과 값을 설정할 수 있습니다.

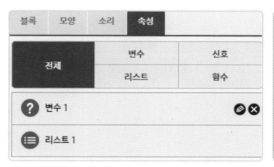

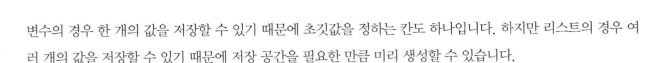

변수의 경우 한 개의 값을 저장할 수 있기 때문에 초깃값을 정하는 칸도 하나입니다. 하지만 리스트의 경우 여러 개의 값을 저장할 수 있기 때문에 저장 공간을 필요한 만큼 미리 생성할 수 있습니다.

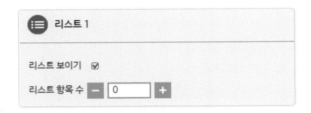

리스트의 항목 수를 늘리거나 줄일 수 있으며, 리스트 항목 수를 변경하면 변수의 초깃값을 입력하는 것과 마찬가지로 리스트의 각 항목 값을 미리 지정할 수 있는 입력 칸이 만들어집니다.

🎓 잠·깐·만

어떤 경우에 변수나 리스트의 초깃값을 지정해주어야 하나요?

초깃값을 정해주는 것은 저장 공간을 정리해주는 것과 같습니다. 예를 들어, 우리가 어떤 상자에 물건을 담으려고 하는데 상자에 쓰레기가 들어 있다면 상자를 먼저 정리하고 물건을 넣어야 할 것입니다. 변수나 리스트도 정보를 담는 공간이기 때문에 값이 잘 저장될 수 있도록 정리해주어야 합니다. 엔트리에서는 변수의 초깃값을 '0'으로 정해줍니다.

리스트의 경우에도 리스트 항목 수를 미리 지정한 경우에 각 항목의 초깃값을 '0'으로 정해줍니다. 만약 게임을 만들 때 처음 점수값을 100으로 설정하고 싶거나, 오늘의 날씨를 저장하는 변숫값을 '맑음'으로 설정하고 싶을 때처럼 '0'이 아닌 값을 초깃값으로 설정하고 싶을 때는 '속성' 탭을 눌러 초깃값을 수정해줄 수 있습니다.

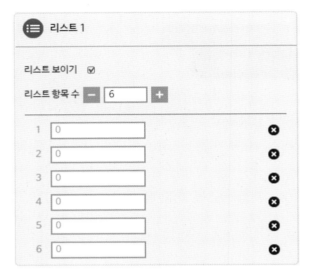

핵심 블록 알아보기

다람쥐 행동 10	나만의 함수를 만들어 명령어 블록으로 사용할 수 있습니다.
10 모양으로 바꾸기	오브젝트의 모양을 선택한 모양으로 바꿉니다.
문구 출력 ▼ 의 1 번째 항목	선택한 리스트에서 선택한 값의 순서에 있는 항목 값을 의미합니다. (내부 블록을 분리하면 순서를 숫자로 입력 가능)
분홍다람쥐 ▼ 의 모양 번호 ▼	선택한 오브젝트 또는 자신의 각종 정보값(x 좌표, y 좌표, 방향, 이동 방향, 크기 모양 번호, 모양 이름)입니다.
0 부터 10 사이의 무작위 수	입력한 두 수 사이에서 선택된 무작위 수의 값입니다. (두 수 모두 정수를 입력한 경우 정수로, 두 수 중 하나라도 소수를 입력한 경우 소수로 무작위 선택됩니다.)

⚙️ 피지컬 컴퓨팅 실전

빛 센서, 소리 센서, 리스트, 함수를 사용한 엔트리 프로그래밍으로 소하가 해결해야 할 문제를 함께 풀어봅시다. 먼저 우리가 만들 결과물은 다음 화면과 같습니다. 사용자로부터 이름을 입력받고, 소리 센서값에 따라 모양을 바꾸고, 빛 센서값에 따라 모양과 말하는 내용을 바꿔봅시다.

실행 화면 1

실행 화면 2

실행 화면 3

실행 화면 4

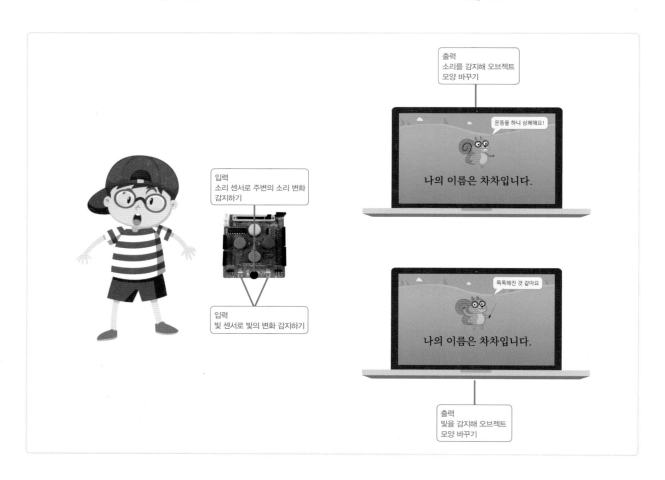

빛 센서값과 소리 센서값에 따라 모양을 바꾸는 프로그램의 작동 과정은 다음과 같습니다.

실행 방법	실행 화면
1 ▶ 시작하기 를 누릅니다.	안녕! 이름을 지어주세요! 나의 이름을 지어주세요
2 사용자로부터 다람쥐의 이름을 입력받아 글상자로 출력합니다.	나의 이름은 차차입니다.
3 소리 센서값이 일정 값보다 커지면 다람쥐가 걷는 모양으로 바뀌고 운동했음을 안내하는 문구를 출력합니다.	운동을 하니 상쾌해요! 나의 이름은 차차입니다.
4 빛 센서값이 일정 값보다 커지면 다람쥐의 모양이 무작위로 바뀌고 모양에 맞는 문구를 출력합니다.	똑똑해진 것 같아요 나의 이름은 차차입니다.

다음은 우리가 만들 프로그램의 제작 순서입니다. 이것만 보고 프로그램을 직접 만들어봐도 좋습니다.

빛 센서와 소리 센서값에 따라 모양이 바뀌고 적절한 문구를 출력하는 프로그램

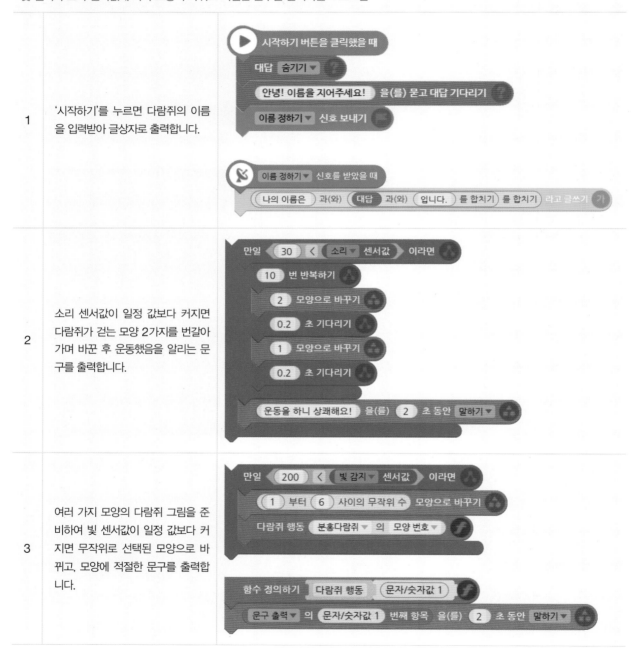

1	'시작하기'를 누르면 다람쥐의 이름을 입력받아 글상자로 출력합니다.
2	소리 센서값이 일정 값보다 커지면 다람쥐가 걷는 모양 2가지를 번갈아 가며 바꾼 후 운동했음을 알리는 문구를 출력합니다.
3	여러 가지 모양의 다람쥐 그림을 준비하여 빛 센서값이 일정 값보다 커지면 무작위로 선택된 모양으로 바뀌고, 모양에 적절한 문구를 출력합니다.

Step 1 다람쥐 이름 짓기

사용자로부터 다람쥐의 이름을 입력받아 글상자로 출력해봅시다.

❶ '오브젝트 추가하기'를 클릭하여 '배경'–'자연'의 '들판(3)', '동물'–'땅'의 '분홍다람쥐'를 선택한 후 '적용하기'를 클릭합니다.

❷ 입력받은 이름을 출력하기 위해 글상자 오브젝트를 추가하고 사용자가 이름을 입력할 수 있도록 안내하는 내용의 문구를 입력합니다.

❸ 분홍다람쥐 오브젝트를 선택한 다음 [시작]의 시작하기 버튼을 클릭했을 때 블록, [자료]의 대답 '숨기기' 블록, '안녕!'을(를) 묻고 대답 기다리기 블록을 순서대로 연결하고 사용자로부터 다람쥐의 이름을 입력받습니다. 대답 '숨기기' 블록으로 화면에 보이는 '대답 창'을 숨겼습니다.

❹ 입력받은 대답을 글상자로 출력하기 위해 대답을 입력받은 후, 글상자 오브젝트에 알려주어야 합니다. 분홍다람쥐 오브젝트를 사용하여 입력받은 대답을 글상자 오브젝트에서 출력하도록 신호를 보낼 수 있습니다.

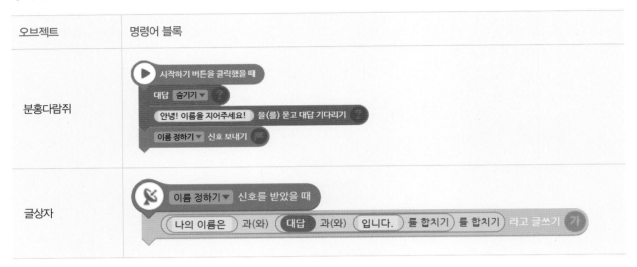

오브젝트	명령어 블록
분홍다람쥐	시작하기 버튼을 클릭했을 때 / 대답 숨기기 ▼ / 안녕! 이름을 지어주세요! 을(를) 묻고 대답 기다리기 / 이름 정하기 ▼ 신호 보내기
글상자	이름 정하기 ▼ 신호를 받았을 때 / 나의 이름은 과(와) 대답 과(와) 입니다. 를 합치기 를 합치기 라고 글쓰기

Step 2 🐿 다람쥐 운동 시키기

소리 센서를 사용하여 주변의 소리가 커지면 다람쥐 오브젝트의 모양이 바뀌며 운동을 하도록 만들어봅시다.

❶ 소리 센서값을 사용하기 위해 [하드웨어]의 '소리' 센서값 블록과 [흐름]의 만일 '참' 이라면 블록, [판단]의 '10' < '10' 블록을 블록 조립소로 가져와 먼저 '소리' 센서값 블록을 '10' < '10' 블록의 부등호 오른쪽의 '10' 자리에 넣어줍니다. 그리고 이 블록을 만일 '참' 이라면 블록의 '참'의 자리에 넣어줍니다. E-센서보드의 소리 센서의 경우 주변의 소리가 커지면 값이 커지므로 적절한 기준 값을 입력하여 부등식을 완성합니다.

만일 30 < 소리 ▼ 센서값 이라면

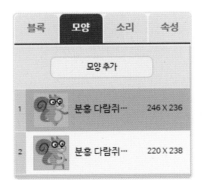

❷ 분홍다람쥐 오브젝트는 모양이 2개입니다. '모양' 탭을 눌러 보면 오른쪽 다리가 앞으로 나와 있는 모양과 왼쪽 다리가 앞으로 나와 있는 모양을 확인할 수 있습니다.

2개의 모양이 번갈아 보일 수 있도록 '분홍 다람쥐_1' 모양으로 바꾸기 블록과 [흐름] 의 '10'번 반복하기 블록, '2'초 기다리기 블록을 가져와 왼쪽처럼 설정해줍니다. 특정 모양이 보이도록 만들기 위해 오브젝트의 모양 번호를 사용할 수 있습니다.

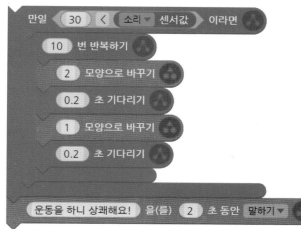

❸ 모양 바꾸기를 마친 후 운동을 했음을 알리는 문구를 출력하기 위해 [생김새]의 '안녕!'을(를) '4'초 동안 '말하기' 블록을 가져와 적절한 문구와 시간을 입력해줍니다.

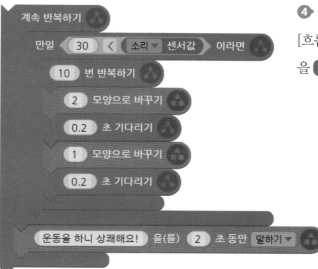

❹ 소리 센서값을 실시간으로 감지하여 반응할 수 있도록 [흐름]의 계속 반복하기 블록을 가져와 ❸의 명령어 블록을 계속 반복하기 블록 안에 넣어줍니다.

Step 3 🔌 다람쥐 행동 함수 만들기

분홍다람쥐 오브젝트의 모양을 추가하여 빛 센서값에 따라 무작위의 모양이 선택되어 적절한 문구와 함께 출력되도록 만들어봅시다.

❶ 먼저 분홍다람쥐 오브젝트의 모양을 추가해봅시다. '모양' 탭을 클릭한 후 '모양 추가'를 누릅니다. 오브젝트 검색 창에 '다람쥐'를 입력하여 분홍다람쥐의 다양한 모습을 선택할 수 있습니다. 여기에서는 '똑똑한다람쥐_1', '슬픈다람쥐_1', '쑥스러운다람쥐_1', '화가난다람쥐_1' 모양을 추가해보겠습니다.

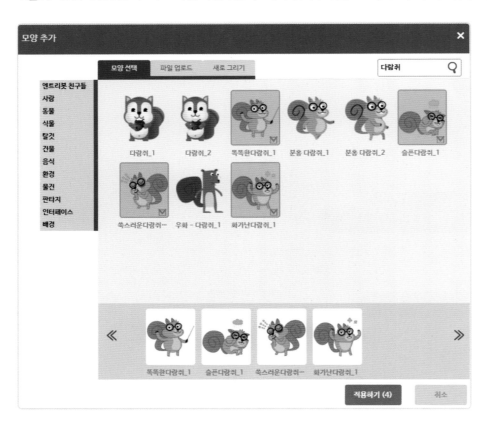

❷ 추가한 모양의 내용에 따라 적절한 문구를 출력하기 위해 리스트를 만듭니다. 리스트는 '속성' 탭에서 만들 수 있으며 여기서는 '문구 출력'이라는 리스트를 만듭니다. 리스트의 항목 수는 오브젝트의 모양 개수만큼 추가하고 각 항목에 해당 모양의 문구를 입력합니다.

모양	문구 예
분홍 다람쥐_1	기분이 좋아요
분홍 다람쥐_2	오늘따라 행복해요
똑똑한다람쥐_1	똑똑해진 것 같아요
슬픈다람쥐_1	울적해요
쑥스러운다람쥐_1	완전 좋아요!
화가난다람쥐_1	화가 나요!

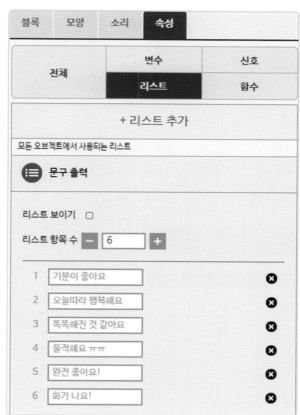

❸ 이번에는 모양 번호에 맞게 리스트의 내용을 출력하는 '다람쥐 행동' 함수를 만들어봅시다. '속성' 탭이나 '함수'를 클릭하여 함수를 만들 수 있습니다. 함수의 이름을 '다람쥐 행동'이라 입력하고 문자/숫자값 블록을 가져와 다음과 같이 이름 옆에 조립합니다.

`함수 정의하기` `다람쥐 행동` `문자/숫자값 1`

❹ 리스트의 내용을 출력하기 위해 `'안녕!'을(를) '4'초 동안 '말하기'` 블록과 [자료]의 `'문구 출력'의 '1'번째 항목` 블록을 가져와 '안녕!' 자리에 [자료]의 명령어 블록을 넣어줍니다. 그리고 문구를 출력하는 시간을 적절히 조절합니다.

`문구 출력 ▾ 의 1 번째 항목 을(를) 2 초 동안 말하기 ▾`

❺ '다람쥐 행동' 함수의 명령어 블록을 사용할 때 함께 입력한 문자나 숫자값에 따라 해당 항목이 선택되도록 만들어봅시다. ❸에서 조립한 `문자/숫자값 1` 블록을 드래그하여 ❹에서 가져온 `'문구 출력'의 '1'번째 항목` 의 '1'에 넣어줍니다. '확인'을 눌러 함수를 완성합니다.

`함수 정의하기` `다람쥐 행동` `문자/숫자값 1`
`문구 출력 ▾ 의 문자/숫자값 1 번째 항목 을(를) 2 초 동안 말하기 ▾`

❻ 빛 센서값에 따라 다람쥐가 반응할 수 있도록 [하드웨어]의 `'빛 감지' 센서값` 블록과 `만일 '참' 이라면` 블록, `'10' < '10'` 블록을 다음과 같이 조립해줍니다. 주변의 빛의 세기를 고려하여 적절한 값을 부등식에 입력하여 명령어 블록을 완성합니다.

`만일 200 < 빛 감지 ▾ 센서값 이라면`

❼ 다람쥐 오브젝트를 무작위로 선택된 특정 모양으로 바꾸기 위해 **'분홍 다람쥐_1' 모양으로 바꾸기** 블록과 [계산] 의 **'0'부터 '10'사이의 무작위 수** 블록을 가져와 다음과 같이 조립합니다. 분홍다람쥐 오브젝트의 모양은 6개로 모양 번호는 1번부터 6번까지입니다. 따라서 1부터 6사이의 무작위 수를 출력하도록 설정합니다.

> **(1) 부터 (6) 사이의 무작위 수 모양으로 바꾸기 ⚙**

❽ 무작위로 선택된 분홍다람쥐 오브젝트의 모양 번호를 사용하여 모양에 적합한 문구를 출력해봅시다.
❺에서 완성한 '다람쥐 행동' 함수를 사용하기 위해 [함수]의 **다람쥐 행동 '10'** 블록을 가져옵니다.

❾ [계산]의 '분홍다람쥐'의 'x 좌푯값' 블록을 가져와 '분홍다람쥐'의 '모양 번호' 블록으로 설정해줍니다. ❽에서 가져온 [함수] 명령어 블록과 연결하여 ❻의 명령어 블록에 조립합니다.

만일 〈 200 〈 빛 감지 ▼ 센서값 〉 이라면
　　　1 부터 6 사이의 무작위 수 모양으로 바꾸기
　　　다람쥐 행동 분홍다람쥐 ▼ 의 모양 번호 ▼

❿ ❾에서 완성한 명령어 블록을 계속 반복하기 블록과 연결한 후 잘 동작하는지 확인합니다.

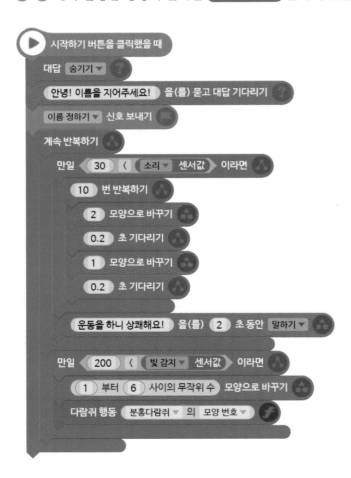

시작하기 버튼을 클릭했을 때
대답 숨기기 ▼
안녕! 이름을 지어주세요! 을(를) 묻고 대답 기다리기
이름 정하기 ▼ 신호 보내기
계속 반복하기
　만일 〈 30 〈 소리 ▼ 센서값 〉 이라면
　　　10 번 반복하기
　　　　　2 모양으로 바꾸기
　　　　　0.2 초 기다리기
　　　　　1 모양으로 바꾸기
　　　　　0.2 초 기다리기
　　　운동을 하니 상쾌해요! 을(를) 2 초 동안 말하기 ▼
　만일 〈 200 〈 빛 감지 ▼ 센서값 〉 이라면
　　　1 부터 6 사이의 무작위 수 모양으로 바꾸기
　　　다람쥐 행동 분홍다람쥐 ▼ 의 모양 번호 ▼

꼭 기억해요

지금까지 배운 내용을 정리해봅시다. 다음 요점 정리를 읽고 이해가 되지 않는 내용이 있다면 13장을 다시 한 번 살펴봅시다.

Point 1 오브젝트 모양 바꾸기

+ 오브젝트 모양을 추가하여 하나의 오브젝트에서 여러 개의 모양을 표현할 수 있습니다.

+ '모양' 탭에서 '모양 추가'를 클릭하여 오브젝트 모양을 추가할 수 있습니다.

+ 모양을 여러 개 추가한 후 [생김새] 블록 꾸러미의 모양을 바꾸는 명령어 블록을 사용하여 원하는 모양으로 바꿀 수 있습니다.

Point 2 함수 사용하기

+ 함수는 여러 번 사용하는 명령어를 하나로 묶어 보다 쉽게 프로그래밍할 수 있는 기능입니다.

+ [함수] 블록 꾸러미 또는 '속성' 탭의 '함수' 메뉴를 클릭하여 함수를 만들 수 있습니다.

+ '속성' 탭의 '함수' 메뉴를 클릭하여 함수의 이름 옆에 있는 연필 버튼을 클릭하면 함수의 내용을 변경할 수 있습니다.

Point 3 저장 공간 초기화하기

+ 초기화란 저장 공간에 저장될 초깃값을 정해 놓는 것을 의미합니다.

+ 초기화는 컴퓨터에서 기억해야 하는 내용을 저장하는 공간들을 정리하는 것으로 정확한 결괏값을 얻는 데 도움이 됩니다.

+ [자료] 블록 꾸러미의 `'~'를 '~'로 정하기` 블록을 사용하거나 '속성' 탭에서 변수 이름 옆의 연필 모양 버튼을 클릭하여 기본값을 수정해 변수를 초기화할 수 있습니다.

+ '속성' 탭에서 리스트 이름 옆의 연필 모양 버튼을 클릭하여 리스트의 항목 수와 리스트의 각 항목 초깃값을 설정할 수 있습니다.

+ 엔트리에서는 변수나 리스트의 초깃값을 따로 설정하지 않는 경우 초깃값 은 '0'으로 자동 설정됩니다.

도전해봅시다 ⚙️

지금까지 배운 내용을 잘 이해했나요? 이제 배운 내용을 참고하여 도전과제를 해결해봅시다. '도전해봅시다' 의 문제 풀이는 PDF로 제공됩니다. 한빛미디어(http://www.hanbit.co.kr)에 접속한 다음 상단의 검색 아이콘을 눌러서 '엔트리, 피지컬 컴퓨팅을 만나다'를 입력해서 검색해주세요. 검색해 나온 책 모양을 클릭한 다음 도서 표지 하단의 [부록/예제소스]를 클릭하면 파일을 받으실 수 있습니다.

도전과제 1 ▶ 조심조심 움직이는 곰 프로그램 만들기 (난이도 ★)

소리 센서를 사용하여 주변의 소리가 커지면 곰(1) 오브젝트가 "조심조심"이라고 말하며 천천히 움직이는 프로그램을 만들어봅시다.

1 '배경'–'자연'의 '숲속(2)'와 '동물'–'자연'의 '곰(1)'을 선택하여 '적용하기'를 클릭합니다.

2 소리 센서값을 측정하여 기준이 될 센서값을 설정합니다.

3 '시작하기'를 클릭했을 때 계속해서 다음 모양으로 바뀌면서 이동 방향으로 10만큼 움직이도록 합니다.

4 소리 센서값이 커질수록 곰(1) 오브젝트의 움직임 변화가 천천히 일어나도록 합니다.

> **Hint** [흐름]의 `'2'초 기다리기` 블록과 [계산]의 명령어 블록을 사용할 수 있습니다.

5 만약 왼쪽 벽 또는 오른쪽 벽에 닿았다면 반대쪽을 바라보며 이동할 수 있도록 합니다.

> **Hint** 회전 방식을 '좌우'로 설정해줍니다.

6 만일 소리 센서값이 기준값보다 크다면 "조심조심"이라고 말하면서 움직이고, 그렇지 않은 경우 아무 말도 하지 않고 움직이도록 합니다.

> **Hint** [생김새]의 `말하기 지우기` 블록을 사용할 수 있습니다.

7 자신이 만든 프로그램을 엔트리 홈페이지에 업로드 해보고 친구들과 서로 평가해봅시다.

도전과제 2 ▶ 커졌다 작아졌다 미로를 통과하라! 프로그램 만들기 (난이도 ★★)

미로를 통과하는 오브젝트의 크기와 이동 속도가 빛 센서값에 비례하여 변하는 프로그램을 함수를 사용하여 만들어봅시다.

1 '배경'–'기타'의 '미로', '엔트리봇 친구들'의 '(1)엔트리봇', '물건'–'기타'의 '깃발'을 선택하여 '적용하기'를 클릭합니다.

2 (1)엔트리봇과 깃발 오브젝트의 크기와 위치를 적절하게 조절합니다.

3 방향 이동 값만 입력하면 왼쪽, 오른쪽, 위쪽, 아래쪽 화살표 키를 눌렀을 때 각 방향으로 움직이도록 하는 함수를 만들어봅시다.

> **Hint** 함수를 정의 할 때 `문자/숫자값` 블록을 사용하여 숫자를 입력할 수 있는 형태의 명령어 블록을 만들 수 있습니다.

4 빛 감지 센서값을 0부터 100까지의 값으로 변환한 값만큼 (1)엔트리봇의 이동 속도가 바뀌도록 만들어봅시다.

> **Hint** [하드웨어]의 명령어 블록을 사용하여 센서값의 범위를 변환할 수 있습니다.

5 빛 감지 센서값을 0부터 100까지의 값으로 변환한 값만큼 (1)엔트리봇의 크기가 바뀌도록 만들어봅시다.

6 (1)엔트리봇이 미로 오브젝트에 닿으면 처음 출발 지점으로 돌아오도록 만들어봅시다.

7 (1)엔트리봇이 깃발 오브젝트에 닿으면 "도착!"을 말하고 반복을 멈추도록 만들어봅시다.

> **Hint** [흐름]의 `반복 중단하기` 블록을 사용하여 반복을 멈출 수 있습니다.

8 자신이 만든 프로그램을 엔트리 홈페이지에 업로드 해보고 친구들과 서로 평가해봅시다.

도전과제 3 ▶ 빛 센서, 거리 센서, 함수를 이용한 나만의 작품 제작하기 (난이도 ★★★)

1 빛 센서와 거리 센서, 함수를 모두 이용하여 나만의 작품을 제작해봅시다. 내가 만들 프로그램의 기능 및 특징을 글과 그림으로 표현해봅시다.

2 자신이 만든 프로그램을 엔트리 홈페이지에 업로드 해보고 친구들과 서로 평가해봅시다.

14장. 움직이는 동물도감 만들기

🖋 이런 것을 배워요

✦ 변수를 사용하여 여러 개의 오브젝트를 제어해봅시다.

✦ 음악을 재생, 일시 정지, 정지하는 프로그램을 만들어봅시다.

✦ 빛 센서, 슬라이더, 변수, 초시계를 이용하여 다양한 응용 프로그램을 만들어봅시다.

🖋 도움이 필요해요

소하는 요즘 다양한 동물이 나오는 동물도감에 푹 빠져있습니다. 동물도감의 한쪽 끝에 있는 버튼을 누르면 동물의 소리도 들을 수 있어 마치 직접 동물을 보는 것 같습니다. 소하의 어머니께서는 예전과 달리 책에 버튼이나 스피커가 달려 있다는 것이 무척 신기하다고 말씀하셨습니다. 소하는 그동안 공부한 센서들을 사용하여 동물 그림이 움직이고 배경음악도 재생되는 나만의 동물도감을 만들어보기로 했습니다.

🏅 미리 생각해봐요

소하가 고민하는 프로그램을 만들려면 어떤 센서가 동작을 해야 할까요? 또 엔트리에서 사용될 명령어 블록은 무엇일까요? 자신의 생각을 그림 혹은 글로 표현해봅시다.

⚙ 피지컬 컴퓨팅 프로그래밍 기본

소하의 고민을 해결하기 위해서는 빛 센서와 슬라이더, 변수, 초시계를 다룰 수 있어야 합니다. 다음의 내용을 살펴보며 프로그램의 작동 원리를 하나하나 배워봅시다.

Check 1 **주행성 동물과 야행성 동물을 분류해보아요!**

Check 2 **변숫값을 깃발처럼 사용해요!**

Check 3 **음악을 일시 정지한 부분부터 다시 재생하고 싶어요!**

Check 1 ▶ **주행성 동물과 야행성 동물을 분류해보아요!**

동물도감을 만들기 위해 여러 가지 동물에 대한 정보가 필요합니다. 이때 다양한 정보를 구분하는 기준이 있다면 원하는 내용을 더 빨리 찾거나 수정하는 데 도움이 됩니다. 예를 들어, 국어사전의 경우 가나다순으로 정리되어 있기 때문에 찾고자 하는 첫 글자의 순서에 따라 원하는 단어의 뜻을 쉽게 확인할 수 있지요.

우리가 만들 동물도감은 빛 센서의 값에 따라 낮에 주로 활동하는 동물(주행성 동물)과 밤에 주로 활동하는 동물(야행성 동물)을 구분하여 보여주도록 합시다. 따라서, 동물도감의 기준은 '주로 활동하는 시간'이 되며 낮과 밤에 따라 다음과 같이 동물을 분류할 수 있습니다.

낮에 주로 활동하는 동물 (주행성 동물)	밤에 주로 활동하는 동물 (야행성 동물)
수탉	부엉이
돼지	박쥐
사슴	뱀
다람쥐	여우
강아지	개구리
토끼	조개
딱따구리 등	반딧불이 등

여러 사람이 함께 사용하는 공중화장실을 이용해 본 적 있나요? 다음 그림과 같이 칸막이로 구분된 화장실 문 앞에는 '비었음', '사용중' 이라는 표시가 있습니다.

표시를 확인하면 화장실 문밖에서도 안에 사람이 있는지 없는지 쉽게 판단할 수 있습니다. 이렇게 특정 상태를 알려주는 역할을 하는 표시를 플래그(flag)라고 합니다. 컴퓨터에서 프로그램을 실행하면서 플래그에 값을 표시하여 명령어의 실행을 제어할 수 있습니다.

플래그는 값으로 상태를 표시하는 것이므로 변수를 사용하여 구현할 수 있습니다. 변수는 5장의 '잠깐만'[64쪽] 에서 언급한 것처럼 값을 저장하는 저장 공간을 의미합니다. 하나의 값을 저장한 후 그 값을 다시 사용하고 싶을 때 유용하게 쓰입니다. 따라서 플래그 값을 변수에 저장한 후 변수의 값을 확인하여 특정 상태가 되었는지 알 수 있는 것입니다.

예를 들어, 플래그 값에 따라 각기 다른 네 그루의 나무가 보이고 숨겨진다고 생각해봅시다. 이때 플래그 값을 저장할 변수 이름은 '나무 플래그'라고 만들어보겠습니다. '나무 플래그' 변숫값에 따라 각 나무 오브젝트의 상태를 미리 정해봅시다.

'나무 플래그' 변숫값	오브젝트 상태
1	감나무 오브젝트 보이기
2	귤나무 오브젝트 보이기
3	밤나무 오브젝트 보이기
4	사과나무 오브젝트 보이기

'나무 플래그' 변수는 슬라이드로 설정하여 최솟값은 1, 최댓값은 4로 정해줍니다.

감나무 오브젝트는 '나무 플래그' 값이 1일 때만 나타나며 다른 나무 오브젝트는 보이지 않아야 합니다. 그러므로 '나무 플래그' 변숫값이 1일 때는 모양을 보이고 그렇지 않을 때는 모양을 숨기도록 만들 수 있습니다. 다른 나무 오브젝트 역시 '나무 플래그' 값에 따라 모양을 보이고 숨기도록 만들 수 있습니다.

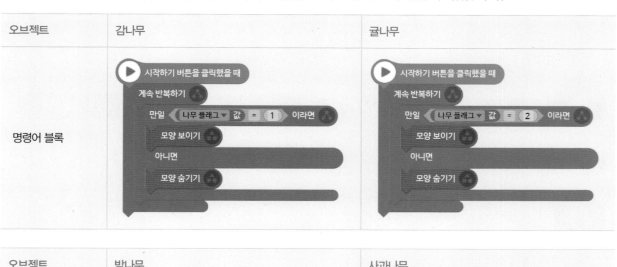

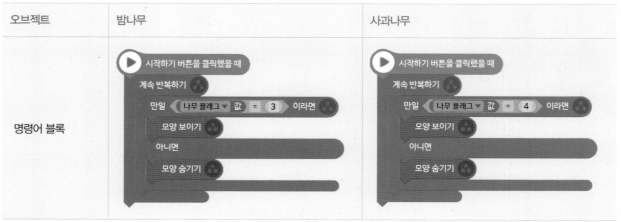

이처럼 변숫값을 특정 상태를 의미하는 플래그로 사용할 수 있습니다. 단, 여러 오브젝트에서 사용하는 플래그 값을 저장하는 변수는 모든 오브젝트에서 사용되는 변수로 만들어야 합니다.

Check 3 음악을 일시 정지한 부분부터 다시 재생하고 싶어요!

소하는 동물도감에 배경음악이 나오도록 만들고 싶습니다. 음악을 재생하는 것과 멈추는 것은 쉽게 프로그래밍할 수 있을 것 같습니다. 그런데 음악을 정지한 후 다시 재생 버튼을 눌렀을 때 정지되었던 부분 바로 다음부터 음악이 재생되려면 어떻게 해야 할까요?

음악이 재생되다가 잠깐 멈춘 부분이 몇 초였는지 해당 시간을 기억해두었다가 재생 버튼을 누르면 기억해두었던 시간부터 재생하도록 만들 수 있습니다. 일상생활 속에서 사용되는 다양한 음악 재생 프로그램에도 '일시 정지' 기능이 존재합니다. 엔트리로 '일시 정지' 기능을 만들기 위해 각 오브젝트의 알고리즘과 사용할 수 있는 명령어 블록을 살펴봅시다.

오브젝트	알고리즘	명령어 블록
	오브젝트를 클릭하면 초시계를 시작합니다. 음악이 재생된 시간을 기억해두었다가 그 이후부터 음악을 재생합니다.	
	오브젝트를 클릭하면 초시계를 정지하고 음악이 재생된 시간을 저장합니다. 모든 소리를 멈춥니다.	
	오브젝트를 클릭하면 모든 소리를 멈춥니다. 음악이 재생된 시간을 0으로 저장합니다. 초시계를 정지하고 초기화합니다.	

초시계와 관련된 명령어 블록은 [계산] 블록 꾸러미에, 소리와 관련된 명령어 블록은 [소리] 블록 꾸러미에서 가져올 수 있습니다. 단, [소리]의 명령어 블록은 '소리' 탭에서 '소리'를 추가한 후 사용할 수 있습니다.

핵심 블록 알아보기

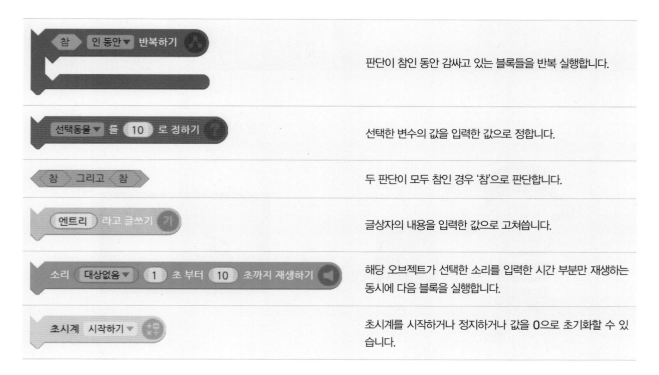

블록	설명
참 인 동안 반복하기	판단이 참인 동안 감싸고 있는 블록들을 반복 실행합니다.
선택동물 를 10 로 정하기	선택한 변수의 값을 입력한 값으로 정합니다.
참 그리고 참	두 판단이 모두 참인 경우 '참'으로 판단합니다.
엔트리 라고 글쓰기	글상자의 내용을 입력한 값으로 고쳐씁니다.
소리 대상없음 1 초 부터 10 초까지 재생하기	해당 오브젝트가 선택한 소리를 입력한 시간 부분만 재생하는 동시에 다음 블록을 실행합니다.
초시계 시작하기	초시계를 시작하거나 정지하거나 값을 0으로 초기화할 수 있습니다.

⚙️ 피지컬 컴퓨팅 실전

빛 센서, 슬라이더, 변수, 소리를 사용한 엔트리 프로그래밍으로 소하가 해결해야 할 문제를 함께 풀어봅시다.
먼저 우리가 만들 결과물은 다음과 같습니다.

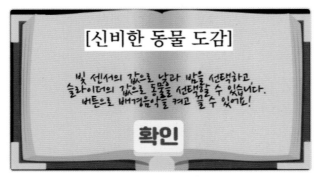

실행 화면 1

실행 화면 2

실행 화면 3

실행 화면 4

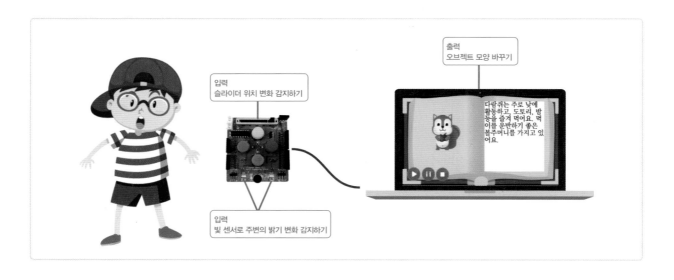

빛 센서값과 소리 센서값에 따라 모양을 바꾸는 프로그램의 작동 과정은 다음과 같습니다.

	실행 방법	실행 화면
1	▶ 시작하기 를 누릅니다.	**[신비한 동물 도감]** 빛 센서의 값으로 낮과 밤을 선택하고, 슬라이더의 값으로 동물을 선택할 수 있습니다. 버튼으로 배경음악을 켜고 끌 수 있어요! **확인**
2	'확인'을 누르면 다음 장면으로 넘어가며 슬라이더를 움직여 동물을 선택할 수 있습니다.	슬라이더를 움직여보세요
3	주변이 어두우면 밤에 주로 활동하는 동물이, 주변이 밝으면 낮에 주로 활동하는 동물이 나타납니다.	다람쥐는 주로 낮에 활동하고, 도토리, 밤 등을 즐겨 먹어요. 먹이를 운반하기 좋은 볼주머니를 가지고 있어요.
4	재생, 일시 정지, 정지 버튼을 클릭하여 배경음악을 재생할 수 있습니다.	박쥐는 새처럼 날아다니는 포유류예요. 주로 밤에 활동하고, 거꾸로 매달려 잠을 자거나 휴식을 취해요.

다음은 우리가 만들 프로그램의 제작 순서입니다. 이것만 보고 프로그램을 직접 만들어봐도 좋습니다.

빛 센서와 슬라이더의 값에 따라 나타나는 오브젝트가 바뀌고 버튼을 사용하여 배경음악을 재생하는 프로그램

| 1 | '시작하기'를 누르면 프로그램을 안내하는 글이 나타나며 '확인'을 눌러 다음 장면으로 넘어갑니다. | 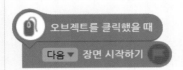 |

2

빛 센서값이 일정 값보다 커지면 밤에 주로 활동하는 동물을 소개하며, 그렇지 않으면 낮에 주로 활동하는 동물을 소개합니다. 슬라이더 센서값에 따라 다른 동물 오브젝트가 나타납니다.

```
만일  300 < 빛 감지▼ 센서값  이라면
    만일  0 ≤ 빛 감지▼ 센서값  그리고  256 < 빛 감지▼ 센서값  이라면
        부엉이는 올빼미와 비슷하지만 눈이 크고 머리 꼭대기에 귀 모양의 깃이 있어요. 주로 밤에 활동하고, 깃털이 부드러워 날아 다닐 때 거의 날개 소리가 나지 않아요.  라고 글쓰기
        선택동물▼ 를  밤 활동 동물 소개▼ 의 1 번째 항목  로 정하기

    만일  256 ≤ 빛 감지▼ 센서값  그리고  512 < 빛 감지▼ 센서값  이라면
        박쥐는 새처럼 날아다니는 포유류에요. 주로 밤에 활동하고 거꾸로 매달려 잠을 자거나 휴식을 취해요.  라고 글쓰기
        선택동물▼ 를  밤 활동 동물 소개▼ 의 2 번째 항목  로 정하기

    만일  512 ≤ 빛 감지▼ 센서값  그리고  768 < 빛 감지▼ 센서값  이라면
        뱀은 파충류로 몸이 가늘고 길어요. 주로 밤에 활동하고 두 가닥으로 나누어진 혀로 냄새를 맡아요.  라고 글쓰기
        선택동물▼ 를  밤 활동 동물 소개▼ 의 3 번째 항목  로 정하기

    만일  768 ≤ 빛 감지▼ 센서값  그리고  1023 < 빛 감지▼ 센서값  이라면
        여우는 꼬리가 길고 두꺼우며 털이 많아요. 주로 밤에 활동하고, 멸종위기 동물로 지정되어 보호받고 있어요.  라고 글쓰기
        선택동물▼ 를  밤 활동 동물 소개▼ 의 4 번째 항목  로 정하기
아니면
    만일  0 ≤ 빛 감지▼ 센서값  그리고  256 < 빛 감지▼ 센서값  이라면
        새끼를 낳지 않는 수컷 닭을 수탉이라고 해요. 주로 낮에 활동하고, 암탉보다 볏과 꼬리가 더 길어요.  라고 글쓰기
        선택동물▼ 를  낮 활동 동물 소개▼ 의 1 번째 항목  로 정하기

    만일  256 ≤ 빛 감지▼ 센서값  그리고  512 < 빛 감지▼ 센서값  이라면
        돼지는 주로 낮에 활동해요. 멧돼지보다 털이 적고 네 개의 짧은 다리를 가졌어요.  라고 글쓰기
        선택동물▼ 를  낮 활동 동물 소개▼ 의 2 번째 항목  로 정하기

    만일  512 ≤ 빛 감지▼ 센서값  그리고  768 < 빛 감지▼ 센서값  이라면
        사슴은 주로 낮에 활동하고 무리를 지어 생활해요. 암컷은 수컷보다 몸집이 약간 작고 뿔이 없어요.  라고 글쓰기
        선택동물▼ 를  낮 활동 동물 소개▼ 의 3 번째 항목  로 정하기

    만일  768 ≤ 빛 감지▼ 센서값  그리고  1023 < 빛 감지▼ 센서값  이라면
        다람쥐는 주로 낮에 활동하고 도토리, 밤 등을 즐겨 먹어요. 먹이를 운반하기 좋은 볼 주머니를 가지고 있어요.  라고 글쓰기
        선택동물▼ 를  낮 활동 동물 소개▼ 의 4 번째 항목  로 정하기
```

3	변숫값에 따라 선택된 동물 오브젝트가 나타나며 모양을 바꾸어 움직입니다.	장면이 시작되었을때 계속 반복하기 　선택동물 ▼ 값 = 밤 활동 동물 소개 ▼ 의 1 번째 항목 인 동안 ▼ 반복하기 　　모양 보이기 　　다음 ▼ 모양으로 바꾸기 　　0.5 초 기다리기 　모양 숨기기
4	재생, 일시 정지, 정지 버튼을 클릭하여 배경음악을 재생합니다.	오브젝트를 클릭했을 때 초시계 시작하기 ▼ 소리 저작권없는음악_신나는음악 ▼ 노래일시정지 ▼ 값 초 부터 저작권없는음악_신나는음악 ▼ 소리의 길이 초까지 재생하기 오브젝트를 클릭했을 때 초시계 정지하기 ▼ 노래일시정지 ▼ 를 초시계 값 로 정하기 모든 소리 멈추기 오브젝트를 클릭했을 때 모든 소리 멈추기 노래일시정지 ▼ 를 0 로 정하기 초시계 정지하기 ▼ 초시계 초기화하기 ▼

Step 1 🐾 **동물도감의 표지와 내지 만들기**

동물도감의 표지와 내지를 만들어봅시다. 2개의 장면을 만들고 필요한 오브젝트를 추가합니다.

❶ '장면 1'에서 '오브젝트 추가하기'를 클릭하여 '배경'–'기타'의 '책 배경'과 '인터페이스'의 '확인 버튼'을 선택한 후 '적용하기'를 클릭합니다.

❷ 글상자 오브젝트를 2개 추가하여 프로그램의 제목과 프로그램의 사용법을 안내하는 글귀를 추가합니다. 다른 오브젝트와의 위치를 고려하여 크기를 조절합니다.

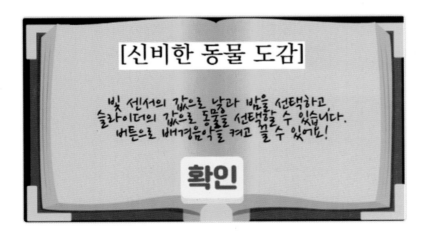

❸ 확인 버튼 오브젝트를 클릭하면 다음 장면으로 넘어가도록 만듭니다. [시작]의 오브젝트를 클릭했을 때 블록과 '다음' 장면 시작하기 블록을 가져와 연결해줍니다.

❹ '장면 1' 옆의 를 클릭하여 새로운 장면을 만듭니다. 새로 만든 '장면 2'에도 '오브젝트 추가하기'를 클릭하여 '책 배경'과 다음과 같이 필요한 오브젝트를 추가합니다.

배경 및 인터페이스   낮에 주로 활동하는 동물   밤에 주로 활동하는 동물

❺ 각 동물을 소개하는 문구를 출력할 글상자 오브젝트와 음악을 재생하는 데 사용할 버튼 오브젝트는 크기를 조절하여 위치를 정해줍니다.

❻ 동물 오브젝트가 움직이는 효과를 낼 수 있도록 각 오브젝트의 모양이 여러 개인지 확인합니다. 만약 모양이 1개인 오브젝트는 모양을 복제한 후 새롭게 그림을 그리거나 오브젝트를 회전하여 다른 모양을 만듭니다.

모양이 여러 개인 오브젝트 예	모양이 1개인 오브젝트의 경우 모양 추가하기
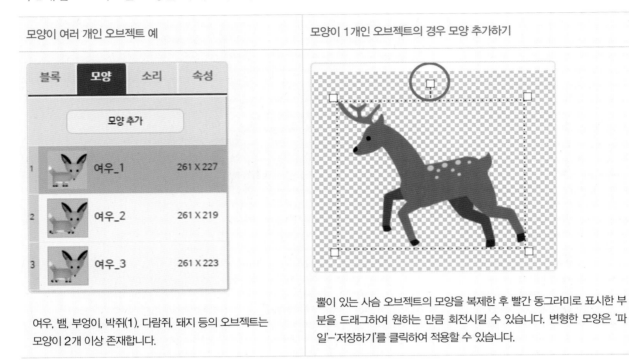	
여우, 뱀, 부엉이, 박쥐(1), 다람쥐, 돼지 등의 오브젝트는 모양이 2개 이상 존재합니다.	뿔이 있는 사슴 오브젝트의 모양을 복제한 후 빨간 동그라미로 표시한 부분을 드래그하여 원하는 만큼 회전시킬 수 있습니다. 변형한 모양은 '파일'-'저장하기'를 클릭하여 적용할 수 있습니다.

Step 2 🔑 빛 센서와 슬라이더로 나타나는 동물 구분하기

빛 센서를 사용하여 주변이 밝으면 주로 낮에 활동하는 동물이, 주변이 어두우면 주로 밤에 활동하는 동물이 나타나도록 만들어봅시다. 또 슬라이더의 위치로 4가지 동물이 번갈아 나타나도록 해봅시다.

❶ 글상자 오브젝트를 클릭한 후, 빛 센서값을 사용하기 위해 [하드웨어]의 '빛 감지' 센서값 블록을 가져와 [흐름]의 만일 '참'이라면 ~ 아니면 블록, '10' < '10' 블록과 연결합니다. E-센서보드의 빛 센서의 경우 주변이 어두워지면 값이 커지므로 적절한 기준값을 입력하여 부등식을 완성합니다.

❷ 슬라이더 값의 범위에 따라 다른 오브젝트가 보일 수 있도록 해당 오브젝트가 보여질 슬라이더 값의 범위를 정할 수 있습니다.

구분 \ 슬라이더 값	0 이상 255 미만	255 이상 512 미만	512 이상 768 미만	768 이상 1023 이하
낮	수탉	돼지	사슴	다람쥐
밤	부엉이	박쥐	뱀	여우

❸ 빛 센서값과 슬라이더 값에 따라 해당 동물 오브젝트가 나타날 수 있도록 플래그 역할을 하는 '선택동물' 변수를 만들어봅시다. 리스트를 사용하여 플래그 값을 미리 지정해놓을 수 있습니다.

변수	리스트	
? 선택동물 변수 보이기 ☐ 기본값 [0] 슬라이드 ☐ 최솟값 [0]　최댓값 [100]	**≣ 낮 활동 동물 소개** 리스트 보이기 ☐ 리스트 항목 수 ▬ [4] ➕ 1 수탉 ✕ 2 돼지 ✕ 3 사슴 ✕ 4 다람쥐 ✕	**≣ 밤 활동 동물 소개** 리스트 보이기 ☐ 리스트 항목 수 ▬ [4] ➕ 1 부엉이 ✕ 2 박쥐 ✕ 3 뱀 ✕ 4 여우 ✕

❹ 만일 '참' 이라면 블록을 사용하여 슬라이더 값의 범위를 정합니다. 슬라이더 값을 사용하기 위해 [하드웨어]의 '슬라이더' 센서값 블록 2개와 '10' < '10' 블록 2개, '참' 그리고 '참' 블록을 가져옵니다. 먼저 '10' < '10' 블록의 앞 '10'은 '0'으로, 뒤의 '10' 자리에는 '슬라이더' 센서값 블록을 넣어주고 부등호는 '≤'로 바꿔줍니다. 그리고 나머지 '10' < '10' 블록의 앞 '10'은 '256'으로, 뒤의 '10' 자리에는 마찬가지로 '슬라이더' 센서값 블록을 넣어줍니다. 이렇게 조립한 2개의 명령어 블록을 '참' 그리고 '참' 블록의 '참'의 자리에 각각 넣어줍니다.

❺ 해당 범위에 맞는 동물 오브젝트를 소개하기 위하여 [글상자] 블록 꾸러미의 '엔트리'라고 글쓰기 블록을 가져와 적절한 소개말을 입력합니다.

동물	소개말 예
부엉이	부엉이는 올빼미와 비슷하지만 눈이 크고 머리 꼭대기에 귀 모양의 깃이 있어요. 주로 밤에 활동하고, 깃털이 부드러워 날아다닐 때 거의 날개 소리가 나지 않아요.
박쥐	박쥐는 새처럼 날아다니는 포유류예요. 주로 밤에 활동하고 거꾸로 매달려 잠을 자거나 휴식을 취해요.
뱀	뱀은 파충류로 몸이 가늘고 길어요. 주로 밤에 활동하고 두 가닥으로 나누어진 혀로 냄새를 맡아요.
여우	여우는 꼬리가 길고 두꺼우며 털이 많아요. 주로 밤에 활동하고, 멸종위기 동물로 지정되어 보호받고 있어요.
수탉	새끼를 낳지 않는 수컷 닭을 수탉이라고 해요. 주로 낮에 활동하고, 암탉보다 볏과 꼬리가 더 길어요.
돼지	돼지는 주로 낮에 활동해요. 멧돼지보다 털이 적고 네 개의 짧은 다리를 가졌어요.
사슴	사슴은 주로 낮에 활동하고 무리를 지어 생활해요. 암컷은 수컷보다 몸집이 약간 작고 뿔이 없어요.
다람쥐	다람쥐는 주로 낮에 활동하고 도토리, 밤 등을 즐겨 먹어요. 먹이를 운반하기 좋은 볼 주머니를 가지고 있어요.

❻ 해당 범위에 맞는 동물 오브젝트가 나타나도록 플래그 변숫값을 지정해줍니다. 리스트에 저장된 값을 불러오기 위해 [자료]의 '리스트'의 '1'번째 항목 블록을 사용합니다.

❼ 각 범위에 해당하는 동물이 소개될 수 있도록 ❻에서 조립한 명령어 블록을 복사하여 코드를 완성할 수 있습니다. 다음은 주로 낮에 활동하는 동물 소개 명령어 블록의 예입니다.

만일 ⟨ 0 ≤ 슬라이더▼ 센서값 그리고 256 < 슬라이더▼ 센서값 ⟩ 이라면
　새끼를 낳지 않는 수컷 닭을 수탉이라고 해요. 주로 낮에 활동하고, 암탉보다 볏과 꼬리가 더 길어요. 라고 글쓰기
　선택동물▼ 를 낮 활동 동물 소개▼ 의 1 번째 항목 로 정하기

만일 ⟨ 256 ≤ 슬라이더▼ 센서값 그리고 512 < 슬라이더▼ 센서값 ⟩ 이라면
　돼지는 주로 낮에 활동해요. 멧돼지보다 털이 적고 네 개의 짧은 다리를 가졌어요. 라고 글쓰기
　선택동물▼ 를 낮 활동 동물 소개▼ 의 2 번째 항목 로 정하기

만일 ⟨ 512 ≤ 슬라이더▼ 센서값 그리고 768 < 슬라이더▼ 센서값 ⟩ 이라면
　사슴은 주로 낮에 활동하고, 무리를 지어 생활해요. 암컷은 수컷보다 몸집이 약간 작고, 뿔이 없어요. 라고 글쓰기
　선택동물▼ 를 낮 활동 동물 소개▼ 의 3 번째 항목 로 정하기

만일 ⟨ 768 ≤ 슬라이더▼ 센서값 그리고 1023 ≤ 슬라이더▼ 센서값 ⟩ 이라면
　다람쥐는 주로 낮에 활동하고, 도토리, 밤 등을 즐겨 먹어요. 먹이를 운반하기 좋은 볼주머니를 가지고 있어요. 라고 글쓰기
　선택동물▼ 를 낮 활동 동물 소개▼ 의 4 번째 항목 로 정하기

다음은 주로 밤에 활동하는 동물 소개 명령어 블록의 예입니다.

만일 ⟨ 0 ≤ 슬라이더▼ 센서값 그리고 256 < 슬라이더▼ 센서값 ⟩ 이라면
　부엉이는 올빼미와 비슷하지만 눈이 크고 머리 꼭대기에 귀 모양의 깃이 있어요. 주로 밤에 활동하고, 깃털이 부드러워 날아다닐 때 거의 날개소리가 나지 않아요. 라고 글쓰기
　선택동물▼ 를 밤 활동 동물 소개▼ 의 1 번째 항목 로 정하기

만일 ⟨ 256 ≤ 슬라이더▼ 센서값 그리고 512 < 슬라이더▼ 센서값 ⟩ 이라면
　박쥐는 새처럼 날아다니는 포유류에요. 주로 밤에 활동하고, 거꾸로 매달려 잠을 자거나 휴식을 취해요. 라고 글쓰기
　선택동물▼ 를 밤 활동 동물 소개▼ 의 2 번째 항목 로 정하기

만일 ⟨ 512 ≤ 슬라이더▼ 센서값 그리고 768 < 슬라이더▼ 센서값 ⟩ 이라면
　뱀은 파충류로 몸이 가늘고 길어요. 주로 밤에 활동하고, 두 가닥으로 나뉘어진 혀로 냄새를 맡아요. 라고 글쓰기
　선택동물▼ 를 밤 활동 동물 소개▼ 의 3 번째 항목 로 정하기

만일 ⟨ 768 ≤ 슬라이더▼ 센서값 그리고 1023 ≤ 슬라이더▼ 센서값 ⟩ 이라면
　여우는 꼬리가 길고 두꺼우며 털이 많아요. 주로 밤에 활동하고, 멸종위기 동물로 지정되어 보호받고 있어요. 라고 글쓰기
　선택동물▼ 를 밤 활동 동물 소개▼ 의 4 번째 항목 로 정하기

❽ ❶에서 연결한 명령어 블록에 **❼**에서 완성한 명령어 블록을 적절하게 조립해줍니다. 센서값을 계속 확인할 수 있도록 계속 반복하기 블록을 사용할 수 있습니다.

❾ 각 동물 오브젝트는 플래그 값을 계속 확인하여 해당 플래그 값이 되었을 때 오브젝트가 나타나도록 만들 수 있습니다. [흐름]의 `'참' 인 동안 반복하기` 블록과 `'2'초 기다리기` 블록을 사용하여 오브젝트의 모양이 움직이도록 만들 수 있습니다.

다음은 부엉이 오브젝트의 명령어 블록 예입니다. 다른 동물도 이처럼 작성해주세요.

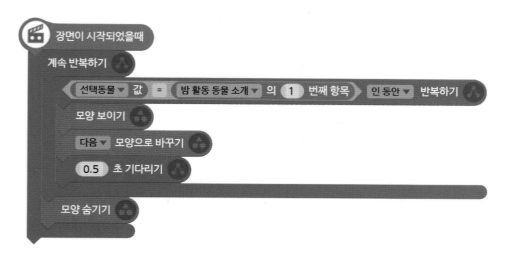

Step 3 🚀 버튼 오브젝트를 사용하여 음악 재생하기

동물도감의 배경음악으로 넣을 음악 파일을 추가하여 재생, 일시 정지, 정지 버튼에 따라 음악이 재생되도록 만들어봅시다.

❶ 먼저 일시 정지 기능을 만들기 위해 음악이 정지된 시점을 기억할 변수를 만듭니다. 여기서 변수 이름은 '노래일시정지'로 만듭니다.

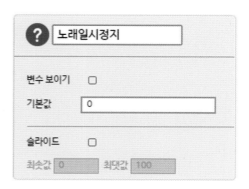

❷ 재생 버튼 오브젝트를 클릭한 후 [시작]의 `오브젝트를 클릭했을 때` 블록과 해당 버튼을 누르면 초시계가 시작하도록 [계산]의 `초시계 시작하기` 블록을 가져와 연결합니다.

❸ 재생하려는 소리 파일을 추가합니다. '소리' 탭의 '소리' 추가를 클릭한 후 '파일 업로드'를 클릭하여 원하는 음악 파일을 추가할 수 있습니다. 소리 파일은 재생, 일시 정지, 정지 버튼 오브젝트에 각각 추가해야 합니다. 소리 파일을 추가한 후 [소리]에서 `소리 '저작권없는음악_신나는음악' '1' 초부터 '10'초까지 재생하기` 블록을 가져옵니다.

❹ 재생 시간을 기억해 둘 '노래재생시간' 변숫값을 사용하기 위하여 [자료]의 `'노래일시정지' 값` 블록을 블록 조립소로 가져옵니다. 또한 불러온 음악 파일의 끝까지 소리가 재생될 수 있도록 [계산]의 `'~' 소리의 길이` 블록을 가져와 ❸에서 가져온 명령어 블록과 함께 연결합니다.

❺ 일시 정지 버튼 오브젝트를 클릭한 후 `오브젝트를 클릭했을 때` 블록을 가져옵니다. 해당 버튼을 누르면 초시계를 멈추고 버튼을 누르기까지 재생된 음악 시간을 저장해야 합니다. [자료]의 `'노래일시정지'를 '10'로 정하기` 블록과 [계산]의 `초시계 값` 블록을 다음과 같이 조립합니다.

❻ 일시 정지 버튼 오브젝트를 눌렀을 때, 음악 재생을 멈추기 위하여 [소리]의 ⟨모든 소리 멈추기⟩ 블록을 가져와 ❺의 명령어 블록 아래에 연결합니다.

❼ 정지 버튼 오브젝트를 클릭한 후 ⟨오브젝트를 클릭했을 때⟩ 블록을 가져옵니다. 해당 버튼 오브젝트를 누르면 모든 소리가 멈추도록 ⟨모든 소리 멈추기⟩ 블록을 가져와 연결합니다.

❽ '노래일시정지' 변숫값을 '0'으로 초기화하여 재생 버튼을 클릭했을 때 음악을 처음부터 재생할 수 있도록 설정합니다.

❾ 노래를 정지함에 따라 음악 재생 시간을 기억하기 위해 사용했던 초시계도 초기화해야 합니다. 초시계를 정지하고, 초기화할 수 있도록 [계산]의 초시계 명령어 블록을 가져와 다음과 같이 연결하여 완성합니다.

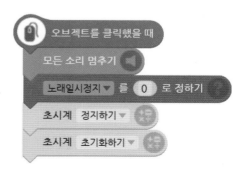

꼭 기억해요

지금까지 배운 내용을 정리해봅시다. 다음 요점 정리를 읽고 이해가 되지 않는 내용이 있다면 14장을 다시 한 번 살펴봅시다.

Point 1 ▶ 자료를 정리하는 기준 정하기

✦ 다양한 자료를 관리하기 위하여 기준을 설정할 수 있습니다.

✦ 동물도감을 만들기 위해 다양한 동물의 자료를 수집한 후 크기, 먹이의 종류, 주 활동 시간 등을 기준으로 분류할 수 있습니다.

✦ 일정한 기준을 정하여 자료를 정리한다면 원하는 자료를 찾거나 추가, 수정, 삭제하는 등의 관리에 도움이 됩니다.

Point 2 ▶ 플래그 사용하기

✦ 특정 상태를 알려주는 역할을 하는 표시를 플래그(flag)라고 합니다.

✦ 컴퓨터에서 프로그램을 실행하면서 플래그에 값을 표시하여 명령어의 실행을 제어할 수 있습니다.

✦ 변숫값을 특정 상태를 의미하는 플래그로 사용할 수 있습니다

Point 3 ▶ 음악 파일 다운받아 사용하기

✦ '소리' 탭의 '소리 추가'−'파일 업로드'를 클릭하여 소리 파일을 추가하여 사용할 수 있습니다.

✦ 일상생활 속에는 노래, 그림, 소프트웨어 등 다양한 형태의 저작물이 사용되고 있습니다. 하지만 저작물을 만든 사람의 허락 없이 마음대로 사용하는 것은 다른 사람의 저작권을 침해하는 행위입니다. 단, 교육적인 목적으로 돈을 버는 행위가 아닌 경우에만 정당한 대가를 치른 저작물은 내가 만든 프로그램에 사용할 수 있습니다.

✦ 한국저작권위원회의 공유마당 사이트(https://gongu.copyright.or.kr/)를 사용하거나 '저작권 없는 음악(NCS, No Copyright Sound)'을 검색하여 다른 사람의 저작권을 침해하지 않는 범위에서 음악 파일을 다운로드 받아 사용할 수 있습니다.

도전해봅시다 ⚙️

지금까지 배운 내용을 잘 이해했나요? 이제 배운 내용을 참고하여 도전과제를 해결해봅시다. '도전해봅시다'의 문제 풀이는 PDF로 제공됩니다. 한빛미디어(http://www.hanbit.co.kr)에 접속한 다음 상단의 검색 아이콘을 눌러서 '엔트리, 피지컬 컴퓨팅을 만나다'를 입력해서 검색해주세요. 검색해 나온 책 모양을 클릭한 다음 도서 표지 하단의 [부록/예제소스]를 클릭하면 파일을 받으실 수 있습니다.

도전과제 1 ▶ 슬라이더로 원하는 위치를 선택하여 음악을 재생하는 프로그램 만들기 (난이도 ★)

슬라이더를 사용하여 재생하려는 음악 파일의 위치를 선택하여 해당 위치부터 음악을 재생하는 프로그램을 만들어봅시다.

1 재생에 사용할 버튼 역할의 오브젝트를 추가합니다.

2 재생을 원하는 음악 파일을 추가합니다.

3 슬라이더 센서값의 범위와 추가한 음악 파일의 재생 시간이 비례하도록 값을 변환합니다.

> **Hint** [하드웨어]의 `'센서' 값의 범위를 '0'~'1023'에서 '0'~'100'(으)로 바꾼값` 블록을 사용할 수 있습니다.

4 오브젝트를 클릭하면 슬라이더 센서값에 해당하는 시간부터 음악이 재생되도록 합니다.

5 오브젝트를 클릭할 때마다 재생되던 소리가 겹쳐서 나타나지 않도록 합니다.

6 자신이 만든 프로그램을 엔트리 홈페이지에 업로드 해보고 친구들과 서로 평가해봅시다.

도전과제 2 ▶ 여러 개의 플래그를 사용하여 스마트 홈 프로그램 만들기 (난이도 ★★)

여러 개의 가전제품 오브젝트를 클릭하여 각각 켜고 끌 수 있도록 만들어봅시다. 또한 엔터 키를 사용하여 전체 가전제품을 켜고 끌 수 있도록 만들어봅시다. 이때 각 가전제품의 상태를 플래그로 나타내봅시다.

1 '배경'–'실내'의 '초록 방', '물건'–'생활'의 '전등', 'TV', '히터'를 추가합니다.

2 초록 방 오브젝트와 어울리도록 각 오브젝트의 크기와 위치를 적절하게 조절합니다.

3 각 가전제품의 상태를 플래그 값으로 표현하기 위하여 변수를 만듭니다.

> **Hint** 각 가전제품의 상태를 의미하는 3개의 변수와 전체 전원 상태를 의미하는 1개의 변수를 만들 수 있습니다.

4 각 가전제품 오브젝트를 클릭하면 플래그 값에 따라 켜짐 모양과 꺼짐 모양으로 바뀌도록 만듭니다.

> **Hint** 플래그 값이 0이면 전원이 꺼진 상태, 1이면 전원이 켜진 상태를 의미하도록 만들어봅시다.

5 엔터 키를 사용하여 전체 전원을 관리하도록 만듭니다. 전체 전원에 변화가 생길 때마다 각 오브젝트의 플래그 값도 변하도록 만듭니다.

> **Hint** 예를 들어, 전체 전원이 꺼짐 상태로 바뀌면 켜짐 상태인 오브젝트는 꺼짐 상태로, 꺼짐 상태인 오브젝트는 그대로 꺼짐 상태가 유지되도록 만들어봅시다.

6 자신이 만든 프로그램을 엔트리 홈페이지에 업로드 해보고 친구들과 서로 평가해봅시다.

도전과제 3 ▶ **빛 센서, 슬라이더, 변수, 초시계를 이용한 나만의 작품 제작하기 (난이도 ★★★)**

1 빛 센서와 슬라이더, 변수, 초시계를 모두 이용하여 나만의 작품을 제작해봅시다. 내가 만들 프로그램의 기능 및 특징을 글과 그림으로 표현해봅시다.

2 자신이 만든 프로그램을 엔트리 홈페이지에 업로드 해보고 친구들과 서로 평가해봅시다.

4

피지컬 컴퓨팅
확장하기

15장. 햄스터 로봇 살펴보기

🖋 이런 것을 배워요

* 햄스터 로봇의 특징에 대해 알아봅시다.
* 햄스터 로봇과 PC를 연결해봅시다.
* 햄스터 로봇과 엔트리를 연결하여 로봇을 움직여봅시다.

🖋 도움이 필요해요

소하는 집에서 애완동물로 햄스터를 키웁니다. 방과 후 집에 와 귀여운 햄스터랑 놀다보면 어느 새 밤이 되곤 합니다. 며칠 전 친구에게 작고 귀여운 햄스터를 자랑했더니 친구도 햄스터가 있다며 보여준다 했습니다. 며칠 뒤 친구가 가져온 햄스터는 살아있는 동물이 아닌 로봇이었습니다. 친구가 햄스터 로봇에게 엔트리로 명령을 내리니 햄스터 로봇이 명령어 따라 움직였습니다. 소하는 너무 신기해서 친구에게 햄스터 로봇을 빌려 집에서 작동해보기로 했습니다.

소하는 햄스터 로봇의 작동법을 익혀 자신이 원하는 대로 움직이게 할 수 있을까요?

🎗 미리 생각해봐요

여러분도 로봇이 있다면 정말 좋겠죠? 햄스터 로봇에는 어떤 기능이 있을지 상상하며 그림 혹은 글로 표현해봅시다.

 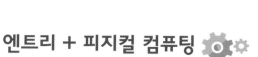

⚙ 피지컬 컴퓨팅 프로그래밍 기본

소하의 고민을 해결하기 위해서는 햄스터 로봇의 특징에 대해 알아야 합니다. 다음의 내용을 살펴보며 햄스터 로봇에 대해 하나하나 배워봅시다.

Check 1 **햄스터 로봇이란 무엇인가요?**

Check 2 **햄스터 로봇을 작동하려면 어떻게 해야 하나요?**

Check 3 **햄스터 로봇에는 어떤 입출력 기능이 있나요?**

Check 1 █ **햄스터 로봇이란 무엇인가요?**

여러분은 햄스터에 대해 잘 알고 있나요? 햄스터는 작고 귀여워 사람들이 애완동물로 많이 기르고 있습니다. 그런데 소프트웨어 교육용 햄스터 로봇이 있다는 것도 알고 있나요? 지금부터 햄스터 로봇에 대해 자세히 살펴보도록 합시다.

햄스터는 코딩을 통해 제어할 수 있는 교육용 로봇입니다. 이름에서 알 수 있듯이 전체 무게가 약 30g 정도며 길이도 가장 긴 쪽이 4cm로 아주 작지만, 매우 다양한 기능을 가지고 있습니다. 전방 근접 센서로 물체를 감지하고 바닥 센서로 바닥의 선을 따라갈 수 있습니다. 또 7가지 LED 색을 켜고 버저 음으로 노래를 연주할 수도 있습니다.

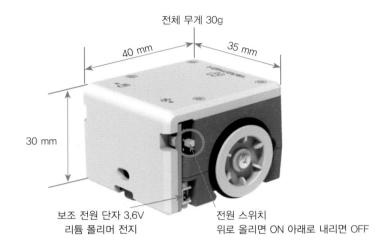

전체 무게 30g

40 mm

35 mm

30 mm

보조 전원 단자 3.6V
리튬 폴리머 전지

전원 스위치
위로 올리면 ON 아래로 내리면 OFF

햄스터는 PC와 유선 또는 무선으로 연결하여 사용할 수 있습니다. 만약 무선으로 연결하려면 다음과 같은 USB 동글을 PC에 설치해야 합니다.

USB to BLE Bridge

햄스터 로봇은 자체 배터리를 가지고 있어 충전되면 스스로 움직일 수 있습니다.

또한 햄스터 로봇에는 자율 행동 모드가 탑재되어 있어 블루투스 연결 없이 스스로 작동할 수 있습니다. 햄스터 로봇에는 2개의 DC 모터가 내장되어 있어서 원하는 방향으로 이동할 수 있습니다.

햄스터 로봇에 탑재된 센서는 다음과 같습니다.

전방 거리 센서(2), DC 기어드 모터(2),
바닥 센서(2), 7색 LED(2), 3축 가속도
센서(2), 버저(피에조 스피커), 조도 센서,
확장 포트(2), 내부 온도 센서

Check 2 **햄스터 로봇을 작동하려면 어떻게 해야 하나요?**

햄스터 로봇을 움직이게 하려면 소프트웨어를 설치해야 합니다. 소프트웨어는 햄스터 로봇의 전원을 켜기 전, PC에 연결하기 전에 설치해야 합니다.

설치해야 할 소프트웨어는 크게 두 가지로 나눌 수 있습니다. 햄스터 로봇과 연결되어 로봇을 실제로 제어하기 위한 프로그램과 우리가 햄스터 로봇에게 내린 명령을 전달하는 프로그램입니다. 우리가 사용하던 엔트리를 통해 햄스터 로봇에게 명령을 전달할 수 있습니다.

먼저 햄스터 로봇을 실제로 제어하기 위한 프로그램을 설치한 후 엔트리와 햄스터 로봇을 연결하여 간단한 동작을 실행해보겠습니다.

❶ 햄스터 로봇을 제어하는 프로그램을 설치합니다. 인터넷 주소창에 'http://hamster.school/ko/'라고 입력한 뒤 '다운로드'를 클릭하세요.

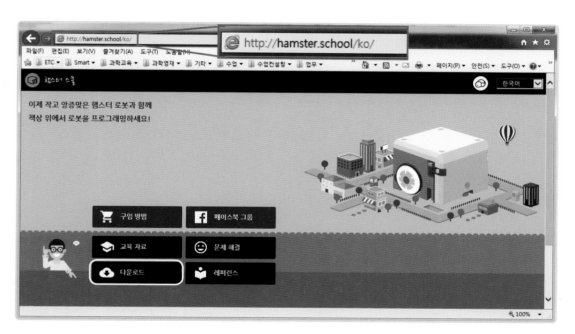

❷ '로봇 코딩 소프트웨어: 스크래치+엔트리+플레이봇+자바스크립트'의 '내려 받기' 항목에서 자신의 PC 환경에 맞는 설치 프로그램을 다운로드합니다.

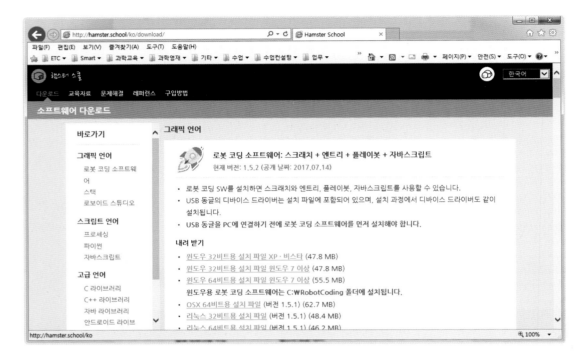

설치 파일에는 로봇 코딩 소프트웨어와 USB 동글 드라이버가 모두 포함되어 있습니다. 로봇 코딩 소프트웨어도 엔트리처럼 햄스터 로봇을 제어할 수 있는 프로그램입니다.

참고로 로봇 코딩 소프트웨어의 설치 경로는 C:\RobotCoding 폴더입니다.

❸ 프로그램 설치가 완료되면 햄스터 로봇과 PC를 연결합니다. USB 동글을 PC에 꽂습니다. USB 동글의 블루투스 연결 표시등이 파란색으로 천천히 깜박이면 제어 프로그램이 정상적으로 설치된 것입니다.

❹ 햄스터 로봇의 전원 스위치를 올려 전원을 켜줍니다. 맨 처음 연결할 때에는 페어링을 해줍니다. 이때 햄스터 로봇과 USB 동글 간의 거리를 약 15cm 이내로 유지합니다. 햄스터 로봇에서 '삑' 소리가 나고 햄스터 로봇과 USB 동글의 블루투스 연결 표시등이 파란색으로 계속 켜져 있거나 빠르게 깜박이면 정상적으로 페어링 된 것입니다.

페어링(pairing)이란?

페어링이란 블루투스 기기를 서로 연결하여 작동할 수 있도록 해주는 과정입니다. 처음 공장에서 출시된 햄스터 로봇과 USB 동글은 페어링이 되어 있지 않기 때문에 명령을 주고받을 수 없습니다. 따라서 페어링을 통해 햄스터 로봇과 USB 동글이 서로 명령을 주고받을 수 있도록 해줘야 합니다. 참고로 USB 동글을 PC에 꽂는 이유는 전원을 공급해주기 위함입니다. 한 번 페어링하면 추가로 할 필요가 없으며 만약 햄스터 로봇이나 USB 동글이 변경된 경우에만 다시 페어링해주면 됩니다.

❺ 바탕 화면의 '엔트리 하드웨어' 아이콘에 마우스 오른쪽 버튼을 클릭한 후 관리자 권한으로 실행합니다.

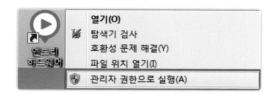

❻ 엔트리 하드웨어 연결프로그램을 실행 후 '햄스터'를 선택합니다.

7 하드웨어가 연결되면 다음과 같은 화면이 나옵니다.

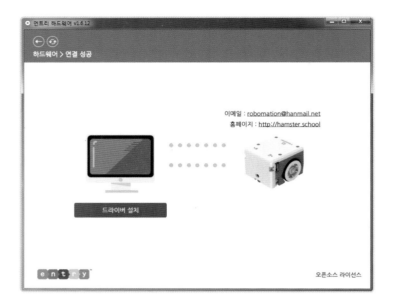

8 엔트리 하드웨어 연결 드라이버 설치 후 엔트리에 접속합니다.

9 정상적으로 연결이 되었다면 엔트리 접속 후 [하드웨어] 블록 꾸러미에 다음과 같이 맨 위에 '하드웨어가 연결되었습니다.'라는 메시지가 보이고 햄스터 로봇에서 사용하는 명령어 블록들이 보입니다.

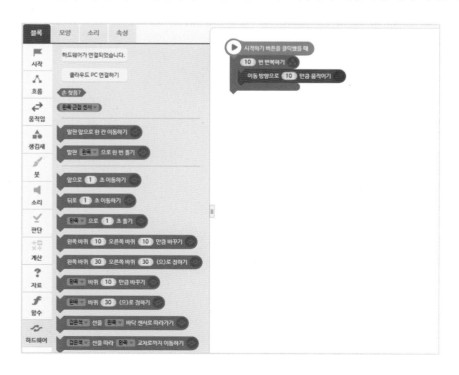

Check 3 **햄스터 로봇에는 어떤 입출력 기능이 있나요?**

햄스터 로봇은 소프트웨어 교육을 위해 개발된 작고 다양한 기능의 로봇으로 각종 입력 장치와 출력 장치를 갖추고 있습니다.

햄스터 로봇의 출력 장치는 LED, 스피커, 모터 등 총 3개이며 LED는 7가지 색을 표현할 수 있습니다.

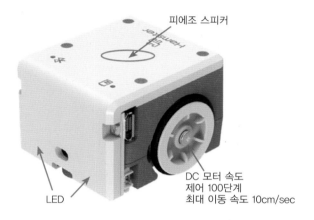

그리고 전방, 바닥, 가속도, 온도를 감지할 수 있는 4개의 입력 장치가 있습니다.

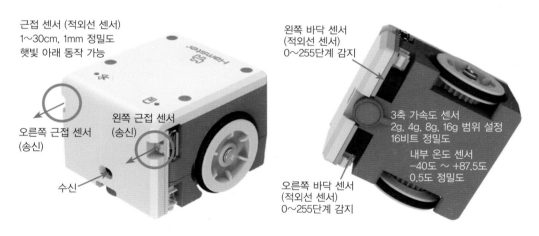

전방 근접 센서는 왼쪽과 오른쪽에 각각 1개 있으며 바닥 센서도 바닥 왼쪽과 오른쪽에 각각 1개 있습니다.

그리고 내부 온도 센서와 가속도 센서가 바닥에 각각 1개 있습니다.

핵심 블록 알아보기

앞으로 1 초 이동하기	입력한 시간(초) 동안 앞으로 이동합니다.
왼쪽 ▾ 으로 1 초 돌기	입력한 시간(초) 동안 왼쪽(또는 오른쪽) 방향으로 제자리에서 회전합니다.
왼쪽 바퀴 10 오른쪽 바퀴 10 만큼 바꾸기	왼쪽과 오른쪽 바퀴의 현재 속도값(%)에 입력한 값을 각각 더합니다. 더한 결과가 양수값이면 바퀴가 앞으로 회전하고, 음수값이면 뒤로 회전합니다.

⚙ 피지컬 컴퓨팅 실전

햄스터 로봇의 기본적인 작동 방법을 익혀봅시다.

다음은 우리가 만들 프로그램의 제작 순서입니다. 순서를 보고 프로그램을 직접 만들어봐도 좋습니다.

햄스터 로봇의 기본적인 작동 방법

1	앞뒤로 이동 및 회전합니다.	시작하기 버튼을 클릭했을 때 왼쪽 ▾ 바퀴 10 만큼 바꾸기
2	손을 감지하고 방향을 바꿉니다.	시작하기 버튼을 클릭했을 때 손 찾음? 이 될 때까지 ▾ 반복하기 왼쪽 바퀴 30 오른쪽 바퀴 30 (으)로 정하기 정지하기
3	도형의 모양을 따라 이동합니다.	시작하기 버튼을 클릭했을 때 4 번 반복하기 앞으로 2 초 이동하기 왼쪽 ▾ 으로 1 초 돌기

Step 1  앞뒤 이동 및 회전하기

햄스터 로봇을 앞뒤로 이동시켜봅시다.

❶ 엔트리를 실행한 후 블록 조립소에서 `시작하기 버튼을 클릭했을 때` 블록만 남기고 모두 삭제합니다.

❷ [하드웨어]의 `앞으로 '1'초 이동하기` 블록을 가져와 `시작하기 버튼을 클릭했을 때` 블록 아래에 연결합니다.

❸ '시작하기'를 클릭하면 햄스터 로봇이 앞으로 1초간 이동합니다. 만약 뒤로 이동하게 하려면 [하드웨어]의 `뒤로 '1'초 이동하기` 블록으로 바꾸면 됩니다.

그럼 이번에는 햄스터 로봇을 연속해서 앞뒤로 움직이게 해봅시다.

❶ `시작하기 버튼을 클릭했을 때` 블록을 남기고 다른 블록은 삭제합니다.

❷ [하드웨어]의 `왼쪽 바퀴 '10' 오른쪽 바퀴 '10'만큼 바꾸기` 블록을 가져와 ❶의 명령어 블록 아래에 연결합니다.

❸ '시작하기'를 클릭하면 햄스터 로봇이 연속해서 움직입니다. 만약 햄스터 로봇을 더 빠르게 움직이게 하려면 어떻게 해야 할까요? `왼쪽 바퀴 '10' 오른쪽 바퀴 '10'만큼 바꾸기` 블록 안의 숫자를 다음과 같이 10보다 크게 변경하면 됩니다.

이번에는 햄스터 로봇이 제자리에서 회전하도록 명령을 내려보겠습니다.

1 시작하기 버튼을 클릭했을 때 블록만 남기고 다른 블록은 삭제합니다.

2 [하드웨어]에서 '왼쪽'으로 '1'초 돌기 블록을 가져와 아래에 연결합니다.

3 '시작하기'를 클릭하면 햄스터 로봇이 왼쪽으로 1초간 회전합니다.

 **4** '왼쪽'으로 '1'초 돌기 블록 대신 [하드웨어]의 '왼쪽' 바퀴 '10'만큼 바꾸기 블록을 연결합니다. 그러면 햄스터 로봇은 왼쪽과 오른쪽 중 어느 쪽으로 회전할까요?

왼쪽 바퀴만 '10'만큼 움직이고 오른쪽 바퀴는 움직이지 않으므로 오른쪽으로 연속해서 회전하게 됩니다. 이때 블록 안의 숫자를 크게 하면 크게 할 수록 속도는 더 빨라집니다. 만약 입력되는 값이 0보다 작으면 반대 방향으로 회전합니다.

Step 2 🚗 손 감지하고 멈추기

햄스터 로봇에는 전방 거리 센서가 2개 있어 앞에 사람이나 사물을 감지할 수 있습니다. 이 기능을 이용하여 햄스터 로봇이 사람 손에 반응하도록 해보겠습니다. 손 찾음? 블록을 이용하여 일정한 조건이 될 때까지 햄스터 로봇이 앞으로 전진하도록 만들어봅시다.

1 계속해서 전방에 물체가 있는지 감지하기 위해 [흐름]의 '참'이 될 때까지 반복하기 블록을 블록 조립소로 가져와 시작하기 버튼을 클릭했을 때 블록 아래에 연결합니다.

2 [하드웨어]의 손 찾음? 블록을 '참'의 위치에 넣어줍니다. 그러면 다음과 같이 '참' 항목이 손 찾음? 블록으로 변경됩니다.

❸ 손찾음? 이 될 때까지 반복하기 블록 안에 햄스터 로봇을 움직이게 하는 명령어 블록을 추가합니다. [하드웨어]의 왼쪽 바퀴 '30' 오른쪽 바퀴 '30'(으)로 정하기 블록을 다음과 같이 변경하여 조립합니다.

❹ '시작하기'를 클릭한 후 손을 햄스터 로봇 앞으로 가져가 봅시다. 햄스터 로봇이 제대로 멈추나요? 멈추지 않는다면 그 이유는 무엇일까요? ❸의 명령어 블록을 잘 살펴보면 조건이 맞지 않을 때 실행하는 명령어 블록이 없다는 걸 알 수 있습니다.

❺ ❹의 문제를 해결하기 위해 [하드웨어]에서 정지하기 블록을 가져다 손찾음? 이 될 때까지 반복하기 블록 바깥쪽에 왼쪽과 같이 연결합니다.

❻ '시작하기'를 클릭한 후 햄스터 로봇 앞에 손을 가져다 놓으면 움직이던 햄스터 로봇이 손을 감지하고 움직임을 멈춥니다. 이때 손을 너무 가까이 가져가면 제대로 인식되지 않습니다.

Step 3 🚙 도형 모양 따라 이동하기

햄스터 로봇을 일정한 모양대로 움직이게 할 수 있을까요? 햄스터 로봇을 정사각형 모양으로 일정하게 움직이게 하려면 어떤 명령어 블록을 사용해야 할까요? 앞으로 '1'초 이동하기 블록과 '왼쪽'으로 '1'초 돌기 블록을 이용하여 햄스터 로봇을 직사각형 모양대로 움직이도록 해봅시다.

❶ 앞으로 '1'초 이동하기 블록과 '왼쪽'으로 '1'초 돌기 블록을 순서대로 연결합니다. 앞으로 2초간 이동하도록 '1'을 '2'로 변경합니다. '시작하기'를 클릭하면 햄스터 로봇이 앞으로 2초간 이동한 후 왼쪽으로 1초 돌아가는 걸 볼 수 있습니다.

❷ 직사각형 모양으로 움직이려면 ❶의 명령어 블록을 반복적으로 수행해야겠죠? [흐름]의 `'10'번 반복하기` 블록을 가져와 ❶에서 만든 명령어 블록의 `시작하기 버튼을 클릭했을 때` 블록 바로 아래에 연결하고 반복 횟수는 '4'로 변경합니다. 그리고 `앞으로 '2'초 이동하기` 블록과 `'왼쪽'으로 '1'초 돌기` 블록은 `'4'번 반복하기` 블록 안에 넣어 줍니다.

❸ '시작하기'를 클릭하여 햄스터 로봇이 제대로 동작하는지 확인합니다. DC 모터 바퀴에 따라 정확한 직사각형으로 움직이지 않을 수 있습니다.

꼭 기억해요

지금까지 배운 내용을 정리해봅시다. 요점 정리를 읽고 이해가 되지 않는 내용이 있다면 15장을 다시 한번 살펴봅시다.

Point 1 ▶ 햄스터 로봇의 특징

+ 햄스터 로봇은 소프트웨어 교육용 교구입니다.

+ 전체 무게가 약 30g 정도로 매우 가볍지만 전방 거리 센서, DC 기어드 모터, 바닥 센서, 7색 LED, 3축 가속도 센서, 버저, 조도 센서, 확장 포트, 내부 온도 센서 등 다양한 기능을 탑재하고 있습니다.

+ USB 동글을 설치하면 무선으로 햄스터 로봇의 움직임을 조정할 수 있습니다.

Point 2 ▶ 햄스터 로봇 작동 준비

+ 햄스터 로봇 제작사 홈페이지에서 프로그램을 다운로드 받아 설치합니다.

+ USB 동글을 PC에 설치하고 햄스터 로봇의 전원을 켠 후 맨 처음 연결할 경우에만 페어링해줍니다.

+ 엔트리 하드웨어 프로그램을 실행하여 '햄스터'를 선택합니다.

+ 정상적으로 연결이 되면 [하드웨어] 블록 꾸러미에 다양한 명령어 블록이 표시됩니다.

Point 3 햄스터 로봇의 입출력 기능

 ✦ 햄스터 로봇에는 LED, 스피커, 모터 등 총 3개의 출력 장치가 있습니다.
 ✦ 입력 장치는 전방 근접 센서, 바닥 센서, 기울기 센서, 내부 온도 센서 등 총 4개가 있습니다.

도전해봅시다 ⚙⚙

지금까지 배운 내용을 잘 이해했나요? 이제 배운 내용을 참고하여 도전과제를 해결해봅시다. '도전해봅시다' 의 문제 풀이는 PDF로 제공됩니다. 한빛미디어(http://www.hanbit.co.kr)에 접속한 다음 상단의 검색 아이콘을 눌러서 '엔트리, 피지컬 컴퓨팅을 만나다'를 입력해서 검색해주세요. 검색해 나온 책 모양을 클릭한 다음 도서 표지 하단의 [부록/예제소스]를 클릭하면 파일을 받으실 수 있습니다.

도전과제 1 햄스터 로봇을 원 모양대로 움직이기 (난이도 ★)

햄스터 로봇이 원 모양대로 움직이도록 프로그램을 제작해봅시다. 다양한 방법으로 엔트리봇을 원 모양으로 움직일 수 있습니다.

1 엔트리를 실행하여 엔트리봇을 선택한 후 햄스터 로봇의 한쪽 바퀴는 움직이지 않고 나머지 바퀴만 움직이면서 원운동을 하도록 프로그램을 만듭니다.

> **Hint** [흐름]의 `계속 반복하기` 블록을 사용하면 연속된 움직임을 만들 수 있습니다.

2 다음으로 햄스터 로봇의 두 바퀴가 모두 돌아가면서 왼쪽으로 원운동을 하도록 프로그램을 만듭니다.

> **Hint** [하드웨어]의 `왼쪽 바퀴 '30' 오른쪽 바퀴 '30'(으)로 정하기` 블록을 사용하여 왼쪽 바퀴와 오른쪽 바퀴의 회전 속도를 다르게 설정해줍니다.

3 자신이 만든 프로그램을 엔트리 홈페이지에 업로드 해보고 친구들과 서로 평가해봅시다.

도전과제 2 전방에 물체가 나타나면 멈췄다가 2초 후 다시 움직이기 (난이도 ★★)

햄스터 로봇의 전방에 물체가 나타나면 움직임을 멈추게 하는 것을 배웠습니다. 여기서는 움직임을 멈춘 후 2초간 기다렸다 다시 움직이는 햄스터 로봇을 만들어보겠습니다.

1 엔트리봇의 블록 조립소에서 **시작하기 버튼을 클릭했을 때** 블록만 남기고 나머지는 모두 삭제합니다.

2 **시작하기 버튼을 클릭했을 때** 블록 아래에 **'참'이 될 때까지 반복하기** 블록을 연결합니다.

3 **손 찾음?** 블록과 다른 명령어 블록을 이용하여 전방에 물체가 나타나기 전까지 왼쪽과 오른쪽 바퀴가 각각 30의 속도로 움직이도록 설정합니다.

> **Hint** [하드웨어]의 **왼쪽 바퀴 '30' 오른쪽 바퀴 '30'(으)로 정하기** 블록을 사용합니다.

4 정지하기 기능을 추가합니다.

5 정지 후 다시 움직이는 기능을 추가합니다.

6 자신이 만든 프로그램을 엔트리 홈페이지에 업로드 해보고 친구들과 서로 평가해봅시다.

도전과제 3 햄스터 로봇의 이동 기능을 이용한 나만의 작품 제작하기 (난이도 ★★★)

1 햄스터 로봇의 이동 기능을 이용하여 나만의 작품을 제작해봅시다. 내가 만들 프로그램의 기능 및 특징을 글과 그림으로 표현해봅시다.

2 자신이 만든 프로그램을 엔트리 홈페이지에 업로드 해보고 친구들과 서로 평가해봅시다.

16장. [LED] 카멜레온처럼 색이 변해요

📖 이런 것을 배워요

- ✦ LED의 특징을 알아봅시다.
- ✦ LED와 엔트리를 이용하여 자동차 프로그램을 만들어봅시다.
- ✦ LED를 이용한 다양한 응용 프로그램을 만들어봅시다.

📖 도움이 필요해요

TV를 보던 소하는 미래에는 인공지능 자동차가 사람을 대신해 운전을 한다는 말이 무척 신기했습니다. 복잡한 교차로를 통과하기가 쉽지 않은데 기계가 그것을 대신 할 수 있다고 생각하니 놀라웠습니다. 문득 소하는 햄스터 로봇으로 자동차를 만들어보고 싶어졌습니다. 교차로에 도착해서 방향을 전환할 때는 방향 지시 등이 켜지고 앞에 물체가 나타나면 햄스터 로봇이 일시적으로 후진하는 기능도 넣어보고 싶습니다. 과연 소하는 원하는 자동차를 만들 수 있을까요?

🎖 미리 생각해봐요

소하가 고민하는 프로그램을 만들려면 어떤 센서가 필요하며 어떤 동작을 해야 할까요? 또 엔트리에서 사용될 명령어 블록은 무엇일까요? 자신의 생각을 그림 혹은 글로 표현해봅시다.

🔧 피지컬 컴퓨팅 프로그래밍 기본

소하의 고민을 해결하기 위해서는 LED를 다룰 수 있어야 합니다. 다음의 내용을 살펴보며 LED의 작동 원리를 하나하나 배워봅시다.

Check 1 **LED의 특징은 무엇인가요?**

Check 2 **LED를 켜고 끄려면 어떻게 해야 하나요?**

Check 3 **LED로 신호등을 만들 수 있나요?**

Check 1 ▶ **LED의 특징은 무엇인가요?**

햄스터 로봇에는 전면에 2개의 LED 장치가 있습니다. 다음 사진은 전면에 있는 양쪽 LED가 노란색으로 켜진 상태입니다.

> 🎓 **잠·깐·만**
>
> **LED 색에 따른 출력값은 같은가요?**
>
> LED는 총 7가지 색을 표현할 수 있는데 각각 출력값이 다릅니다. 빨간색은 4, 노란색은 6, 초록색은 2, 하늘색은 3, 파란색은 1, 자주색은 5, 하얀색은 7의 출력값을 가집니다.

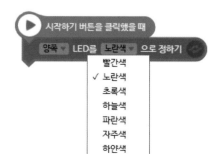

그리고 햄스터 로봇의 LED는 왼쪽 그림과 같이 7가지 색으로 설정할 수 있습니다.

Check 2 **LED를 켜고 끄려면 어떻게 해야 하나요?**

LED를 사용하려면 햄스터 전원이 켜져 있고 엔트리 하드웨어 프로그램이 실행되어야 합니다.

먼저 왼쪽 LED에 빨간색이 켜지도록 해봅시다.

❶ 엔트리를 실행한 후 [시작하기 버튼을 클릭했을 때] 블록만 남기고 나머지 블록은 삭제합니다.

❷ [하드웨어]의 ['왼쪽' LED를 '빨간색'으로 정하기] 블록을 가져와 다음과 같이 연결합니다.

❸ '시작하기'를 클릭하여 LED가 켜지는지 확인합니다.

이번에는 양쪽 LED가 켜진 후 2초 후에 왼쪽 LED만 꺼지도록 설정합니다.

❶ 양쪽 LED가 빨간색이 되도록 ['왼쪽' LED를 '빨간색'으로 정하기] 블록의 '왼쪽'을 클릭하여 '양쪽'으로 변경합니다.

② [흐름]의 **'2'초 기다리기** 블록과 [하드웨어]의 **'왼쪽' LED 끄기** 블록을 가져와 ❶의 명령어 블록 아래에 다음과 같이 순서대로 연결합니다.

③ '시작하기'를 클릭하여 LED 상태를 확인합니다.

다음은 왼쪽과 오른쪽 LED가 빨간색을 번갈아 5번 반복해서 켜고 *끄*다가 2개 모두 꺼지도록 설정합니다.

❶ 블록 조립소에 **시작하기 버튼을 클릭했을 때** 블록만 남기고 모두 삭제한 후 **'왼쪽' LED를 '빨간색'으로 정하기** 블록을 블록 조립소로 가져와 마우스 오른쪽 버튼을 눌러 '코드 복사 & 붙여넣기' 하여 다음과 같이 설정합니다.

② [흐름]의 **'10'번 반복하기** 블록과 **'2'초 기다리기** 블록, **'왼쪽' LED 끄기** 블록을 가져와 다음과 같이 연결합니다.

> 시작하기 버튼을 클릭했을 때
> 　5 번 반복하기
> 　　왼쪽 LED를 빨간색 으로 정하기
> 　　0.5 초 기다리기
> 　　왼쪽 LED 끄기
> 　　오른쪽 LED를 빨간색 으로 정하기
> 　　0.5 초 기다리기
> 　　오른쪽 LED 끄기
> 　양쪽 LED 끄기

③ '시작하기'를 클릭하여 LED 상태를 확인합니다.

Check 3 ◤ LED로 신호등을 만들 수 있나요?

햄스터 로봇의 LED 기능을 이용해 신호등을 만들어봅시다. 신호등은 여러 가지 종류가 있지만 여기서는 빨간색, 노란색, 초록색이 켜지는 3색 신호등을 만들도록 합시다. 왼쪽 LED에 초록색이 5초간 켜진 후 꺼지면, 오른쪽 LED에 노란색이 1초간 켜졌다가 꺼지고, 다시 왼쪽 LED에 빨간색이 5초간 켜졌다가 꺼지도록 합니다.

① `시작하기 버튼을 클릭했을 때` 블록만 남기고 모두 삭제하고 `'왼쪽' LED를 '빨간색'으로 정하기` 블록, `'2'초 기다리기` 블록을 가져와 '빨간색'은 '초록색'으로, '2'는 '5'로 변경하여 다음과 같이 설정합니다.

② `'왼쪽' LED 끄기` 블록을 블록 조립소로 가져와 **①**의 명령어 블록 다음에 연결합니다.

③ 이번에는 오른쪽 LED에 노란색이 1초간 켜진 후 꺼지도록 설정합니다. `'왼쪽' LED를 '빨간색'으로 정하기` 블록, `'2'초 기다리기` 블록, `'왼쪽' LED 끄기` 블록을 가져와 '빨간색'은 '노란색'으로, '5'는 '1'로, '왼쪽'은 '오른쪽'으로 변경하여 다음과 같이 연결합니다.

④ 다시 왼쪽 LED에 빨간색이 5초간 켜졌다 꺼지도록 합니다. 블록 조립소로 `'왼쪽' LED를 '빨간색'으로 정하기` 블록, `'2'초 기다리기` 블록, `'왼쪽' LED 끄기` 블록을 가져와 '2'를 '5'로 변경하여 다음과 같이 추가합니다.

핵심 블록 알아보기

`왼쪽 LED를 빨간색 으로 정하기`	선택한 LED를 선택한 색깔로 켭니다.
`왼쪽 LED 끄기`	선택한 LED를 끕니다.
`2 초 기다리기`	설정한 시간만큼 기다린 후 다음 블록을 실행합니다.

⚙️ 피지컬 컴퓨팅 실전

햄스터 로봇 LED와 엔트리 프로그래밍을 통해 소하가 해결해야 할 문제를 함께 풀어봅시다. 먼저 우리가 만들 결과물의 실행 조건은 다음과 같습니다.

◆ 햄스터 로봇이 왼쪽 바닥 센서로 바닥의 하얀색 선을 따라 앞쪽 교차로까지 이동합니다.

◆ 햄스터 로봇이 움직이기 시작하면 초시계가 작동합니다.

◆ 만약에 햄스터 로봇 전방에 물체가 있으면 초시계가 일시 정지하고, 양쪽 LED가 빨간색으로 켜졌다가 0.1초 후 다시 꺼진 다음 앞쪽 교차로로 이동합니다.

◆ 교차로에서 'i' 키를 누르면 왼쪽 LED가 초록색으로 켜지며 '삐' 소리가 나고, 왼쪽 교차로로 이동한 후 LED를 끄고 하얀색 선을 따라 앞쪽 교차로로 이동합니다.

◆ 교차로에서 'r' 키를 누르면 오른쪽 LED가 초록색으로 켜지며 '삐' 소리가 나고, 오른쪽 교차로로 이동한 후 LED를 끄고 하얀색 선을 따라 앞쪽 교차로로 이동합니다.

다음은 우리가 만들 프로그램의 제작 순서입니다. 순서를 보고 프로그램을 직접 만들어봐도 좋습니다.

	LED를 켜며 교차로를 통과하는 햄스터 로봇 프로그램	
1	바닥의 하얀색 선을 따라 이동하도록 설정합니다.	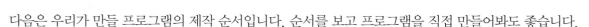
2	전방에 물체가 나타나면 일시 정지하며 빨간색 LED가 깜박이도록 설정합니다.	
3	회전하는 방향의 초록색 LED가 켜지도록 설정합니다.	

Step 1 🔑 바닥의 하얀색 선을 따라 움직이도록 설정하기

먼저 햄스터 로봇이 바닥의 하얀색 선을 따라 앞쪽 교차로 방향으로 이동하도록 설정합니다. 햄스터 로봇이
움직일 교차로 그림은 다음과 같습니다.

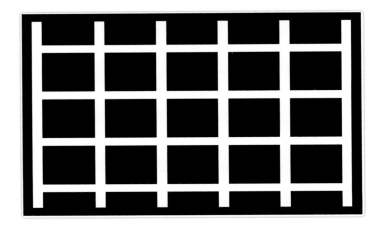

교차로 그림은 어떻게 내려받나요?
웹 브라우저로 http://www.hanbit.co.kr에
접속한 다음 상단의 검색 아이콘을 눌러서 '엔
트리, 피지컬 컴퓨팅을 만나다'를 입력해서 검
색해주세요. 그러면 이 책 모양이 보이고 클릭
한 다음 도서 표지 하단의 [부록/예제소스]를
클릭하면 파일을 받으실 수 있습니다.

❶ 엔트리를 실행한 후 `시작하기 버튼을 클릭했을 때` 블록만 남기고 나머지 블록은 모두 삭제합니다.

❷ [하드웨어]의 `'검은색' 선을 '왼쪽' 바닥 센서로 따라가기` 블록과 `'검은색' 선을 따라 '왼쪽' 교차로까지 이동하기` 블록을 가져
와 `시작하기 버튼을 클릭했을 때` 블록 아래에 연결합니다.

❸ 햄스터 로봇이 하얀색 선을 따라 교차로 방향으로 이동하게 하려면 두 블록 모두 '검은색'을 '하얀색'으로
바꾸고 교차로까지 이동하는 방향은 '앞쪽'을 선택합니다.

❹ 교차로 그림판을 놓고 그 위에 다음 그림과 같이 햄스터 로봇을 올려놓습니다.

❺ '시작하기'를 클릭하여 햄스터 로봇이 앞쪽 교차로 방향으로 제대로 이동하는지 확인합니다. 햄스터 로봇이 그림처럼 앞쪽 교차로로 이동한 후 정지하는 것을 확인할 수 있습니다.

❻ 햄스터 로봇이 교차로에서 멈추지 않고 계속 이동하도록 [흐름]의 (계속 반복하기) 블록을 다음과 같이 추가합니다.

❼ 다시 '시작하기'를 클릭해 햄스터 로봇의 움직임을 보면 다음 교차로로 이동한 후 잠시 멈추었다가 다시 다음 교차로로 이동하는 것을 확인할 수 있습니다.

Step 2 🚗 전방에 물체가 나타나면 빨간색 LED 깜박이기

<손 찾음?> 블록을 이용하여 햄스터 로봇의 전방에 물체가 나타나면 햄스터 로봇이 정지하고 양쪽 LED가 빨간색을 0.1초 간격으로 깜박이다 꺼진 후 다시 앞쪽 교차로 방향으로 이동하도록 합니다. 이때 햄스터 로봇이 움직이기 시작하면 초시계가 작동하고 전방에 물체가 나타나면 초시계가 잠시 멈추고, 물체가 사라지면 다시 초시계가 작동하도록 합니다.

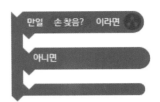

❶ [흐름]의 <만일 '참'이라면 ~ 아니면 ~> 블록과 [하드웨어]의 <손 찾음?> 블록을 가져와 '참'의 자리에 <손 찾음?> 블록을 넣어줍니다.

❷ Step 1의 명령어 블록은 <만일 손 찾음? 이라면>과 <아니면> 중 어느 곳 아래에 위치해야 할까요? <만일 손 찾음? 이라면> 아래에는 전방에 물체가 나타났을 때 햄스터 로봇이 해야 할 동작을 추가하면 되고, <아니면> 아래에는 앞쪽 교차로 방향으로 이동하는 블록이 있으면 됩니다. 따라서 <아니면> 아래에 Step 1에서 만든 명령어 블록을 가져다 왼쪽과 같이 조립합니다.

❸ 햄스터 로봇 전방에 물체가 나타나면 로봇이 정지하고 양쪽 LED가 빨간색으로 0.1초간 깜박이도록 설정합니다. [하드웨어]의 <정지하기> 블록, <'왼쪽' LED를 '빨간색'으로 정하기> 블록, <'왼쪽' LED 끄기> 블록과 <'2'초 기다리기> 블록을 가져와 다음과 같이 설정합니다.

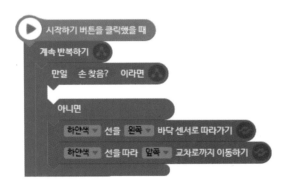

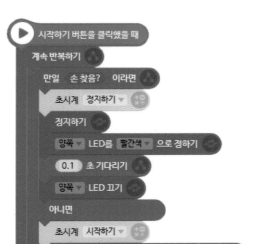

④ 초시계 기능을 추가합니다. [계산]의 초시계 '시작하기' 블록을 2개 가져와 하나는 '시작하기'를 '정지하기'로 변경합니다. 초시계 '정지하기' 블록은 만일 손 찾음? 이라면 아래에, 초시계 '시작하기' 블록은 아니면 아래에 연결합니다.

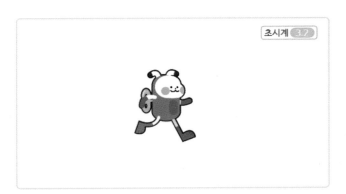

⑤ '시작하기'를 클릭하여 확인해보면 왼쪽과 같이 초시계가 화면에 추가되고 햄스터 로봇이 움직이면 시간이 증가합니다.

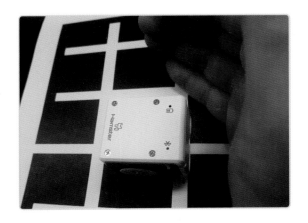

⑥ '시작하기'를 클릭한 후 햄스터 로봇 전방에 물체를 놓아 설정한 대로 움직이는지 확인합니다.

Step 3 🐹 회전하는 방향 초록색 LED 깜박이기

햄스터 로봇이 교차로를 통과할 때 왼쪽이나 오른쪽으로 회전하라는 명령을 내리면 회전하는 쪽의 LED가 초록색으로 켜지고 '삐' 소리를 내며 하얀색 선을 따라 회전하도록 설정합니다. 회전이 끝나면 LED를 끄고 앞쪽 교차로 방향으로 계속 이동하도록 설정합니다.

❶ 계속 반복하기 블록 안쪽에 만일 '참' 이라면 블록을 가져와 왼쪽과 같이 새로 추가합니다.

❷ [판단]의 'q' 키가 눌러져 있는가? 블록을 가져와 만일 '참'이라면 ~ 아니면 블록의 '참' 부분에 삽입합니다. 그다음 'q' 부분을 눌러 키보드 모형이 나오면 실제 자신의 키보드에서 영문 소문자 'i' 키를 누릅니다.

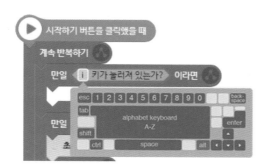

③ `'왼쪽' LED를 '빨간색'으로 정하기` 블록을 가져와 왼쪽과 같이 '초록색'으로 변경하여 연결합니다.

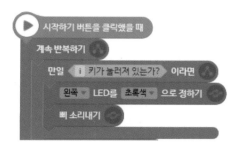

④ 왼쪽 LED가 초록색으로 켜진 후 소리가 나도록 [하드웨어]의 `삐 소리내기` 블록을 가져와 **③**의 명령어 블록 아래에 연결합니다.

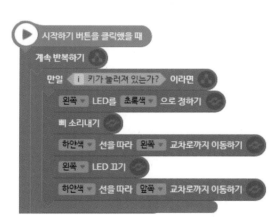

⑤ 하얀색 선을 따라 왼쪽 교차로까지 이동하고 LED를 끈 후, 다시 하얀색 선을 따라 앞쪽 교차로 방향으로 이동하도록 설정합니다. `'검은색' 선을 따라 '왼쪽' 교차로까지 이동하기` 블록 2개와 `'왼쪽' LED 끄기` 블록을 가져와 '검은색'은 '하얀색'으로 변경한 다음 `'왼쪽' LED 끄기` 블록을 가운데 넣어 조립한 다음 `삐 소리내기` 블록 다음에 연결합니다. 그리고 마지막에 있는 `'하얀색' 선을 따라 '왼쪽' 교차로까지 이동하기` 블록의 '왼쪽'을 '앞쪽'으로 변경합니다.

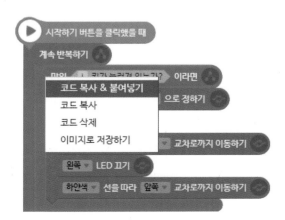

⑥ 이번에는 오른쪽으로 이동하도록 설정을 합니다. **③**~**⑤**에서 작성한 명령어 블록을 복사하여 사용합니다. `만일 'i' 키가 눌러져 있는가? 이라면` 블록 위에서 마우스 오른쪽 버튼을 누른 후 '코드 복사 & 붙여넣기'를 선택합니다.

❼ 복사된 명령어 블록 중 필요 없는 부분을 삭제한 후 다음과 같이 설정합니다.

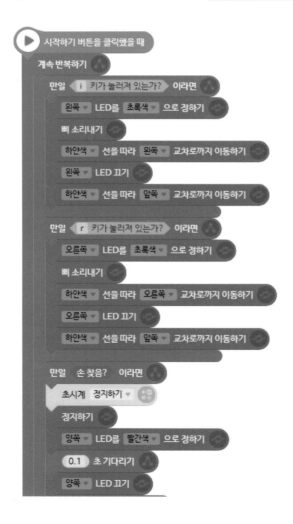

만일 〈 r 키가 눌러져 있는가? 〉 이라면
　오른쪽 ▾ LED를 초록색 ▾ 으로 정하기
　삐 소리내기
　하얀색 ▾ 선을 따라 오른쪽 ▾ 교차로까지 이동하기
　오른쪽 ▾ LED 끄기
　하얀색 ▾ 선을 따라 앞쪽 ▾ 교차로까지 이동하기

❽ ❼에서 수정한 명령어 블록을 　만일 손 찾음? 이라면　블록 위에 조립합니다.

시작하기 버튼을 클릭했을 때
계속 반복하기
　만일 〈 i 키가 눌러져 있는가? 〉 이라면
　　왼쪽 ▾ LED를 초록색 ▾ 으로 정하기
　　삐 소리내기
　　하얀색 ▾ 선을 따라 왼쪽 ▾ 교차로까지 이동하기
　　왼쪽 ▾ LED 끄기
　　하얀색 ▾ 선을 따라 앞쪽 ▾ 교차로까지 이동하기

　만일 〈 r 키가 눌러져 있는가? 〉 이라면
　　오른쪽 ▾ LED를 초록색 ▾ 으로 정하기
　　삐 소리내기
　　하얀색 ▾ 선을 따라 오른쪽 ▾ 교차로까지 이동하기
　　오른쪽 ▾ LED 끄기
　　하얀색 ▾ 선을 따라 앞쪽 ▾ 교차로까지 이동하기

　만일 손 찾음? 이라면
　　초시계 정지하기 ▾
　　정지하기
　　양쪽 ▾ LED를 빨간색 ▾ 으로 정하기
　　0.1 초 기다리기
　　양쪽 ▾ LED 끄기

❾ '시작하기'를 클릭하여 햄스터 로봇이 교차로를 통과할 때 'l' 키를 눌러 왼쪽으로 회전하고 왼쪽 LED가 초록색으로 바뀌는지 확인합니다. 이번에는 'r' 키를 눌러 오른쪽으로 회전하고 오른쪽 LED가 초록색으로 바뀌는지 확인합니다. 다음 사진은 햄스터 로봇이 교차로에서 오른쪽으로 회전하는 모습입니다.

꼭 기억해요

지금까지 배운 내용을 정리해봅시다. 요점 정리를 읽고 이해가 되지 않는 내용이 있다면 16장을 다시 한번 살펴봅시다.

Point 1 ▶ LED 특징 알아보기

✦ 햄스터 로봇 전면에는 2개의 LED가 있는데 총 7가지 색을 표현합니다.

✦ 각 LED 색별로 출력값이 서로 다르며 하얀색의 출력값이 제일 높고, 파란색의 출력값이 제일 낮습니다.

✦ LED를 제어하는 명령어 블록은 [하드웨어] 블록 꾸러미에 있습니다.

Point 2 ▶ LED 켜고 끄기

✦ [하드웨어] 블록 꾸러미의  블록을 사용하면 왼쪽, 오른쪽 혹은 양쪽 LED를 7가지 색 중 하나로 설정할 수 있습니다.

✦ LED를 끄는 명령은 [하드웨어] 블록 꾸러미의 블록입니다.

Point 3 전방에 물체가 나타나면 빨간색 LED 깜박이기

◆ 햄스터 로봇 전방에 물체가 있는지 판단하는 블록은 [하드웨어] 블록 꾸러미의 `손 찾음?` 블록입니다.

◆ [흐름] 블록 꾸러미의 `만일 손 찾음? 이라면 ~ 아니면` 블록을 이용하면 햄스터 로봇 전방에 물체가 나타났을 때의 움직임과 나타나지 않았을 때 움직임을 설정해줄 수 있습니다.

◆ `'양쪽' LED를 '빨간색'으로 정하기` 블록, [흐름] 블록 꾸러미의 `'0.1'초 기다리기` 블록, `'양쪽' LED 끄기` 블록을 [흐름] 블록 꾸러미의 `계속 반복하기` 블록 안에 넣으면 빨간색 LED가 0.1초 간격으로 깜박입니다.

도전해봅시다

지금까지 배운 내용을 잘 이해했나요? 이제 배운 내용을 참고하여 도전과제를 해결해봅시다. '도전해봅시다'의 문제 풀이는 PDF로 제공됩니다. 한빛미디어(http://www.hanbit.co.kr)에 접속한 다음 상단의 검색 아이콘을 눌러서 '엔트리, 피지컬 컴퓨팅을 만나다'를 입력해서 검색해주세요. 검색해 나온 책 모양을 클릭한 다음 도서 표지 하단의 [부록/예제소스]를 클릭하면 파일을 받으실 수 있습니다.

도전과제 1 전방에 물체가 나타나면 LED 색이 변하는 프로그램 제작하기 (난이도 ★)

LED를 이용하여 햄스터 로봇이 움직이면 초록색 LED에 불이 켜지고 전방에 물체가 나타나면 빨간색 LED가 켜진 후 햄스터 로봇이 정지하도록 프로그램을 만들어봅시다.

1 다음 모양의 교차로 그림을 준비합니다.

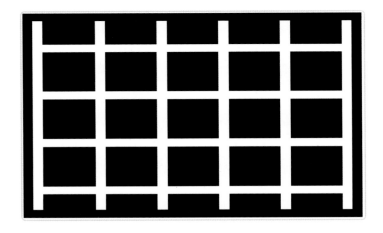

2 엔트리를 실행한 후 `시작하기 버튼을 클릭했을 때` 블록만 남기고 나머지는 모두 삭제합니다.

3 전방에 물체가 없을 때와 있을 때 각각 다른 동작을 하도록 블록을 추가합니다.

> **Hint** [흐름]의 `만일 '참'이라면 ~ 아니면 ~` 블록과 `계속 반복하기` 블록, [하드웨어]의 `손 찾음?` 블록을 사용합니다.

4 전방에 물체가 없으면 왼쪽 바닥 센서로 바닥의 하얀색 선을 따라 앞쪽 교차로 방향으로 이동하도록 설정합니다. 교차로를 통과할 때는 순간 멈추었다가 이동하도록 합니다. 그리고 이동 중에는 계속 양쪽 LED가 초록색이 되도록 설정합니다.

> **Hint** [하드웨어]의 `'왼쪽' LED를 '빨간색'으로 정하기` 블록, `'검은색' 선을 '왼쪽' 바닥 센서로 따라가기` 블록, `'검은색' 선을 따라 '왼쪽' 교차로까지 이동하기` 블록을 사용합니다.

5 전방에 물체가 있으면 양쪽 LED를 빨간색으로 정하고 햄스터 로봇이 그 자리에 멈추도록 설정합니다.

> **Hint** 햄스터 로봇이 모든 코드를 멈추고 그 자리에 서 있도록 하려면 [흐름]의 `'모든' 코드 멈추기` 블록을 사용합니다.

6 자신이 만든 프로그램을 엔트리 홈페이지에 업로드 해보고 친구들과 서로 평가해봅시다.

도전과제 2 **온도에 따라 LED 색이 변하는 프로그램 제작하기 (난이도 ★★)**

주변 온도에 따라 햄스터 로봇의 LED 색이 변하는 프로그램을 만들어봅시다. 그리고 온도 범위에 따라 버저 음도 다르게 설정해봅시다. 이 프로그램에는 LED, 온도 센서 등이 사용됩니다.

🎓 잠·깐·만

내부 온도 센서가 무엇인가요?

햄스터 로봇 내부에 온도 센서가 있어 내부 온도 센서라고 표현합니다. −40도에서 +87.5도 범위까지 측정을 할 수 있으며 정확도는 0.5도라고 합니다.

---

1 엔트리를 실행한 후 `시작하기 버튼을 클릭했을 때` 블록만 남기고 나머지 블록은 모두 삭제합니다.

2 내부 온도 센서값을 저장할 '온도' 변수를 추가합니다.

3 내부 온도 센서값이 '온도' 변수의 값이 되도록 설정해줍니다. 온도 변수는 0.5초 간격으로 변하도록 해줍니다.

4 '온도' 변숫값의 범위에 따라 양쪽 LED 색과 버저음 크기를 다음과 같이 설정합니다.

- 20도 미만일 때: 양쪽 하얀색 LED 켜기, 버저음 500
- 20도 이상일 때: 양쪽 노란색 LED 켜기, 버저음 1000
- 25도 이상일 때: 양쪽 자주색 LED 켜기, 버저음 1500
- 30도 이상일 때: 양쪽 빨간색 LED 켜기, 버저음 2000

5 '시작하기'를 클릭하여 햄스터 로봇 주변 온도를 변화시켜 LED와 버저음이 설정한 대로 실행되는지 확인합니다.

> **Hint** 계절 및 주변 환경에 따라 지정된 온도에서 프로그램이 동작하지 않을 수 있으므로 필요한 경우 온도를 변경하여 프로그램을 만들도록 합니다.

6 자신이 만든 프로그램을 엔트리 홈페이지에 업로드 해보고 친구들과 서로 평가해봅시다.

도전과제 3 ▶ LED를 이용한 나만의 작품 제작하기 (난이도 ★★★)

1 LED를 이용하여 나만의 작품을 제작해봅시다. 내가 만들 프로그램의 기능 및 특징을 글과 그림으로 표현해봅시다.

2 자신이 만든 프로그램을 엔트리 홈페이지에 업로드 해보고 친구들과 서로 평가해봅시다.

17장. [바닥 센서] 길 따라 움직여요

📖 이런 것을 배워요

- ✦ 바닥 센서의 특징을 알아봅시다.
- ✦ 바닥 센서와 엔트리를 이용하여 길을 따라가는 프로그램을 만들어봅시다.
- ✦ 바닥 센서를 이용한 다양한 응용 프로그램을 만들어봅시다.

📖 도움이 필요해요

친구와 집에서 유튜브를 보며 놀던 소하는 우연히 로봇이 검은색 길을 따라 스스로 움직이는 영상을 보았습니다. 친구는 이런 로봇을 라인트레이서라고 말했습니다. 소하는 너무 신기해 자신도 영상처럼 해보고 싶어졌습니다. 친구는 햄스터 로봇으로도 할 수 있다며 자신의 햄스터 로봇을 엔트리로 조정해 길을 따라 움직이도록 했습니다. 소하는 햄스터 로봇이 좀 더 복잡한 길을 따라 움직이는 것도 해보고 싶습니다. 소하는 생각한 대로 햄스터 로봇을 잘 움직일 수 있을까요?

🎖 미리 생각해봐요

소하가 고민하는 프로그램을 만들려면 어떤 센서가 필요하며 어떤 동작을 해야 할까요? 또 엔트리에서 사용될 명령어 블록은 무엇일까요? 자신의 생각을 그림 혹은 글로 표현해봅시다.

⚙️ 피지컬 컴퓨팅 프로그래밍 기본

소하의 고민을 해결하기 위해서는 바닥 센서를 다룰 수 있어야 합니다. 다음의 내용을 살펴보며 바닥 센서의 작동 원리를 하나하나 배워봅시다.

Check 1 **바닥 센서에 대해 알아봅시다.**

Check 2 **직선 길을 이동하는 방법은 어떻게 되나요?**

Check 3 **교차로를 이동하는 방법은 어떻게 되나요?**

Check 1 📕 **바닥 센서에 대해 알아봅시다.**

왼쪽 바닥 센서   오른쪽 바닥 센서

먼저 바닥 센서의 특징에 대해 알아봅시다. 바닥 센서는 왼쪽 그림과 같이 햄스터 로봇의 아래쪽에 2개 있으며 바닥에 그려져 있는 하얀색과 검은색을 구분할 수 있습니다.

바닥 센서는 바닥 색에 따라 출력값이 달라집니다. 바닥이 하얀색일 경우 출력값은 80~100사이이며, 회색은 30~60, 검은색은 15 이하입니다.

바닥 색에 따른 바닥 센서의 출력값을 확인해보겠습니다.

❶ 엔트리를 실행하여 블록 조립소에서 [시작하기 버튼을 클릭했을 때] 블록만 남기고 나머지 블록은 삭제합니다. [흐름]의 [계속 반복하기] 블록, [생김새]의 ['10'을(를) 말하기] 블록, [하드웨어]의 ['왼쪽 근접 센서'] 블록을 가져와 다음과 같이 연결합니다.

② `왼쪽 근접 센서` 블록을 `'10'을(를) 말하기` 블록의 '10'의 자리에 넣어 줍니다. 그리고 `왼쪽 근접 센서` 글자를 클릭하여 '왼쪽 바닥 센서'로 변경합니다.

③ '시작하기'를 클릭하여 엔트리봇이 알려주는 왼쪽 바닥 센서값을 확인합니다. 왼쪽 화면에 제시된 값으로 보아 왼쪽 바닥 센서 아래에는 검은색이 놓여 있습니다. 햄스터 로봇을 다른 색의 물체 위에 올려서 출력값의 변화를 확인해봅시다.

🎓 **잠·깐·만**

하드웨어의 출력값 정보를 한눈에 볼 수 없나요?

햄스터 로봇에는 다양한 센서가 있는데 각 센서의 출력값을 한 화면에서 확인할 수 있습니다. 메인 화면에서 왼쪽 아래의 '하드웨어' 메뉴를 클릭하면 오른쪽 그림과 같이 센서값을 확인할 수 있습니다.

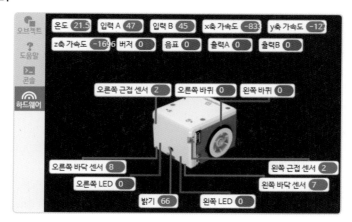

Check 2 ▶ **직선 길을 이동하는 방법은 어떻게 되나요?**

햄스터 로봇이 직선 길을 이동하는 방법에 대해 알아봅시다.

❶ 블록 조립소에서 `시작하기 버튼을 클릭했을 때` 블록만 남기고 나머지 블록은 모두 삭제합니다.

② [하드웨어]의  블록을 가져와 시작하기 버튼을 클릭했을 때 블록 아래에 연결합니다.

③ '시작하기'를 클릭하면 햄스터 로봇의 왼쪽 바닥 센서가 검은색 길을 따라 이동합니다. 다음 그림에서 보이는 것처럼 햄스터 로봇의 왼쪽 바닥 센서가 있는 부분이 검은색 길을 따라갑니다. 그리고 몸체를 좌우로 약간 흔들면서 이동합니다.

④ 검은색 선을 따라가는 센서를 '양쪽'으로 변경해서 '시작하기'를 클릭해봅시다.

다음 그림과 같이 햄스터 로봇의 가운데 부분이 검은색 선을 따라서 움직이며 조금 전보다 좌우로의 움직임이 덜한 것을 볼 수 있습니다.

이번에는 햄스터 로봇이 교차로를 이동하는 방법에 대해 알아보겠습니다. 다음과 같은 교차로 그림을 준비합니다. 258쪽의 잠깐만을 참고하여 이 책의 부록에 있는 교차로 그림을 활용해도 좋습니다.

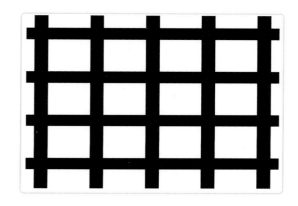

❶ `시작하기 버튼을 클릭했을 때` 블록만 남기고 모두 삭제한 후 `'검은색' 선을 따라 '왼쪽' 교차로까지 이동하기` 블록을 블록 조립소로 가져와 아래에 연결합니다. 이때 이동 방향은 '앞쪽'을 선택합니다. 다음과 같이 설정했다면 햄스터 로봇은 어떻게 움직일까요?

> ▶ 시작하기 버튼을 클릭했을 때
> 검은색 ▼ 선을 따라 앞쪽 ▼ 교차로까지 이동하기 ⟳

❷ 햄스터 로봇을 왼쪽 그림과 같이 배치하고 '시작하기'를 클릭하여 햄스터 로봇의 움직임을 확인합니다. 이때 햄스터 로봇의 시작 위치는 교차로를 조금 지난 지점이 됩니다. 햄스터 로봇은 앞으로 나가다가 다음 교차로 앞에서 멈추게 됩니다.

> ▶ 시작하기 버튼을 클릭했을 때
> 검은색 ▼ 선을 따라 앞쪽 ▼ 교차로까지 이동하기 ⟳
> 검은색 ▼ 선을 따라 왼쪽 ▼ 교차로까지 이동하기 ⟳

❸ `'검은색' 선을 따라 '왼쪽' 교차로까지 이동하기` 블록을 ❶의 명령어 블록에 추가하면 햄스터 로봇은 어떻게 움직일까요? 블록을 추가해봅시다.

❹ '시작하기'를 클릭하여 햄스터 로봇의 움직임을 확인합니다. 햄스터 로봇은 앞쪽 교차로로 한 칸 이동한 후 왼쪽 교차로 방향으로 방향 전환을 하게 됩니다.

핵심 블록 알아보기

블록	설명
검은색 ▼ 선을 왼쪽 ▼ 바닥 센서로 따라가기 ↻	왼쪽/오른쪽/양쪽 바닥 센서를 사용하여 검은색/하얀색 선을 따라 이동합니다.
검은색 ▼ 선을 따라 왼쪽 ▼ 교차로까지 이동하기 ↻	왼쪽/오른쪽/앞쪽/뒤쪽의 검은색/하얀색 선을 따라 이동하다가 교차로를 만나면 정지합니다.
선 따라가기 속도를 5 (으)로 정하기 ↻	선을 따라 이동하는 속도(1~8)를 설정합니다. 숫자가 클수록 이동하는 속도가 빠릅니다.

⚙️ 피지컬 컴퓨팅 실전

햄스터 로봇 바닥 센서와 엔트리 프로그래밍을 통해 소하가 해결해야 할 문제를 함께 풀어봅시다. 먼저 우리가 만들 결과물의 실행 조건은 다음과 같습니다.

- ✦ 선을 따라가는 속도를 3으로 설정합니다.
- ✦ 햄스터 로봇은 검은색 선을 따라 앞쪽 교차로까지 이동하기를 계속 반복합니다.
- ✦ 만약 스페이스 바가 눌러져 있으면 '삐' 소리를 내며 뒤쪽 교차로까지 이동합니다.
- ✦ 만약 왼쪽 화살표 키가 눌러져 있으면 '삐' 소리를 내며 왼쪽 교차로까지 이동합니다.
- ✦ 만약 오른쪽 화살표 키가 눌러져 있으면 '삐' 소리를 내며 오른쪽 교차로까지 이동합니다.

다음은 우리가 만들 프로그램의 제작 순서입니다. 이것만 보고 프로그램을 직접 만들어봐도 좋습니다.

키의 눌러짐에 따라 다르게 반응하는 로봇 프로그램

1	선을 따라가는 속도를 정해서 앞쪽 교차로까지 이동시킵니다.	
2	스페이스 바가 눌러졌을 때 뒤쪽 교차로로 이동시킵니다.	
3	왼쪽, 오른쪽 화살표가 눌러졌을 때 각각의 방향으로 이동시킵니다.	

Step 1 🐹 속도를 정하고 앞쪽 교차로까지 계속 이동하기

❶ 엔트리를 실행한 후 블록 조립소에서 `시작하기 버튼을 클릭했을 때` 블록만 남기고 나머지 블록은 모두 삭제합니다. [하드웨어]의 `선 따라가기 속도를 '5'(으)로 정하기` 블록을 다음과 같이 연결한 후 속도를 '3'으로 설정합니다.

```
▶ 시작하기 버튼을 클릭했을 때
  선 따라가기 속도를 3 ▼ (으)로 정하기
```

 잠·깐·만

선 따라가기 속도의 범위는 어떻게 되나요?
오른쪽과 같이 선 따라가기 속도는 1~8까지의 범위를 가집니다. 숫자가 커질수록 속도가 빨라집니다.

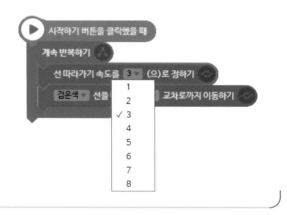

```
▶ 시작하기 버튼을 클릭했을 때
  선 따라가기 속도를 3 ▼ (으)로 정하기
  검은색 ▼ 선을 따라 앞쪽 ▼ 교차로까지 이동하기
```

❷ `'검은색' 선을 따라 '왼쪽' 교차로까지 이동하기` 블록을 가져와 연결한 후 왼쪽과 같이 이동 방향을 '앞쪽'으로 설정합니다.

❸ '시작하기'를 클릭하면 햄스터 로봇이 출발한 후 다음 교차로에서 멈추는 것을 볼 수 있습니다.

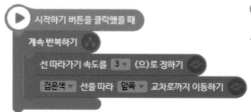

❹ 햄스터 로봇이 교차로에서 멈추지 않고 계속 이동하게 하려면 왼쪽과 같이 `계속 반복하기` 블록을 연결해주면 됩니다.

❺ '시작하기'를 클릭해봅시다. 햄스터 로봇이 앞쪽 교차로까지 이동한 후 잠시 멈추었다가 다시 그다음 교차로로 이동하는 것을 볼 수 있나요?

Step 2 🚗 스페이스 바 누르면 뒤쪽 교차로로 이동하기

스페이스 바를 누르면 햄스터 로봇이 뒤쪽 교차로로 이동하도록 설정합니다. 이동하기 전에 '삐' 소리가 나도록 설정해줍니다.

❶ [흐름]에서 만일 '참' 이라면 블록과 [판단]의 'q' 키가 눌러져 있는가? 블록을 가져와 다음과 같이 조립합니다.

❷ 'q' 부분을 클릭한 후 다음과 같은 화면이 나오면 실제 자신의 키보드에서 스페이스 바를 누릅니다.

❸ '검은색' 선을 따라 '왼쪽' 교차로까지 이동하기 블록을 가져와 연결한 후 다음과 같이 이동 방향을 '뒤쪽'으로 설정합니다.

만일 스페이스 키가 눌러져 있는가? 이라면
검은색 선을 따라 뒤쪽 교차로까지 이동하기

❹ ❸에서 만들어진 명령어 블록을 다음과 같이 계속 반복하기 블록 안쪽에 넣습니다.

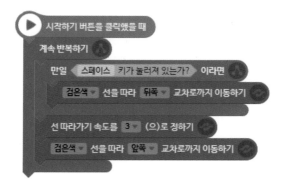

5 스페이스 바를 누르면 버저음이 재생되도록 삐 소리내기 블록을 다음과 같이 연결합니다.

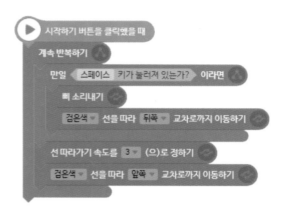

6 '시작하기'를 클릭하면 햄스터 로봇이 검은색 선을 따라 앞쪽으로 3의 속도로 계속 이동합니다. 햄스터 로봇이 교차로를 통과할 때 스페이스 바를 누르면 '삐' 소리를 내며 뒤쪽 교차로 방향으로 햄스터 로봇이 이동합니다.

잠·깐·만

교차로에서 뒤쪽으로 이동하기를 선택하면 어떻게 움직이나요?

'검은색' 선을 따라 '뒤쪽' 교차로까지 이동하기 블록이 실행되면 햄스터 로봇이 이동하던 방향을 90도 변경하여 움직이게 됩니다. 즉, 다음 그림의 왼쪽처럼 오른쪽으로 이동하는 햄스터 로봇에게 '검은색 선을 따라 뒤쪽 교차로까지 이동하기' 명령을 실행하면 오른쪽 그림처럼 90도 회전하여 왼쪽으로 이동하게 됩니다.

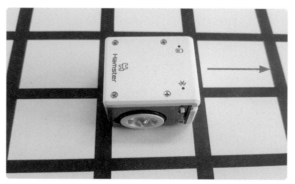 

Step 3 🖘 화살표 키 방향에 맞게 교차로로 이동하기

왼쪽 화살표 키를 누르면 햄스터 로봇이 왼쪽 교차로 쪽으로 이동하고, 오른쪽 화살표 키를 누르면 오른쪽 교차로 쪽으로 이동하도록 설정합니다. 그리고 이동하기 전에 '삐' 소리를 내도록 설정합니다.

① **만일 '참' 이라면** 블록과 [판단]의 **'q' 키가 눌러져 있는가?** 블록을 가져와 '참'의 자리에 **'q' 키가 눌러져 있는가?** 블록을 넣어줍니다.

② **①**에서 조립한 명령어 블록의 'q' 부분을 클릭한 후 다음과 같은 화면이 나오면 실제 자신의 키보드에서 '왼쪽 화살표' 키를 눌러 **만일 '왼쪽 화살표' 키가 눌러져 있는가? 이라면** 으로 변경합니다.

③ **'검은색' 선을 따라 '왼쪽' 교차로까지 이동하기** 블록, **삐 소리내기** 블록을 가져와 다음과 같이 조립한 후 이동 방향을 '왼쪽'으로 설정합니다.

④ ❸에서 만들어진 명령어 블록을 다음과 같이 `계속 반복하기` 블록 안에 넣습니다.

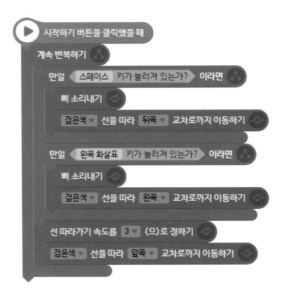

⑤ ❹에서 만든 명령어 블록의 `만일 '왼쪽 화살표' 키가 눌러져 있는가? 이라면` 블록 위에서 마우스 오른쪽 버튼을 클릭한 후 '코드 복사 & 붙여넣기'를 클릭합니다.

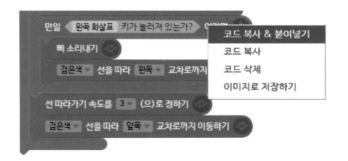

❻ 복사된 블록에서 필요 없는 명령어 블록은 삭제한 후 '왼쪽 화살표'는 '오른쪽 화살표'로 변경하고, 교차로 이동 방향도 '오른쪽'으로 설정합니다.

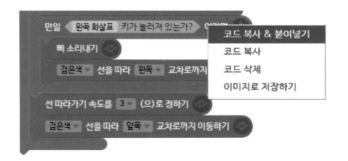

❼ 만들어진 명령어 블록을 다음과 같이 [계속 반복하기] 블록 안에 넣습니다.

시작하기 버튼을 클릭했을 때
계속 반복하기
　만일 〈 스페이스 키가 눌러져 있는가? 〉 이라면
　　삐 소리내기
　　검은색▼ 선을 따라 뒤쪽▼ 교차로까지 이동하기
　만일 〈 왼쪽 화살표 키가 눌러져 있는가? 〉 이라면
　　삐 소리내기
　　검은색▼ 선을 따라 왼쪽▼ 교차로까지 이동하기
　만일 〈 오른쪽 화살표 키가 눌러져 있는가? 〉 이라면
　　삐 소리내기
　　검은색▼ 선을 따라 오른쪽▼ 교차로까지 이동하기
　선 따라가기 속도를 3▼ (으)로 정하기
　검은색▼ 선을 따라 앞쪽▼ 교차로까지 이동하기

❽ '시작하기'를 클릭하여 확인해보면 눌러진 키 방향의 교차로로 햄스터 로봇이 이동합니다.

꼭 기억해요

지금까지 배운 내용을 정리해봅시다. 요점 정리를 읽고 이해가 되지 않는 내용이 있다면 17장을 다시 한번 살펴봅시다.

Point 1 바닥 센서 특징 알아보기

✦ 햄스터 로봇 아래쪽에 2개의 바닥 센서가 있으며 바닥에 그려진 하얀색과 검은색을 구분할 수 있습니다.

✦ 바닥 센서는 바닥 색에 따라 다른 출력값을 가지며 하얀색은 80~100, 회색은 30~60, 검은색은 15 이하의 값을 출력합니다.

✦ 햄스터 로봇의 각종 센서 출력값은 [하드웨어] 블록 꾸러미에서 확인할 수 있습니다.

Point 2 ▶ 햄스터 로봇 직선 길 이동

✦ [하드웨어] 블록 꾸러미의  '검은색' 선을 '왼쪽' 바닥 센서로 따라가기 블록을 사용하면 햄스터 로봇이 하얀색이나 검은색 길을 따라 이동합니다.

✦ 검은색 선을 '왼쪽' 혹은 '오른쪽' 바닥 센서로 따라가기 명령을 내리면 햄스터 로봇의 위치가 길에서 왼쪽이나 오른쪽으로 약간 치우치며 몸체의 좌우 흔들림이 있습니다.

Point 3 ▶ 햄스터 로봇 교차로 이동

✦ 햄스터 로봇의 교차로 이동은 [하드웨어] 블록 꾸러미의 '검은색' 선을 따라 '왼쪽' 교차로까지 이동하기 블록을 사용합니다.

✦ '검은색' 선을 따라 '앞쪽' 교차로까지 이동하기 블록을 사용하면 햄스터 로봇이 바로 앞의 교차로까지 이동한 후 멈추게 됩니다. [흐름] 블록 꾸러미의 반복하기 블록을 사용하면 교차로를 연속적으로 이동하게 됩니다.

도전해봅시다 ⚙

지금까지 배운 내용을 잘 이해했나요? 이제 배운 내용을 참고하여 도전과제를 해결해봅시다. '도전해봅시다'의 문제 풀이는 PDF로 제공됩니다. 한빛미디어(http://www.hanbit.co.kr)에 접속한 다음 상단의 검색 아이콘을 눌러서 '엔트리, 피지컬 컴퓨팅을 만나다'를 입력해서 검색해주세요. 검색해 나온 책 모양을 클릭한 다음 도서 표지 하단의 [부록/예제소스]를 클릭하면 파일을 받으실 수 있습니다.

도전과제 1 ▶ 검은색 선을 따라가다 's' 키를 누르면 일시 정지하는 프로그램 제작하기 (난이도 ★)

바닥 센서를 이용하여 햄스터 로봇이 검은색 선을 따라 계속 움직이다 's' 키를 누르면 2초간 일시 정지한 후 다시 이동하는 프로그램을 만들어봅시다.

1 타원형의 길 모양 그림을 준비합니다. 258쪽의 '잠깐만'을 참고하여 이 도서의 부록에 있는 그림을 이용해도 좋습니다.

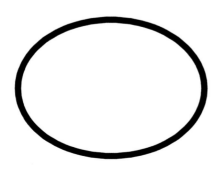

2 엔트리에서 햄스터 로봇이 검은색 선을 양쪽 바닥 센서로 따라가도록 설정합니다. 이때 햄스터 로봇이 계속 움직이도록 해야 합니다.

> **Hint** [흐름]의 `계속 반복하기` 블록을 사용하면 햄스터 로봇이 계속 움직입니다.

3 만약 's' 키를 누르면 햄스터 로봇이 2초간 정지한 후 다시 움직이도록 설정합니다.

> **Hint** 특정 키를 눌렀는지 판단하는 명령어 블록은 [흐름]에서 찾을 수 있습니다.

4 자신이 만든 프로그램을 엔트리 홈페이지에 업로드 해보고 친구들과 서로 평가해봅시다.

도전과제 2 이동 중 전방에 물체가 나타나면 일시적으로 뒤로 갔다가 다시 앞으로 이동하는 프로그램 제작하기 (난이도 ★★)

햄스터 로봇이 선을 따라 앞으로 이동하다가 전방에 물체가 나타나면 일시적으로 뒤로 갔다 다시 앞으로 이동하는 프로그램을 제작해봅시다. 전방에 물체가 나타나면 삐 소리를 내고, 양쪽 LED가 빨간색으로 켜지며, 뒤로 1초간 이동합니다. 그리고 다시 앞으로 계속 이동합니다. 이 프로그램에는 바닥 센서, 전방 거리 센서, LED 등이 사용됩니다.

1 햄스터 로봇이 바닥의 검은색 선을 따라 '3'의 속도로 이동하도록 설정합니다.

2 이동하다가 전방에 물체가 있는지 판단하는 블록을 추가합니다.

> **Hint** [흐름]과 [판단]의 명령어 블록을 이용합니다.

3 전방에 물체가 있으면 '삐' 소리가 나도록 설정합니다.

4 전방에 물체가 있으면 양쪽 LED가 빨간색을 표시한 후 잠시 후 꺼지도록 설정합니다.

> **Hint** LED를 끄는 명령은 [하드웨어]의 `'양쪽' LED '끄기'` 블록입니다.

5 전방에 물체가 있으면 뒤로 1초간 이동하도록 설정합니다.

6 '시작하기'를 클릭하여 햄스터 로봇이 앞으로 이동하다가 전방에 물체가 나타나면 '삐' 소리를 내며, 양쪽 LED가 빨간색으로 잠시 바뀌고 뒤로 1초간 이동하는지 확인합니다.

> **Hint** 만약 명령이 반복해서 실행되지 않는다면 어떤 명령어 블록을 사용해야 할까요?

7 자신이 만든 프로그램을 엔트리 홈페이지에 업로드 해보고 친구들과 서로 평가해봅시다.

도전과제 3 바닥 센서를 이용한 나만의 작품 제작하기 (난이도 ★★★)

1 바닥 센서를 이용하여 나만의 작품을 제작해봅시다. 내가 만들 프로그램의 기능 및 특징을 글과 그림으로
표현해봅시다.

2 자신이 만든 프로그램을 엔트리 홈페이지에 업로드 해보고 친구들과 서로 평가해봅시다.

18장. [스피커] 햄스터와 함께 노래를 배워요

🥢 이런 것을 배워요

✦ 햄스터 스피커의 특징을 알아봅시다.

✦ 스피커와 엔트리를 이용하여 노래를 연주하는 프로그램을 만들어봅시다.

✦ 스피커를 이용한 다양한 응용 프로그램을 만들어봅시다.

🥢 도움이 필요해요

소하가 학교에서 돌아오니 동생이 거실에서 열심히 노래를 부르고 있습니다. 음악 수행평가로 친구들 앞에서 노래 부르기가 주제인데 동생은 여러 곡을 불러야 해서 자신이 없다고 합니다. 책을 보면서 혼자 연습하는 동생을 도와주고 싶은 소하는 문득 지난번 친구와 햄스터 로봇으로 노래를 연주했던 기억이 생각났습니다. 소하는 동생이 노래를 더 재미있게 익힐 수 있도록 햄스터 로봇이 노래를 연주하는 프로그램을 만들기로 했습니다. 소하가 프로그램을 잘 만들어서 동생을 도와줄 수 있을까요?

🏅 미리 생각해봐요

소하가 고민하는 프로그램을 만들려면 햄스터 로봇에 어떤 기능이 필요할까요? 또 엔트리에서 사용할 명령어 블록은 무엇일까요? 자신의 생각을 그림 혹은 글로 표현해봅시다.

피지컬 컴퓨팅 프로그래밍 기본

소하의 고민을 해결하기 위해서는 햄스터 로봇의 스피커를 다룰 수 있어야 합니다. 다음의 내용을 살펴보며 스피커의 작동 원리를 하나하나 배워봅시다.

Check 1 **계이름 및 박자 표현 방법 알아보기**

Check 2 **연주 속도 및 쉼표 표현 방법 알아보기**

Check 3 **간단한 노래 연주하기**

🎓 잠·깐·만

햄스터 로봇의 스피커는 어디에 있나요?

햄스터 로봇에는 1개의 스피커가 내장되어 있어 다양한 소리를 연주할 수 있습니다. 오른쪽 그림에서 볼 수 있는 것처럼 스피커는 햄스터 로봇 상단 내부에 있습니다.

Check 1 **계이름 및 박자 표현 방법 알아보기**

스피커로 노래를 연주하기 위해서는 간단한 음악이론을 알아야 합니다. 다음 악보는 노래의 일부분입니다. 악보를 살펴봅시다.

악보의 노래는 4/4박자 노래라는 것을 알 수 있습니다. 악보의 계이름은 어떻게 되나요? 계이름이란 음계의 각 음에 주어진 이름을 말합니다. 이 악보에 계이름을 붙이면 다음과 같습니다.

이제 계이름이 무엇인지 이해가 되겠죠?

이번에는 박자에 대해 알아보겠습니다. 위 악보의 노래는 4/4박자이므로 4분음표 1개가 1박자가 됩니다. 8분음표는 0.5박자가 됩니다. 그럼 악보의 박자는 어떻게 될까요? 차례대로 읽어보면 '1박/0.5박/0.5박/1박/1박/1박/1박/1박/1박(쉼표)/1박/0.5박/0.5박/1박/1박/1박/1박/1박/1박(쉼표)'입니다.

햄스터 로봇으로 위 악보의 노래를 연주하기 위해서는 엔트리에서 계이름과 박자를 표현하는 방법을 알아야 합니다.

[하드웨어]를 보면 다음과 같은 명령어 블록이 있습니다. 이 명령어 블록은 어떤 의미일까요?

'도' 계이름을 '4옥타브'로 '0.5'박자 연주하라는 의미입니다. 악보에서는 다장조의 0.5박자 도(♪)입니다. '도' 부분을 클릭하면 다음과 같은 선택 메뉴들이 나옵니다. '도~시' 까지의 계이름 중에서 연주하기를 원하는 계이름을 선택할 수 있습니다.

블록에서 '4'는 옥타브를 의미하며 숫자를 클릭하면 왼쪽의 명령어 블록에서 보는 것처럼 '1~7'까지의 숫자 범위 옥타브를 선택할 수 있습니다. '1'이 제일 낮은 음이며 '7'이 가장 높은 음을 의미합니다.

'0.5'라는 것은 음의 박자를 말하며 4/4박자 음악에서 0.5는 8분음표에 해당됩니다. 박자 앞의 숫자가 커질수록 연주하는 시간이 늘어납니다. 그러면 4/4박자 노래에서 '미 4음을 1박 연주하라'는 의미로 명령어 블록을 설정하려면 어떻게 하면 될까요?

다음 명령어 블록처럼 설정해주면 됩니다.

![미 4 음을 1 박자 연주하기]

Check 2 ◀ 연주 속도 및 쉼표 표현 방법 알아보기

[하드웨어]를 보면 다음과 같은 명령어 블록이 있습니다. 이 명령어 블록은 어떤 의미일까요?

위의 명령어 블록은 노래를 60BPM으로 연주하라는 의미입니다. '60' 부분을 클릭하여 다른 숫자로 변경할 수 있습니다. BPM 앞의 숫자가 커질수록 곡의 연주 속도가 더 빨라집니다.

🎓 잠·깐·만

BPM이 무엇인가요?

BPM(Bit Per Minute)은 1분당 연주하는 박자 수를 의미합니다. 즉, 60BPM이라고 하면 1분에 60박자를 연주한다는 의미입니다.

쉼표는 음악에서 그 길이를 나타내지 않는 곳과 그 길이를 나타낸 표를 말합니다. 즉, 쉼표가 있는 곳은 그 음의 길이만큼 연주하지 않는 것입니다.

다음 악보에 나오는 쉼표는 4분쉼표입니다. 즉, 1박자의 길이만큼 연주하지 않고 쉰다는 의미입니다.

[하드웨어]에는 다음과 같은 명령어 블록이 있습니다.

이 명령어 블록은 음악에서 쉼표의 역할을 하는 것입니다. 만약 4분쉼표가 되려면 숫자를 어떻게 바꾸면 될까요? 다음과 같이 숫자를 '0.25'에서 '1'로 변경하면 됩니다.

Check 3 ▶ 간단한 노래 연주하기

지금까지 배운 내용을 바탕으로 간단한 노래를 연주해봅시다. 우리가 연주해볼 노래는 '학교종'입니다.

❶ 블록 조립소에서 시작하기 버튼을 클릭했을 때 블록을 제외한 나머지 블록은 모두 삭제합니다.

❷ [하드웨어]의 '도' '4'음을 '0.5'박자 연주하기 블록을 블록 조립소로 가져와 연결합니다. 악보에서 처음 등장하는 계이름이 '솔'이므로 '도' 부분을 클릭하여 '솔'로 변경합니다.

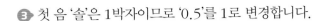

❸ 첫 음 '솔'은 1박자이므로 '0.5'를 1로 변경합니다.

❹ 「솔' '4'음을 '1'박자 연주하기」 블록 위에 마우스 오른쪽 버튼을 클릭한 후 '코드 복사 & 붙여넣기'를 실행하여 명령어 블록을 하나 복사하여 붙여넣습니다.

❺ ❹와 같은 방법으로 명령어 블록을 복사하여 명령어 블록이 총 12개가 되도록 합니다.

❻ 첫 번째 줄의 계이름은 '솔솔라라솔솔미솔솔미미레'이므로 명령어 블록에서 계이름을 아래와 같이 수정합니다.

❼ 박자를 악보에 맞게 수정해줍니다. 박자는 '1박/1박/1박/1박/1박/2박/1박/1박/1박/3박'이므로 숫자 부분을 클릭하여 아래와 같이 변경합니다.

❽ 마지막에 4분쉼표를 추가하기 위해 [하드웨어]의 '0.25' 박자 쉬기 블록을 가져옵니다. 4분쉼표는 1박자를 쉬는 것이므로 '0.25'를 클릭하여 '1'로 변경합니다.

❾ 두 번째 줄의 계이름과 박자는 아래와 같습니다.

'솔/솔/라/라/솔/솔/미/솔/미/레/미/도'
'1박/1박/1박/1박/1박/1박/2박/1박/1박/1박/1박/3박'

❽에서 만든 명령어 블록을 복사하여 아래와 같이 명령어 블록을 추가로 완성합니다.

❿ '시작하기'를 클릭하여 노래 연주를 들어보면 연수 속도가 조금 느린 것을 알 수 있습니다. 따라서 [하드웨어]의 연주 속도를 '60'BPM으로 정하기 블록을 가져와 속도를 '120'으로 수정한 후 다음과 같이 조립합니다.

⓫ '시작하기'를 클릭하여 연주되는 노래를 확인합니다.

핵심 블록 알아보기

도 ▼ 4 ▼ 음을 0.5 박자 연주하기	선택한 계이름과 옥타브의 음을 입력한 박자만큼 소리 냅니다.
0.25 박자 쉬기	입력한 박자만큼 쉽니다.
연주 속도를 60 BPM으로 정하기	연주하거나 쉬는 속도를 입력한 BPM(분당 박자 수)으로 설정합니다.

⚙ 피지컬 컴퓨팅 실전

햄스터 로봇 스피커와 엔트리 프로그래밍을 통해 소하가 해결해야 할 문제를 함께 풀어봅시다. 먼저 우리가 만들 결과물의 실행 조건은 다음과 같습니다.

◆ 햄스터 로봇의 왼쪽과 오른쪽 바퀴값을 30으로 하여 이동하도록 합니다.

◆ 왼쪽 근접 센서값이 50보다 커지면 햄스터 로봇이 뒤로 1.5초 이동하며 왼쪽으로 1초간 회전합니다.

◆ 오른쪽 근접 센서값이 50보다 커지면 햄스터 로봇이 뒤로 1.5초 이동하며 오른쪽으로 1초간 회전합니다.

◆ 만약 왼쪽 바닥 센서값이 80보다 커지면(하얀색 계열) 햄스터 로봇이 정지한 후 왼쪽 LED를 하얀색으로 켜고, '구슬비' 노래를 연주합니다.

◆ 만약 오른쪽 바닥 센서값이 20보다 작으면(검은색 계열) 햄스터 로봇이 정지한 후 왼쪽 LED를 빨간색으로 켜고, '잠자리' 노래를 연주합니다.

◆ 노래 연주가 끝난 후 햄스터 로봇이 앞으로 1초간 이동합니다.

이제 우리가 만들 프로그램의 제작 순서를 살펴보겠습니다. 다음 순서를 보고 프로그램을 직접 만들어보면 더욱 좋습니다.

바닥 색에 따라 다른 노래를 연주하는 로봇 프로그램

1	손에 반응하며 움직이는 햄스터 로봇을 제작합니다.	(프로그램 블록 이미지)
2	햄스터 로봇이 연주할 노래를 제작합니다.	(프로그램 블록 이미지)

블록 1:
- 시작하기 버튼을 클릭했을 때
- 계속 반복하기
  - 왼쪽 바퀴 30 오른쪽 바퀴 30 (으)로 정하기
  - 만일 〈 왼쪽 근접 센서 〉 50 〉 이라면
    - 뒤로 1.5 초 이동하기
    - 왼쪽 으로 1 초 돌기
  - 만일 〈 오른쪽 근접 센서 〉 80 〉 이라면
    - 뒤로 1.5 초 이동하기
    - 오른쪽 으로 1 초 돌기

블록 2:
- 함수 정의하기 구슬비
- 왼쪽 LED를 파란색 으로 정하기
- 연주 속도를 120 BPM으로 정하기
- 2 번 반복하기
  - 미 4 음을 0.5 박자 연주하기
  - 솔 4 음을 0.5 박자 연주하기
  - 솔 4 음을 0.5 박자 연주하기
  - 파 4 음을 0.5 박자 연주하기

3	바닥 색을 구분해서 노래를 연주하도록 연결해 줍니다.	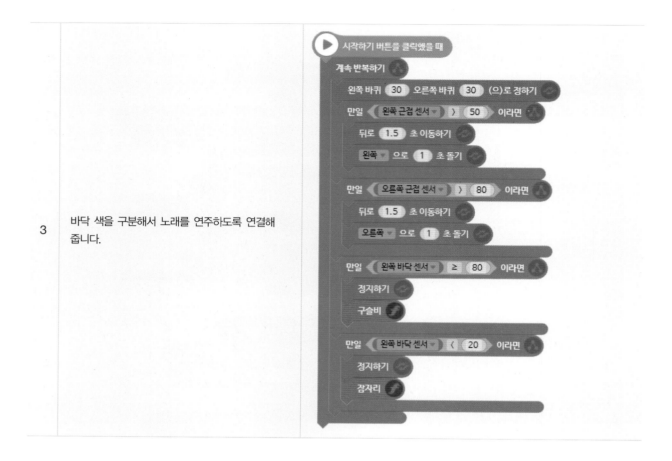

Step 1 🐹 손에 반응하며 움직이는 햄스터 로봇 제작하기

햄스터 로봇이 앞으로 전진하다가 햄스터 로봇 전방에 손을 가져갔을 때 손을 감지하고 뒤로 잠시 이동한 후 한쪽으로 회전을 한 후 다시 전진합니다. 왼쪽 근접 센서가 손을 인식하면 뒤로 1.5초 이동한 후 왼쪽으로 1초간 회전하며, 오른쪽 근접 센서가 손을 인식하면 뒤로 1.5초 이동한 후 오른쪽으로 1초간 회전합니다.

❶ 엔트리를 실행하여 `시작하기 버튼을 클릭했을 때` 블록만 남기고 나머지 블록은 삭제합니다.

❷ 햄스터 로봇의 양쪽 바퀴의 속도를 30으로 정합니다. [하드웨어]의 `왼쪽 바퀴 '30' 오른쪽 바퀴 '30'(으)로 정하기` 블록과 [흐름]의 `계속 반복하기` 블록을 가져와 다음과 같이 설정합니다.

❸ 왼쪽 근접 센서값이 50보다 커지면 햄스터 로봇이 다른 방향으로 움직이도록 설정합니다. 블록 조립소로 [흐름]의 `만일 '참' 이라면` 블록, [판단]의 `'10' > '10'` 블록, [하드웨어]의 `왼쪽 근접 센서` 블록을 가져와 `왼쪽 근접 센서` 블록을 `'10' > '10'` 블록의 부등호 왼쪽에 넣어주고 오른쪽의 '10'은 '50'으로 변경합니다. 그리고 조립한 명령어 블록은 `만일 '참' 이라면` 블록의 '참'의 자리에 넣어줍니다.

❹ 왼쪽 근접 센서가 손을 감지하면 햄스터 로봇이 뒤로 1.5초 이동하고, 왼쪽으로 1초 회전하도록 설정합니다. [하드웨어]의 `뒤로 '1'초 이동하기` 블록과 `'왼쪽'으로 '1'초 돌기` 블록을 가져와 먼저 두 블록을 연결한 다음 `뒤로 '1'초 이동하기` 블록은 1.5초로 변경합니다. 그리고 연결한 블록은 `만일 '왼쪽 근접 센서' > '50'` 이라면 아래에 넣어줍니다.

❺ 오른쪽 근접 센서도 ❹를 참고하여 다음과 같이 설정합니다. 이때 '코드 복사 & 붙여넣기'를 사용하면 편리합니다.

⑥ 앞의 **④**와 **⑤**에서 만든 명령어 블록을 계속 반복하기 블록 안으로 가져다 넣습니다.

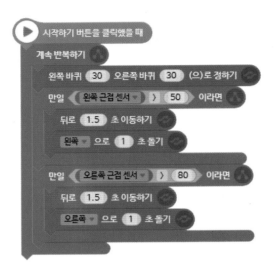

Step 2 🔊 연주할 노래 제작하기

햄스터 로봇이 연주할 노래를 제작하도록 합니다. **Step 1** 단계에서 제작하던 명령어 블록 다음에 노래 블록들을 추가해도 되지만 코드를 단순하게 보이게 하려면 함수를 추가해서 노래를 제작합니다. 함수에 대해서는 13장의 Check 2에서 언급하였습니다.[192쪽] 기억을 돕기 위해 함수는 프로그래밍 등에서 반복되는 명령어들을 별도로 묶어 두었다가 필요할 때마다 불러 사용하는 것을 말하며 함수에 사용될 명령어 블록을 하나하나 나열하는 것을 '함수 정의'라 하고, 해당 함수가 실행되도록 명령하는 것을 '함수 호출'이라고 하였습니다. 이제 기억나시나요?

햄스터 로봇이 연주할 노래는 '구슬비'와 '잠자리'라는 노래입니다. 두 노래를 각각 함수로 제작하여 나중에 호출하여 사용합니다. 두 노래의 악보는 다음과 같습니다.

구슬비

권오순 작사 안병원 작곡

보통 빠르게

송알송알 싸리잎에 은구슬
고이고이 오색실에 꿰어서

조롱조롱 거미줄에 옥구슬
달빛새는 창문가에 두라고

대롱대롱 풀잎마다 총총
포슬포슬 구슬비는 종일

방긋웃는 꽃잎마다 송송송
예쁜구슬 맺히면서 솔솔솔

잠자리

백약란 작사 손대업 작곡

보통 빠르게

잠자리 날아다니다 장다리꽃에 앉았다

살금살금 바둑이가

잡다가놓쳐버렸다 짖다가날려버렸다

❶ 노래 함수를 만들기 위해 [함수]의 '함수 만들기'를 클릭합니다. 클릭하면 다음 그림과 같이 함수를 정의할 수 있는 창이 열립니다. 이때 기존에 작성하던 명령어 블록은 흐리게 나오며 맨 아래에 '취소', '확인' 버튼이 생성됩니다.

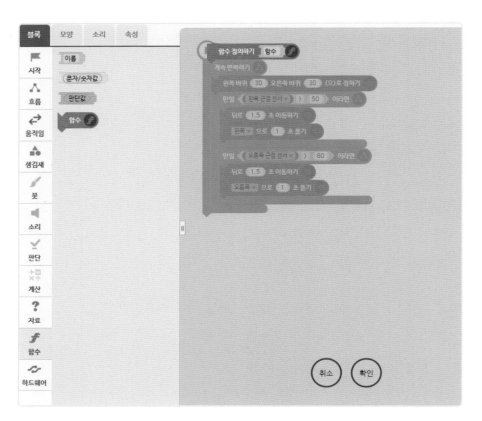

❷ '함수 정의하기' 부분의 '함수' 항목을 클릭하여 '구슬비'라고 입력하고 '확인'을 클릭합니다. [함수]에 '구슬비' 함수가 그림처럼 새로 생성되었습니다.

❸ '함수 만들기'를 클릭하여 '잠자리' 함수를 추가합니다.

❹ 이제 '구슬비' 함수와 '잠자리' 함수를 호출했을 때 실행할 명령어 블록을 추가합니다. 먼저 [함수]의 '구슬비' 함수를 더블클릭하여 다음과 같이 편집 상태로 이동합니다.

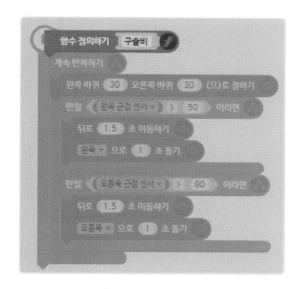

❺ '구슬비' 노래가 연주될 때는 왼쪽 LED를 파란색으로 설정합니다. 사용 방법은 똑같습니다. [하드웨어]의 '왼쪽' LED를 '빨간색'으로 정하기 블록과 연주 속도를 '60'BPM으로 정하기 블록을 가져와 다음과 같이 설정합니다.

❻ 첫 번째 단의 계이름이 '미솔솔파미솔솔파미솔파'인데 같은 박자의 '미솔솔파'가 2번 반복됩니다. 그러므로 '10'번 반복하기 블록을 사용하여 '10'을 '2'로 변경하여 다음과 같이 설정합니다. 계이름과 박자 설정하는 방법을 앞에서 배운 Check 3를 참고하여 설정하세요.

❼ '미솔파' 계이름과 8분쉼표를 다음과 같이 설정합니다.

함수 정의하기 구슬비
왼쪽 LED를 파란색 으로 정하기
연주 속도를 120 BPM으로 정하기
2 번 반복하기
미 4 음을 0.5 박자 연주하기
솔 4 음을 0.5 박자 연주하기
솔 4 음을 0.5 박자 연주하기
파 4 음을 0.5 박자 연주하기

미 4 음을 1 박자 연주하기
솔 4 음을 1 박자 연주하기
파 4 음을 1.5 박자 연주하기
0.5 박자 쉬기

❽ 두 번째 단의 계이름은 첫 번째 단과 비슷하므로 ❻과 ❽에서 만든 명령어 블록을 '코드 복사 & 붙여넣기' 하여 다음과 같이 설정합니다.

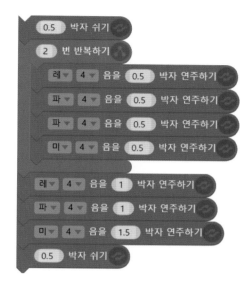

❾ 세 번째 단의 계이름은 '도도미솔도라솔솔라솔'이므로 다음과 같이 설정합니다.

```
0.5 박자 쉬기
도 ▼  4 ▼ 음을 0.5 박자 연주하기
도 ▼  4 ▼ 음을 0.5 박자 연주하기
미 ▼  4 ▼ 음을 0.5 박자 연주하기
솔 ▼  4 ▼ 음을 0.5 박자 연주하기
도 ▼  5 ▼ 음을 1.5 박자 연주하기
라 ▼  4 ▼ 음을 0.5 박자 연주하기
솔 ▼  4 ▼ 음을 0.5 박자 연주하기
솔 ▼  4 ▼ 음을 0.5 박자 연주하기
라 ▼  4 ▼ 음을 1.0 박자 연주하기
솔 ▼  4 ▼ 음을 1.5 박자 연주하기
0.5 박자 쉬기
```

⑩ 네 번째 단의 계이름은 '미솔솔파미솔솔파미레도'이므로 ❽에서 만든 명령어 블록을 복사하여 붙여넣기한 후 다음과 같이 설정합니다.

⑪ 노래가 끝나면 햄스터 로봇이 다시 앞으로 이동하도록 설정합니다. 앞으로 '1'초 이동하기 블록을 맨 아래에 추가합니다. 모든 명령어 블록을 설정한 후 블록 조립소 아래에 있는 '확인'을 반드시 클릭해야 정의한 함수가 모두 저장됩니다.

⓬ [함수]에서 '잠자리' 항목을 더블클릭하여 명령어 블록을 설정합니다. 악보를 참고하여 다음과 같이 명령어 블록을 설정합니다.

⑬ 명령어 블록 추가가 끝나면 '확인'을 클릭합니다.

Step 3 🚌 바닥 색을 구분해서 노래 실행하기

햄스터 로봇이 움직이다가 하얀색 부분을 감지하면 정지한 후 구슬비 노래를 실행하고, 검은색 부분을 감지하면 정지한 후 잠자리 노래를 실행하도록 합니다.

❶ `만일 '참' 이라면` 블록, [판단]의 `'10' ≥ '10'` 블록, `'왼쪽 바닥 센서'` 블록을 가져와 다음과 같이 설정합니다. `'왼쪽 바닥 센서'` 블록을 `'10' ≥ '10'` 블록의 앞의 '10' 자리에 넣어주고 뒤의 '10'은 '80'으로 변경하여 이 명령어 블록을 '참'의 자리에 넣어줍니다.

❷ 햄스터 로봇이 바닥의 하얀색을 감지하면 정지하도록 `정지하기` 블록을 추가합니다. 그리고 '구슬비' 함수를 호출하여 노래를 연주하도록 다음과 같이 설정합니다.

❸ 이번에는 햄스터 로봇이 바닥의 검은색을 감지하면 정지하고 노래를 연주하도록 설정합니다. ❷에서 만든 명령어 블록을 복사하여 다음과 같이 설정합니다.

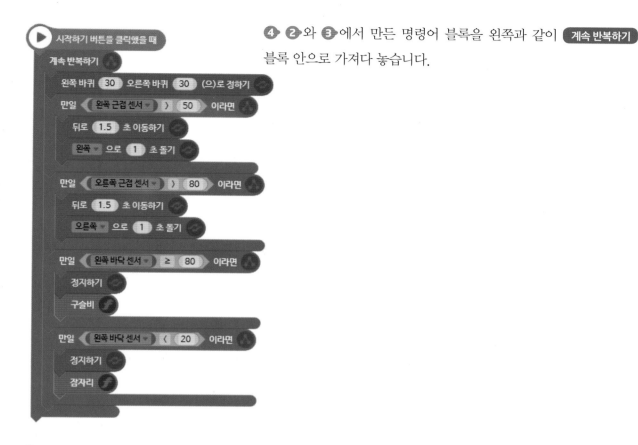

❹ ❷와 ❸에서 만든 명령어 블록을 왼쪽과 같이 계속 반복하기 블록 안으로 가져다 놓습니다.

❺ '시작하기'를 클릭하면 햄스터 로봇이 앞으로 이동합니다. 이때 왼쪽 근접 센서 근처에 손을 가져가면 햄스터 로봇이 뒤로 이동한 다음 왼쪽으로 회전하며, 오른쪽 근접 센서 근처에 손을 가져가면 뒤로 이동한 다음 오른쪽으로 회전합니다. 햄스터 로봇이 움직이다가 하얀색 바닥을 만나면 구슬비 노래를 연주하고, 검은색 바닥을 만나면 잠자리 노래를 연주합니다. 원하는 대로 실행이 되는지 확인해봅시다. 바닥판 그림은 도서 웹사이트에 있습니다.

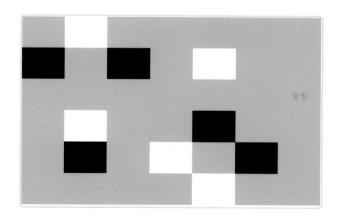

꼭 기억해요

지금까지 배운 내용을 정리해봅시다. 요점 정리를 읽고 이해가 되지 않는 내용이 있다면 18장을 다시 한번 살
펴봅시다.

Point 1 ▶ 스피커의 특징 알아보기

+ 스피커는 햄스터 로봇 상단 내부에 내장되어 있습니다.
+ [하드웨어] 블록 꾸러미의 명령어 블록을 사용하여 스피커로 소리를 전달할 수 있습니다.

Point 2 ▶ 계이름 및 박자 표현 방법

+ [하드웨어] 블록 꾸러미의 `'도' '4'음을 '0.5'박자 연주하기` 블록의 '4'는 음의 높낮이 즉, 옥타브를 표현하는 것이며 '5'로 변경하면 한
  옥타브 올라간 음을 연주합니다. 각 계이름은 '1~7' 옥타브까지 표현할 수 있습니다.
+ [하드웨어] 블록 꾸러미의 `'도' '4'음을 '0.5'박자 연주하기` 블록의 '0.5'는 박자의 길이를 표현하는 것으로 '0.5'를 '1'로 변경하면 박자
  의 길이가 두 배로 길어집니다.

Point 3 ▶ 연주 속도 및 쉼표 표현 방법

+ [하드웨어] 블록 꾸러미의 `연주 속도를 '60'BPM으로 연주하기` 블록은 연주 속도를 조절해주는 명령어 블록입니다. BPM(Bit Per
  Minute)은 분당 연주하는 박자 수를 의미합니다. BPM 앞의 숫자가 커지면 연주 속도가 빨라집니다.
+ [하드웨어] 블록 꾸러미의 `'0.25' 박자 쉬기` 블록은 음악의 쉼표를 표현하는 명령어 블록입니다. '0.25'박자 쉬기는 16분쉼표,
  '0.5'박자 쉬기는 8분쉼표, '1'박자 쉬기는 4분쉼표를 나타냅니다.

도전해봅시다 ⚙

지금까지 배운 내용을 잘 이해했나요? 이제 배운 내용을 참고하여 도전과제를 해결해봅시다. '도전해봅시다'의 문제 풀이는 PDF로 제공됩니다. 한빛미디어(http://www.hanbit.co.kr)에 접속한 다음 상단의 검색 아이콘을 눌러서 '엔트리, 피지컬 컴퓨팅을 만나다'를 입력해서 검색해주세요. 검색해 나온 책 모양을 클릭한 다음 도서 표지 하단의 [부록/예제소스]를 클릭하면 파일을 받으실 수 있습니다.

도전과제 1 특정 키를 누르면 멜로디 재생하는 프로그램 제작하기 (난이도 ★)

키보드의 특정 키를 누르면 멜로디가 연주되는 프로그램을 만들어봅시다. '도미솔' 멜로디를 이용하여 옥타브가 서로 다른 멜로디를 연주해봅시다. 그리고 멜로디에 따라 LED 색도 서로 다르게 지정해줍니다.

1 엔트리를 실행하여 `시작하기 버튼을 클릭했을 때` 블록만 남기고 나머지 블록은 삭제합니다.

2 키보드의 '4'를 누르면 '도미솔' 멜로디를 '4'의 크기로 '0.5'박자 연주하도록 설정합니다.

> **Hint** [하드웨어]의 `'도' '4'음을 '0.5'박자 연주하기` 블록을 사용합니다.

3 연주 속도를 '120' BPM으로 설정합니다.

4 양쪽 LED를 하얀색으로 설정합니다.

5 키보드 '5'를 누르면 '도미솔' 멜로디를 '5'의 크기로 '0.5'박자 연주합니다. 그리고 양쪽 LED를 노란색으로 설정합니다.

6 키보드 '6'을 누르면 '도미솔' 멜로디를 '6'의 크기로 '0.5'박자 연주합니다. 그리고 양쪽 LED를 빨간색으로 설정합니다.

7 '시작하기'를 클릭하여 멜로디가 제대로 작동하는지 확인합니다.

8 자신이 만든 프로그램을 엔트리 홈페이지에 업로드 해보고 친구들과 서로 평가해봅시다.

도전과제 2 빠르기를 조절할 수 있는 연주 프로그램 제작하기 (난이도 ★★)

빠르기를 조절할 수 있는 입력 창을 화면에 보여주고 입력된 값의 빠르기로 음악을 연주하는 프로그램을 제작합니다. 노래와 빠르기를 조절하는 기능은 함수를 이용합니다.

1 연주 속도를 얼마로 정할지 묻는 창을 추가합니다.

> **Hint** [자료]의 `'안녕!'을(를) 묻고 대답 기다리기` 블록을 사용하면 질문 창을 화면에 보여주며 대답이 입력되기를 기다립니다.

2 화면에 연주하는 속도를 보여줄 '연주속도' 변수를 추가합니다.

3 연주를 담당하는 '노래' 함수를 만듭니다. '함수 추가'를 통해 함수를 만들고 편집 상태에서 연주될 계이름을 박자에 맞게 추가합니다. 노래는 '학교종'으로 합니다.

4 노래의 빠르기를 조절하는 '빠르기' 함수를 만듭니다. '빠르기' 함수는 '문자/숫자값'으로 하며 '대답' 값에 60 을 더한 값을 '연주속도' 변숫값으로 정해줍니다.

5 '연주속도' 변숫값에 '대답'+60의 값이 입력되어 화면에 보여지도록 설정합니다.

> **Hint** '빠르기' 함수 안에 설정합니다.

6 '대답'에 입력되는 값을 반영하여 '빠르기' 함수를 호출하는 기능을 추가합니다.

7 '노래' 함수를 호출하는 기능을 추가합니다.

8 자신이 만든 프로그램을 엔트리 홈페이지에 업로드 해보고 친구들과 서로 평가해봅시다.

도전과제 3 나만의 노래 연주 프로그램 제작하기 (난이도 ★★★)

1 스피커와 엔트리를 이용하여 나만의 노래 연주 프로그램을 제작해봅시다. 내가 만들 프로그램의 기능 및 특징을 글과 그림으로 표현해봅시다.

2 자신이 만든 프로그램을 엔트리 홈페이지에 업로드 해보고 친구들과 서로 평가해봅시다.